ことばがこどもの未来をつくる

谷川雁の教育活動から萌え出でしもの

仁衡琢磨

NIHIRA Takuma

アーツアンドクラフツ

はじめに

二〇一九年十月、私はプラハにいた。ヨーロッパ救急学会で自社製品を展示紹介するための出張、その五日間の会期の半ばにネットワーキング・ディナーという催事が主催者によって準備されていた。参加は任意だったが、もちろん私は参加。どの国の、どんな人と出逢えるだろう――ワクワクするような機会に手を挙げない私ではない。

そして、たまたま同席したカナダからの参加者三人と私は、瞬く間に旧知の仲であったかのように親しくなってしまった。特にカナダからの参加者のうちリーダー格の医師ドンとはクラシック音楽の趣味で一致して話が弾んだ。彼はチェンバロを弾き、私はリコーダーを吹く。そして彼は学会前にドヴォルザークの歌劇「ルサルカ」を観てきたと言い、私は学会後に同じ「ルサルカ」を観るのだ。マイナーなオペラなのに何という偶然！　我々は「ルサルカ・フレンズ」だな！　と意気投合。日本に来る機会があったら連絡してよ。そうだな、カナダにも是非来てくれよ、と言い交わしたのであった。もちろんほかの同席者二名、バーバラとトーマスとも仲良く懇談をした愉しい時間だったが、ふとバーバラが首を傾げて言った。「あなたはどこで英語を学んだの？」

私は答えた。「中学校と高校で。それから、母が物語を通して英語や外国文化を学ぶ教室をしていたので、そこでも学んだ。僕は語彙はけっして豊富ではないし、拙い英語だけれど、会話に大事なのはコミュニケーションだと思っている。そういうことをそこで教わったかな。だから母には感謝しているんだ」

この言葉にバーバラは深く頷いてくれた。「本当にそうよね、コミュニケーションがとてもよくとれて楽しいわ。お母様に感謝ね」

初めて行った国で、任意参加のネットワーキング・ディナーにも積極的に飛び込み、たまたま同席した人と話している中で共通点を見いだし、すぐに打ち解けてしまえた――そんなありがたい能力は、私の生得のものではない。私の元来の性格は引っ込み思案だと思っている。そんな私にこれらの力をくれたのが、詩人・思想家として知られる谷川雁が、九州は筑豊での闘争から身を転じて創りあげたラボ教育センターであった。母はラボ教育センターの教室（ラボ・パーティと呼ぶ）を開いていた全国の女性たちのうちの一人であったのだ。谷川雁が自ら創案し掲げたラボのスローガンは「ことばがこどもの未来をつくる」――まさしく私の未来を作ってくれた大切な子ども時代の経験であった。

この本では、第一部でまず、谷川雁が構想・創造した特色ある教育手法について概説したい。その核となるのは「ことばと物語」だ。この教育を受けて育つことで「日々の生活、人生における全ての物事を物語と感じて、何でもおもしろがって対応できる人間」。ことばという道具を十二分に活かして世界中の人と楽しく付き合える人間」になれることを示したい。そして、このような人間こそ、世界における日本の地位が相対的に下がり続けている現在、そしてこれからの厳しい社会を生き抜く子どもたちを育てるに際し、目標に置くべき人物像だと私は考えている。

この教育手法は複数の要素を織り成したものであり、かつその効果・影響は即効的ではなく生涯にわたってジックリと効くものであるため、通り一遍の説明では伝わりにくい。その特色を読者が理解しやすいよう、ラボ教育センターの教育手法（以下「ラボ教育」と記す）を受けて育った子どもであった私や、私の周辺の子どもたちを実例に採り、この教育を受けたことがその後の人生にどのような影響を与えたかを記すこととする。どんな子どもたちの未来がそこで生まれ、どんな人材が育っていったのか、それを記すことで、なかなか簡単には把握できないと言われることの多いラボ教育の特色を読者に紹介したい。次代の子どもたちを育てる上で、そして読者自身の人生にとっても参考になればと願う。

また谷川雁のその後の活動、即ち「ものがたり文化の会」での活動および作詞をした合唱曲『白いうた　青いうた』

にも共振して、子どもに賭けた谷川雁の後半生全体を見た文章も置く。

第二部では私や、日本中のラボ・パーティで育った子どもたちが毎日聴き、週に一度のパーティ活動で登場人物や他の生き物、背景を構成する森や岩、波などの森羅万象になりきって英語と日本語で演じた物語たち——ラボ・ライブラリー作品のうち、谷川雁が在籍していた時期のものをとりあげて紹介したい。これらの物語こそがラボ教育の核であるからだ。ライブラリーそれぞれの概要と、それにまつわる私の小文を少々置く。

第三部では、人間を「物語的存在」と定義した谷川雁の言葉に導かれ、「人生における全てのことは物語である」と感じるようになった私、全ての事物に物語性を感じ、それらの物語を愛し続ける人生を貫った私が、谷川雁のラボ以外の著作を読み、そこから谷川雁と同時代あるいは前後の表現者へと興味を広げていった中で書いた小文をまとめてみる。どんな感性と力が培われたのか、私という一個の例にしか過ぎないが、読みとっていただけるものになろうかと思う。


この本を書いているさなか、世は新型コロナウイルス感染症に揺れ続けていた。ただ単に今揺れているというだけではなく、このウイルス禍の前と後では社会の全ての営為を見直す必要が生じてくるはずだ——生活も、仕事も、教育も。そして国際的な移動も制限されることが増えるだろう。では人間は自国・自地域に閉じこもるべきなのか。国際交流、多文化交流はやめるべきなのか。否《いな》。人間が人間として生き続ける限り「ことば」と、出会いの「物語《ストーリー》」はあり続ける。人と人との交流こそが「物語」を生むのであり、その交流と物語の集合を社会と呼ぶのだから。

このウイルス禍を自国第一の閉鎖的な風潮を助長するものにしてはならない。逆に人と人との協調、国際協力によりこの困難を乗り越えるべきだ。ウイルス禍により他のことが見えにくくなっているように思うが、そもそも現代社会の特徴は「人の多様性の増大」と「時代・社会の変革の加速」にある。人の多様性そして世界の多様性をまるごと受け止め、それを愛すること、変革の加速を苦とするのではなく変化を楽しみ、しなやかに対応すること。そんな生き方こそが大事であり、それらの力を与える教育こそが今必要なのだ。

子どもたちの未来のために私たちが守り続けなければならないのは、人間もまた地球上に生きる生物の一種であるとの認識をしっかり共有した上で「人間らしい生き方ができる現在と未来」であり、そのためには人と人、人と自然とを繋ぐ「ことば」の力と、全ての事象を楽しむ「物語」の力こそが鍵となる。

「ことばがこどもの未来をつくる」——この言葉をキャッチフレーズとした谷川雁のラボ活動から、実際に萌え出でしものの一例をお目に掛けるのがこの本だ。お楽しみいただきたい。たくさんの文字を連ねたが、それら全てが「ことばと物語」についてのものだ。それが読者にとってほんの少しでも、これからの生き方を考えるヒントになることを願っている。

二〇二〇年五月三十一日

仁衡琢磨

［注：本書の本文中では〝子ども〟という表記を原則として用いる。ただし谷川雁は〝こども〟と表記していたため、その代表例である「ことばがこどもの未来をつくる」をそのまま用いた書名は谷川雁の表記に従った。また本文中でも谷川雁の言葉として用いる場合はカギ括弧付きの「こども」と表記した。また引用文中では原書通りの表記〝こども〟のままとした。］

目次

第一部　「ことば、物語」が「こども」の未来をつくる　10

第二部　谷川雁と子ども、ことば、物語
——ラボ・ライブラリー作品をひもとく　148

第三部　谷川雁と、その同時代・前後の表現者を「遅れてきた青年」が読む　208

カバーアート◉畑山妙恵

ことばがこどもの未来をつくる

——谷川雁の教育活動から萌え出でしもの

第一部　「ことば、物語」が「こども」の未来をつくる

これからを生きる子どもたちに必要な教育とは
——五十年以上前から谷川雁らが行っていた「ことば、物語、表現」の教育

今必要とされる教育

昨今、教育改革の掛け声がかまびすしい。「二十一世紀型スキル」「アクティヴ・ラーニング」「課題解決型学習」「論理的思考力（ロジカル・シンキング）」「プログラミング教育による論理的思考力強化」……。言葉は違えども言わんとしていることは皆同じと言えよう。詰め込み型、暗記型の教育は高度成長期の日本において均質的な労働力を作るのには向いていたが、経済が減速し、ＡＩ（人工知能）やロボットがこれまで人間が行ってきた労働の多くを代わって行うようになろうとしている現代には向いていない。ＡＩやロボットに置き換えられない生き方、働き方ができるようにするためには人間ならではの力である課題解決力や論理的思考力を持つことが大事だ——こうした問題意識自体は正論だと思う。しかし現実には遅々として進んでいない。

一方で英語学習を小学校から始めるとも言う。国際化社会に必要だ、と。

しかしどれも一歩も二歩も遅れている。諸外国、特に現在発展を進めている後発国は一気に日本を追い抜こうとしている。または追い抜いた教育を既に実施している。教育ランキングでも大学ランキングでも論文ランキングでも日本は

落ち続けている。世界における日本の相対的な位置、存在感《プレゼンス》の低下は明らかだ。

高度成長期の記憶、「ジャパン・アズ・ナンバーワン」などとも評された成功体験が、逆に現状維持路線につながり、教育や社会の変革を阻み、日本全体が停滞してしまった。そしてその間に、失うものは無くこれから獲得するものばかり、という国が新たな教育、新たな社会を作り、台頭したということだろう。この相対的地位の低下はジワジワと続いているため、一度に落ちるのと違い、実感しにくい。まだ大丈夫、他の何かがおかしいのだろう、などと思っているうちに二十年、三十年と時は経ってしまっている。それなのに日本人の多くは内向き志向に陥り、ガラパゴス化した社会に閉じこもってしまっている。先述したような教育、人間ならではの力の強化が確かにされなければならないと同時に、勇躍世界にはばたく気概の涵養も今必要とされる教育と言えるだろう。

どうしたら私たちの子どもの世代にこのような、現代そして次代を生きるための力を渡すことができるのだろう？　どこにそのような教育はあるのだろう？　どこかに手がかりはないものか……。

実は既にある、これらの根本的能力とスキルを身につける教育を五十年以上前から行っていた民間教育機関がある、と言ったら読者は驚くだろうか。実際にあるのだ。そしてそれを創った中心人物こそが、一般には「詩人・思想家」として知られている谷川雁その人なのだ。

谷川雁が構想・組成した教育活動は五十年以上前から、論理的思考力を持ち、課題を自ら見つけ、それを解決する、アクティヴな学びを身につける子どもを育てていた。これらを私なりに一言で言うと、**「日々の生活、人生に起きる全ての事象、そして人生全体そのものを物語と感じて、何でもおもしろがって対応できる人間。ことばという道具を十二分に活かして世界中の人と楽しく付き合える人間**」を育てる教育となる。

谷川雁自身の言葉を見てみよう。「〝学んで問う心〟を育てよう」という一九七六年の講話から引用する。

――「ラボ」というのは、こどもから大人まで、英語をはじめヨーロッパやアジアのさまざまなことばに親しみ、そのことばで生きている世界中の人々のなかに親しい友だちを持とうと努力する人びとの集まりの名前です。ラボの活動は、単なる英語の勉強だとか、あるいはあれこれの外国語の習得といったことだけでは決してありません。**ラボは、この世の中全体に対して非常に広く深い関心を持って生きていく人間、〝自分の物語〟をもった人間を育てたいと思っているのです**——

この短い文章の中にも「こども」「ことば」「物語」という、谷川雁とラボ教育を語る際に最も大事となる三つのキイワードが全て入っていることに気づく。当時のラボは今のように英日に収斂《しゅうれん》しておらず、スペイン語、韓国語など多言語に対応しようとしていたことも思い起こされる。そしてそれよりも大事なのが太字にした部分だ。ラボ教育の大目標をたった一文で言い切っていると言えよう。

なお言うまでもないことだが、特定の会社（ラボ教育センター）のPRを書くつもりはない。基本的に雁がいた時期のラボ、そして雁が去った後もまだその影響が色濃く残っていた時期、すなわち子ども時代の私がいた時期、ラボ草創期を中心に書く。四十〜五十年以上前の教育活動から学べるものなどあるのか？　と訝《いぶか》しがる向きもあろう。ある、と私は確信をもって言おう。そこには今を生きる子どもたちの未来を切り拓くための教育のヒントが、そして我々自身がよりよく生きるためのヒントが溢れている。本書が読者の皆さんにそれらを少しでも伝えるものとなればと願う。

今、日本の教育界が目指しているのが冒頭に示したようなことだとして、さて親はどうしたいのか？　子どもたちをどう育てたいのか。自分の考えは持たずに流れのままに育てるのか？　或いは現在とこれからの世界、現在とこれからの日本社会を自分なりに考えて教育方針を持ってあたるのか。あまり考えなしに流れに任せていくと、「従順かつ創造性を持て」のような矛盾した要求を子どもにすることになろう。

ラボ教育は、名前にもそもそも「ラボ」＝実験室という名を持つように、*革新的な教育手法を、様々な実験として行ったものだと思う。文字通り実験に終わり、削ぎ落とされた試みも多々あったことだろう。草創期に行われた数多の実験＝試行錯誤を通して、子どもの未来をつくる上で意味があると感じられ信じられた手法が、鍛えられて残ったものだと思われる。そしてその結果、五十年以上の長きにわたって全国的規模での活動が続いてきたのだろう。そこから普遍的に学べるものはきっとある。そこを核として、この難しい時代においてどのように社会と向き合い、次世代に繋げていくのか、そのヒントをこの本で提示したい、それが本書の狙いである。

＊「ラボ」という名前の由来としては、オーディオ機器等を用いた外国語学習専用室ランゲージ《Language》・ラボラトリー《Laboratory》（日本の学校ではその頭文字からＬＬ教室と呼ばれた）から来ていると思われる。一九六六年のラボ教育センター設立に先立ち、一九六四年にＬＬ装置の小型化を目指して開発された「ラボ機」と呼ばれる装置からラボという言葉は使われているため。ラボ教育でもこのラボ機を用いてライブラリーを聞いた。しかし「ラボ」＝実験室、という意味・語感は充分に意識されて名付けられたのであろう。

私という「事例集」

この本では、谷川雁が中心となり「ことばと物語」を核として創ったラボ教育の手法を紹介し、その教育を受けて育ったことにより得られたものを実例によって示したい。

ただし私は教育の研究者でもなく、この本も、たくさんのラボ教育卒業者に調査して分析を行った網羅的なものではない。私という一例を題材として、ラボ教育が一人の生き方、人生にどのような影響を与えたのか、その実例を綴っていくものだ。

五十数年前に日本で生まれた民間教育機関で育ったことが五十数年後の今生きている人間にどう作用したか、それを示すこととなる。これだけ長く続いた民間教育機関も稀であろうし、その教育を受けて育った人間の約四十年後の後追い調査となると更に稀であろう。本書の存在意義の一つとなればと願う。

ここで谷川雁の言葉を引いてみる。一九七三年に書かれた「『物語』を言葉のものさしに」という文章だ。

――人間とは、物語によって生まれ物語によって育ち、物語を背負い物語として完結する存在である。物語とは、人間の行為と夢が交換されていく経過であり、ひとりの人間はその事例集にほかならない――

つまり、この本は私という人間を「事例集」として読者に見ていただこう、というものになる。「事例集」として、のちほど細かく「事例」一つ一つをとりあげて分析してみるとして、まずは私というサンプルの概観を記してみよう。

【一九六九年、茨城県日立市に生まれる。男三人兄弟の真ん中。父は会社員。母は、私が小学校に上がるタイミングでラボ・テューター（教室の主宰者）になり、仁衡《にひら》パーティ（教室）を始めた。三人兄弟はそこで学ぶこととなる。私自身は小学校一年生から中学三年生までの実質九年間、いわゆる「ラボっ子」としてラボ教育を受けて育った。市立小学校、市立中学校から、県立高校へ。私立大学の文学部哲学科に入学するため東京へ。そこで鬱症状を発し中途退学。アルバイトをしながらただただ日々を過ごす。ひょんなきっかけで二十七歳の時にソフトウェア開発会社に就職、システムエンジニアとなる。会社は社長から新入社員の私まで合わせて六人しかいない小規模企業であった。三十六歳のとき同社の社長に就任、当時も六人であった会社を東京からつくば市に移転させ業務を「研究開発支援」に特化させて第二の創業を図る。会社はその後順調に育ち、社長就任十四年後の現在は役員社員合わせて三十人を超える。五年前からは県内の研究開発型企業約三十社から成る一般社団法人の代表理事としても活動している。産業振興に功績有りとの趣旨で県表彰を受けた。現在五十歳。子ども四人も地元のラボ・パーティに通っている。母も今でもラボ・テューターとして活動中】

このように、私は起伏の多い人生を生きてきた。サラッと書いたが、鬱症状を発症して大学を中退し、ただただアルバイトをして寝るだけという生活をしていたときはドン底だった。幸いに今は何とかやりがいを持って生きられているが、谷の時期には全く先を見通せないツラい状況だった。しかし、そんな中でもけっして絶望せずに、前を向いて生きてこられた。どうしてそれができたのか。それは物語に多く触れて育ったおかげだと思う。どんなに今がツラくとも、自分の人生という物語はまだ途中経過であり、今という時はその起承転結の「転」あたりかな、と心の奥深くで無意識に思えていた。人生は人の生きる瞬間瞬間をつないだ連続性の謂《い》いであり、物語も一つ一つの場面が有機的に繋り連続的に流れて大団円に至るものだ。物語を意識できずに今という場面だけしか見えないと人は絶望しやすいし、次に向けた動きが出来なくなってしまう。人生を物語と感じられていれば、今という場面もいずれ転換して次の場面が来ると思えるし、「自分の人生」という物語の主人公として次の展開に向けて動こうと思えるものだ。

その意味で、幼児期に母にたくさんの読み聞かせをしてもらったこと、ラボ・ライブラリーを通して世界の物語に触れたこと、父の影響で小説を読みあさる青少年期を送ったこと、映画も好きで浴びるように観たこと、音楽も好きになりそこからも物語を感じたこと、これら全てが私に「物語」を感じる力をくれたと思っている。これら全てが私の「物語力」を形成したのであり、それらの寄与度を弁別することは難しいが、実感としてラボ教育の与えた影響は、その中でも特に大きいと感じている。本書ではそこにフォーカスして記してみたい。

基本的な情報

私という「事例集」の概観を述べたところで、次に「ラボ」に関する基礎知識をまとめてみる。この本は谷川雁を知らずにラボ教育を知っている人、谷川雁を知っているがラボ教育を知らない人、さらには両方を知らない人もふくめて全ての読者にわかるものとしたいと思っている。谷川雁あるいはラボ教育に詳しい方にはまだるっこしかろうが、ご容赦願いたい。

【ラボ教育センター】……まず年譜的に見てみよう。手元にある「ラボ教育活動四〇年史年表」（二〇〇六年四月　ラボ教育センター刊行）から引用させていただく。一九六二年十一月株式会社テック（ＴＥＣ）設立。翌六三年に東京イングリッシュセンター設立、翌六四年にはＫＥＣ（九州イングリッシュセンター）、ＨＬＣ（北海道ランゲージセンター）設立。翌六五年九月、テック社長に伏見二郎、専務に榊原陽。開発部長として谷川雁が入社。同年十一月テューター募集開始。翌六六年三月ラボ教育センター発足、同年四月東京言語研究所設立。同年八月第一回理論言語学国際セミナー開催、ノーァム・チョムスキー招聘。翌六七年六月、榊原陽が社長、谷川雁が常務に。同年七月第二回理論言語学国際セミナー開催、ローマン・ヤコブソンを招聘。ボストンに駐在員事務所設置……等々この勢いでまだまだ続く。

私は今、小さな会社の経営者をしているが、経営者のハシクレとしてこの経緯を見ると、このように毎年のように何か新しいトピックがある、というのはもの凄いことだ。非常に勢いのある伸び盛りの、今で言うところのスタートアップ企業、一気に発展したベンチャー企業であった様子がわかる。

高名な言語学者であるチョムスキーに、良い意味で「Strange Company」と言われたというのも知る人ぞ知る逸話。なお、今見たとおりラボ教育センターとしては一九六六年が正式な発足年であり、二〇一六年に五十周年を超えた。参考にさせてもらった四十年史年表においても一九六二年から一九六六年は前史扱いとなっている。

【谷川雁】……九州、熊本は水俣で一九二三年十二月に生まれる。詩人、思想家として活躍。ここで「詩人」と「思想家」は並立する二つの概念ではなく共に在るものであるところが谷川雁のユニークなところ。例えば一九五八年、まだ彼が共産党員だった（のちに除名される）頃に書いた「工作者の死体に萌えるもの」という文章にある言葉に触発され、のちの東大全共闘が安田講堂に籠もった際に「連帯を求めて孤立を恐れず」と壁に大書したというのはよく知られた話だ。鮮烈な詩的イメージの言霊によって、受けとる人の内部から起爆する「工作者」であった彼の本質は、並立する「詩人」「思想家」ではなく、この二つが融合していたものと思う。一九五八年に九州、筑豊は中間《なかま》の地に移り住み、上野英信、森崎和江らと『サークル村』という文化サークル交流誌を創刊、「日本最大の村」を謳《うた》い、トップダウンではない草の根の全国的ネットワークを模索したことも特筆される。その後中間の大正炭鉱でおこった労働争議に深く関与。

炭鉱労働者のエネルギーに火を灯し、その自立を共に目指した。いわゆる「高度成長期」は本質的には「成長」ではなく堕落への道であることを看破し、壊滅していく日本旧来の「村」にこそあるべき姿を見た。一九六五年九月、筑豊を離れ上京、株式会社テック（のちラボ教育センター）に開発部長として入社。以後常務、専務として草創期のラボの礎を築く。一九七九年四月に谷川雁の解任が決議されたのをきっかけにラボ教育センターは大混乱となるが、新たな体制が築かれるなかで一九八〇年九月、正式に退社。その後「十代の会」「ものがたり文化の会」を作り、活動。また晩年に合唱曲『白いうた　青いうた』の作詞をした。一九九五年二月没。享年七十一歳。

【ラボ・ライブラリー】……物語を演劇的に録音した教材。セリフとナレーションから成る。センテンス単位で英語・日本語が交互に収録されている。すなわち「英語A、日本語A、英語B、日本語B、英語C、日本語C、英語D……」という具合。また逆に「日本語・英語」の順となっている場合もある。内容は、オリジナルの物語、民話や神話、童話、大人向けの演劇、狂言、おばあさんの語る昔話、など実に多様。日本、そして世界の物語が収録されている。セリフ、翻訳、声優、音楽、付された絵本、全てが一流の芸術家による贅沢な作り。ラボ教育を受ける子どもたちは日々、そして眠りにつくとき、この録音を聴き続ける。

【テーマ活動】……ラボ・ライブラリーの物語を「再表現」する活動。演劇とは似て非なるもの。子どもたちは英・日両方のセリフを声に出しながら全身で表現する。小道具や大道具、衣装は基本的に使わない。登場人物だけでなく背景の事物や自然現象、さらには感情の動きまでを身体で表現することも同時に行われている。一人のラボっ子からすれば週に一度集まる機会（パーティ。後述）にテーマ活動を楽しみ、かつ深める。最終的には規模の大小はあるが発表会を行うことが多い。ただし発表を目的とすることは是としておらず、テーマ活動そのものを目的としている。

【ソングバード（またはソングバーズ）】……欧米の歌を中心にたくさんの歌が収録された曲集。マザー・グースの名にて英語圏で親しまれてきたナーサリー・ライムなど古来のものから、ハワイ、ブルガリアの曲、そしてオリジナル曲まで幅広い。ジャズ・ピアニストの山下洋輔が作曲したものなどもあり、現在使われている版では編曲を広瀬量平が行うなど、ライブラリーと同様に一般的「教材」の概念には収まりきらない贅沢な作り。このソングバードを歌いながら手遊びをしたり、フォークダンスをしたり、集団での遊びを行うことを「ソングバードをやる」とラボっ子は表現する。

［ラボ・パーティ／ラボ・テューター／ラボっ子］……ラボ教育の実践は、全国の女性たちが毎週開くパーティで行われる。パーティと言ってももちろん一般的な意味のパーティではなく、ラボ教育の実践として「テーマ活動」や「ソングバード」を行う一～二時間の活動およびそのグループを言う。教室ではなくパーティ（党も意味する英語）と呼ぶあたりにも谷川雁の考えが色濃く反映している（松本輝夫『谷川雁――永久工作者の言霊』参照）。パーティが「教室」ではないように、パーティを主宰する女性たちは「教師」や「先生」ではなく、「テューター」である。ここで「ティーチャー」とせず「テューター」としたところも見識であり、「ことば」に関する鋭敏な感覚を思わせる。英語の「ティーチャー」が教室などで多数に対して教える人であるのに対し、「テューター」は「個別に指導する人」という意味であり、家庭教師などのように一対一指導を意味する言葉であろう。ラボ・パーティは集団であり「個人」ではないので不適切なようにも思えるが、テューターとしたのはあくまで「先生＝ティーチャー」として多数を指導するのではなく、一人一人の子どもと向き合う、という意識付けのためだろう。実際にラボ・テューターは「指導者」や「先生」としてテーマ活動で「演技指導」をしたり「演出」をしたりはしない。あくまでも子どもたちがそれらを行い、テューターは示唆やヒントを与えたり、考えを深めさせるための質問をしたりする「触媒」なのだ。触媒としてパーティに集う一人一人の子どもたちを見ながら導いていく、という語感をこめたものと考えられる。そしてこのパーティで「主体」となって活動する子どもたちを「ラボっ子」と呼ぶ。なおラボ国際交流活動において外国に渡る子どもたちと同伴するテューターや事務局スタッフのことを「シャペロン」と呼ぶことも付記しておこう。これはフランス語で「社交界にデビューする若い女性に付きそう介添えの女性」を意味する。また転じて化学分野においては「ほかのタンパク質が立体

構造をとる手助けをするタンパク質」のことを言う。触媒として振る舞うラボ・テューターにピッタリの言葉だ。なお、テューターが女性である意味についてはのちほど考察したい。

他の「教室」が学齢ごとにクラスを分けて運営されることが多いのに対し、ラボ・パーティでは敢えてその道は採らないところもユニークである。縦長異年齢集団による学びこそが真の力を身に付けさせるという信念がそこにある。この縦長異年齢集団による学びは村の子どもたちを想起させる。あるいは寺子屋や、薩摩の郷中《ごぢゅう》なども連想されようか。

【事務局】……会社としてのラボ教育センターは直接の教育活動は行わず、先述したラボ・テューターによるラボ・パーティがそれを行う。会社は物語ライブラリーやソングバードなどの教材を制作・提供し、谷川雁や他の会社役員等による講演・講話や『テューター通信』『ことばの宇宙』等の機関紙誌刊行・配付などにより教育活動の方針・手法等を伝授する役割。ラボ・テューターたちは被雇用者ではなく個人事業主として活動するのもユニークなありかたである。現場で活動するラボ・テューターやラボっ子たちから見たときの会社の社員は「事務局スタッフ」である。

【ラボランド】……長野県黒姫に作られた多数のロッジからなるキャンプ施設。ラボっ子たちが全国から春、夏、冬のキャンプに集う。なお、キャンプの最終責任者を務める事務局幹部を「村長」と呼んで「大統領」の上に置くのも「村」を大事にした谷川雁の影響と考えられる（『谷川雁――永久工作者の言霊』）。また谷川雁自身も諸事情あってのことらしいが、ラボをやめる直前から黒姫に住んだ。なお、ラボランド以外でのキャンプも全国で行われている。

【ラボ国際交流】……夏休みの一ヵ月間、アメリカ4―Hクラブの一般家庭にホームステイするものとして一九七二年に始まった。中学生から高校生の年代で参加することが多い。また、「受入れ」として逆にアメリカの一般家庭の子を一ヵ月間ホームステイに受け入れるプログラムもある。対象国はカナダ・中国・韓国・インドネシア・オーストラリア・ニュージーランド等に広がっていった。現在どの国とのプログラムが行われているかは私自身は詳らかでない。現在は多くの機関で未成年の国際交流プログラムが実施されているが、約五十年前にその先駆けとなった活動。

谷川雁自身による教育と物語に関することば

さて本題に入る。教育のあるべき姿とは、人生を力強く生きられる人間を育てることだと思う。小手先のインスタントな「勉強」ではなく、人生全般にわたって影響を受け続けるような教育こそが尊いとも。そして私が後者のような学びを得たのが、谷川雁が中心となって創ったラボ教育であり、その核は「物語」と「ことば」であった。本題の最初に谷川雁自身による教育と物語に関することばを引いてみたい。一九七三年一月に書かれた『物語』を心のものさしに」というラボ・テューター向けのものからだ。

——世の中は、（中略）人間を区別し、ふるいにかける点ではすこぶる熱心です。その熱心さはゆきつくところ今日の受験制度として結晶しております。「ほめる」ことには懐疑的で、「ふるいおとす」ことには情熱的ですから、温度はいっこうに上がらない仕組みです。さむざむとした学校教育をあたりまえと思いこんでいる全社会の荒廃が、いま私たちの眼の前に凍りついています。何とかして、この温度をいささかでも上げられないものだろうか。ラボに関わる者であって、これを望まない人はありますまい。むしろ、これこそラボを始め、ラボに参加し、ラボを続けている動機そのものでありましょう——

急いで補足しておくと、これはあくまで一九七三年一月時点の学校教育・受験制度が持っていた課題について指摘し、自分たちの民間教育でそれを何とかしよう、と呼びかけている文章であって、現代の学校教育・受験制度を対象としたものではない。その点にはご留意いただくとしても、約五十年後の我々にも示唆に富む文章だと思う。人間を区別しふるいおとす教育では温度が上がらない、という主張。そしてこのあとに続く文章ではこの「温度の低さ」はとても根が深い問題であり、その原因は実は「平等・民主」であったことを記している。非常に興味深い内容であるため、少し長めに再度引用してみたい。

――戦後の「近代」教育が平等・民主の観念をこどもの世界に適用しているうちに、いつのまにか現代社会の動向にずるずると引きずられて落ちこんだ穴は、相当に深いものと思われます。何と弁解しようと、いまやそこに感動がないということは決定的です。平等・民主の観念をタテにして、人間評価という教育の大課題から逃げ回った報いであるといわざるをえません。もとより人間の評価とは、共感（愛）によって完結するしかないものであります。おそらく、この平等・民主―無感動というルートは、戦前・戦中の鍛錬主義に反発しておこったものでありますが、いまでも鍛錬主義は根強く残り、とりわけ受験制度と一体になっております。これが外国語教育に反映しますと、ご承知の通り、私たちがこの三年間、当面の敵として、とり組んだ「パターン・プラクティスを基底とするリゴリズム（筆者注：厳格主義）」ということになるわけです。私たちは、まず現代教育へのアプローチを〈外国語・外国人・外国文化〉におき、ついで戦前・戦中の鍛錬主義と戦後の近代主義を〈物語を！〉というかたちで越えました。これは、たぶん後世が認めるほどの教育上の事件であろうかと思います――

もちろん、平等・民主が悪いわけではないが、それを教育現場に展開したときに「評価」を放棄することになってしまっていたらよくない、「手を繋いでみんなでゴール」という教育は熱もなく感動もないものとなってしまい、さむざむとしてしまうよ、という指摘だ。

真の学習とは、新しいことを知り、新しい世界が眼の前に広がるものであり、そのとき学習者はその新しく覚えたことに感動するものであるはずだ。国語で読んだ詩や文章に感動したこと、算数や数学で覚えた新しい解き方でスパッと問題が解けたときに感動したこと。社会で地球の裏側の人の生活がわかったり、昔の人の行動がその後の時代にあるいは世界に影響を与えたことを知ったりしたときの感動。理科で生物の進化、分子における原子の並び方の綺麗さなどに感動したこと。技術や家庭で何かを作れたときの感動も、体育で出来なかった運動ができるようになったりチームプレーで勝利をおさめたりしたときの感動も、音楽や美術などの授業ですばらしい芸術に触れたときの感動、自分で作品を仕上げられたときの感動も――本来、学習とは感動に溢れているはずなのだ。

しかし、真の意味での「人間評価」をできない「平等・民主」は無感動へと繋がってしまうということだ。ここで私は「真の」評価、と書いた。そう、ここで谷川雁が言っている「評価」とは、何事にも点数をつけ優劣をつけるという意味ではなく、むしろ逆の行き方である。ではどういう評価だろう。次の節で別の講話からその点を詳しく見てみたい。

「表現の教育」、真の「評価」

真の「評価」について語っている谷川雁の言葉を彼が一九七五年にラボ・テューター向けに行った講話「恋の『元素形態』を書くことに賭けたシェイクスピア――『ロミオとジュリエット』をめぐって」（松本輝夫編『〈感動の体系〉をめぐって――谷川雁　ラボ草創期の言霊』［以下『〈感動の体系〉をめぐって』と略記］所収）から引用してみたい。この講話はシェイクスピアの『ロミオとジュリエット』を主題としたものなのだが、その最後の部分で、ラボ教育を「表現の教育」と言い表しており、そのあとに彼の言う「評価」が語られるのだ。

そこで、まず「表現の教育」について考えてみてから、「評価」について見ることとしたい。

ここでいう「表現の教育」は、もちろん「表現術」のようなものではない。ディベート術のような、技術としての表現は谷川雁が、そしてラボが最も嫌うところだろう。私は「はじめに」に書いた、初めて会ったカナダ人医師とのエピソードで、コミュニケーションの大切さを記した。さてその「コミュニケーション」とは何だろう。人と人とが意思を通じ合うことであろう。意思を通じ合うためには言葉や行動で自分の意思を表現することが必要だ。これは友人を作るにも、仕事をするにも、趣味を楽しむにも、何事にも――つまり生きるために必要なことだ。このコミュニケーション力、表現力を育てることこそ、谷川雁がラボ教育を創る上で重視した点と言えるだろう。テーマ活動において演劇的な表現を行うのもここに繋がっているとも言えよう。引く。

――ラボ教育とは何なのか、いろんな言い方があると思いますけれども、一言で言えば、「表現の教育」でしょう。これは外国語であれ日本語であれ、また言葉に出すか出さないかということも含め、ある行動で何かを表現していくときに、いちばん大事なのは、その表現のSincerity、つまり真っ当な表現になりえているかどうかということ。それが子どもにとってものすごく重要な教育内容であるはず――

ここに全て言い尽くされている気がする、そんな言葉だ。彼が目指した教育は「表現の教育」、しっかりと表現できる力を育てる教育だったのだ。

そしてこの文章は以下のように続く。ここで「評価」について語られている。

――(真っ当な表現になりえているかどうかが子どもにとってものすごく重要な教育内容であるはず）なんですけど、たとえば現代の学校教育では、ほとんど「表現の教育」という名に値するものがありません。図画や音楽があるじゃないかと言う人もいるかもしれませんが、果たしてそれらが「表現の教育」になっているかどうか、たいへん疑問です。図画や音楽でもテストがなされて点数がつけられるのでしょうが、この種の科目というか活動で点をつけるということが可能かどうかの問題があるし、その前に意味があるかどうかという本質的な問題もありますね。絵や歌や何かの楽器を通して自分を精一杯表現しようとする子がいるとすれば、技術的な巧拙などというレベルを超えて、それはその子の表現の世界においては百点とみなして励ましていくことが何よりも求められるはず。そして、そのような向き合い方をしていけば、どの子も百点になりうるし、その可能性をもっとみなければならない。相対評価など子どもの表現意欲を減退させるだけで有害無益でしかない。にもかかわらず、あの子は九十点、この子は七十五点みたいに相対的に並べてしまう冷たい世界では、表現は凍え死ぬわけです。そういう世界とは一線も二線も画して、子どもたちの表現が凍え死なない世界を築こうとしてきたのがラボの世界と言っていいでしょう。

本当はラボに限らずどんな教育活動も実はそこが目標のはずなんですけどね――

教育というものは本来、一人一人の人間に向き合うべきものであるはずだ。一人の若者に一人の先達が向き合い、若者の成長のために自ら学んだことを伝える。その結果その若者が学ぶ前よりも何かを得て、人生を楽しく意義深く生きられるようになる、それが教育だと私は思う。ここで若者が先達の教えをしっかりと咀嚼し、昨日の若者自身よりも人生をより良く生きられるようになった、ということを褒めて勇気づけるのが教育における評価なのであり、そこには隣の子と比べるような相対評価は本来ありえないはずだ。単に教育を「合理的に」行うために作られた装置が学校なのであり、本質的な教育とはそうではないはずだ、ということをけして忘れてはならない。

こうして相対評価の軛《くびき》から逃れているラボ・パーティに集う子どもたちは、実に鮮やかに、そして自由に表現を楽しんでいる。親からも学校からも解き放たれた自由な「第三の場」で、物語にどっぷり浸かって、普段とは違う自分に成りきって表現している。

今振り返って私は思う、ラボは言葉の力と表現力をくれた。そしてこの二つが、社会を、そして世界を生きていくために最も重要であるコミュニケーション力をもたらしてくれた、と。

遅れている子こそ進んでいる子だ

表現の多様性を考えるとき、大多数の表現と違う表現を行う子どもに対し、どのような対応をするのか、ということも教育の大きなテーマの一つと言えるだろう。そして、大多数と違う表現をする子を「遅れている」とか「病気」などとみなしてきた過去を我々は持ち、今もそれを拭い去れていないという問題を意識したい。

このことについても谷川雁は約五十年前に既に記している。『テューター通信』一九七一年一月号に掲載された「こどもたちの意識の根を強くおおらかに育てよう―静かに燃え続ける触媒として」においてだ。この文章は無署名であったということだが、『〈感動の体系〉をめぐって』編者の松本輝夫氏による解題によれば「谷川雁が原案を起草したことはまちがいない」という。確かに非常に優れていると同時に詩的な文章であり、また熱い喚起力に満ちあふれたその文体は谷川雁によるものだと感じる。引用したい。

――私たちは毎日々々から出発します。ちいさな事象を観察し、記録し、考え、発表し、討議しあいます。私たちがこどもたちからまなぶとき、はじめてこどもたちは、まるで略奪者のように何物かを持ち去り、私たちの心をみたします。これまでに私たちがまなんだ最大の事実は、こどもたちの精神が信じられないほど精妙であるということです。このことは、教育に際しての、薄っぺらな評価の態度がどんなに誤っているかを痛感させます。いわゆるおくれているこどもは、ある意味ではるかにすすんだこどもであり、いわゆるすすんでいるこどもは、ある意味ではるかにおくれたこどもなのです――

このとらまえを皆が持つことこそ、まだ抱えてしまっているこの問題に対する明確な解決となるだろう。おくれている、すすんでいる、という評価は別の視点から見れば反対になりうるのだ、ということ。そして「まるで略奪者のように何物かを持ち去り、私たちの心をみたします」という谷川雁らしい叙述法《レトリック》――通常繋がり得ない反対概念「持ち去る」と「満たす」を繋ぐ――も味わいたい。

大多数の表現とは違う表現をする子のとらまえ、対し方についてこの節では考えてみたい。ラボ教育に限らず教育全般の課題として見るために、参考図書として『知のスクランブル――文理的思考の挑戦』（二〇一七年　ちくま新書）という日本大学文理学部編の十八講から成る本をみてみる。その第十講「体育におけるコーチングの可能性」（青山清英体育学科教授）では五つのテーマを取り扱っているが、その最後のテーマとして記されているのがＡＳＤ（自閉症スペクトラム）者のコミュニケーション能力の獲得へのスポーツすなわち身体における経験の寄与だ。

まずＡＳＤ者の統計に関する部分を引用する。「現在、学校現場ではＡＳＤ（自閉症スペクトラム）等の発達障がいの児童生徒たちへの対応が大きな課題となっている。文科省の調べによれば、通常学級に通う児童生徒の六・五パーセントにこのような課題があるという」とある。六・五％ということは約十五人に一人。すなわちクラスに二〜三人はそのような課題を持つ、ということだ。それを大前提として教育にあたる、ということになるだろう。そして「周知の通り、ＡＳＤ者においては他者とのコミュニケーションが大きな課題となる」とあるとおり、ＡＳＤ者はコミュニケーションにおいて大多数の人とは違う傾向を持つという。その幾つかある傾向のうちの一つに「自他未分化」と言うものがあり、これは「定型発達者」においては生後九ヵ月で始まる「自己と他者とを分けて考える」「自己と世界を分けて考える」という分化――「九ヵ月革命」と呼ばれる――が起きないあるいは薄い、という。つまり自分の身体と、他者あるいは世界が分かれきっていない状態か。であるからこそＡＳＤ者のコミュニケーション能力の獲得には身体的経験が寄与するということであろう。日本大学文理学部から教員の卵をインターンとして受け入れる連携先となっている聖パウロ学園高等学校エンカレッジコースの土屋弥生教頭（当時）の言葉として記されているように、体育や野外活動など身体を用いた教育により「自分の身体性を確かなものとし、その身体によって他者と関わる」ことが、ＡＳＤ者にとって「一番重要なこと」であり、それがコミュニケーション能力の獲得へ繋がるというのだ。この点についてもテーマ活動やソングバード、ラボ・キャンプにおける野外活動など、ほぼ全ての活動が身体表現、身体的活動であるラボ教育も有効な教育手法と言えるかと思われる。

また、現代哲学の大きな潮流である現象学の入門書『これが現象学だ』（谷徹　二〇〇二年）の論を引用展開して、青山教授は――自他が未分化で癒合的な状態から、自我を獲得し個別化が成立したのちにおいても「原初の癒合的世界は消失してしまうわけではない。それゆえに、『そこ』に現れる他者の身体は、個別化された他者にとっていまなお原初の共同性を感じさせる身体として存在する」――と記している。これはまさしく三十五年前の著書『賢治初期童話考』で谷川雁が「幼年の皮膚は（中略）共同性の湖である」と記したことに通底するのではなかろうか。つまり幼年と幼年が出会う場所「そこ」がある時、自我獲得後もなお残る「原初の癒合的世界」同士が「幼年の皮膚」を通じて通い合う、それを谷川雁は「共同性の湖」と呼んだのであり、身体的活動を伴う学びの奥深さがそこにあるのだ。

　ところで、環境破壊・温暖化について次の世代の立場から現世代への異議申立を烈しく突きつけるグレタ・トゥーンベリさんも、自らが自他未分化を特徴の一つとするASDの一種であるアスペルガー症候群であることを公表している。この文章を書いている二〇二〇年三月時点におけるグレタさんのFacebookの自己紹介欄はこうだ。16 year old climate and environmental activist with Asperger's——すなわち「十六歳。アスペルガー［症候群］と共に生きる気候・環境活動家」と。二〇一九年二月二日のSNS発言では「私の診断のために私を嘲笑する人もいる。しかしアスペルガーは疾患ではなく、贈り物です。人は私がアスペルガー者だから、とてもこの立場に立つことはできないだろうと言っている。だけどそれ（筆者注：アスペルガー者であること）こそが私がこれ（筆者注：単独での学校ストライキ）をしたことの理由なのです。なぜならもし私が『ノーマル』であり社会的であれば、組織の一員になったり、あるいは組織を立ち上げたりしただろうから。だけど私は社交が苦手なので代わりにこれ（筆者注：単独での学校ストライキ）をしたのです」と記す。世界自閉症啓発デーである四月二日（二〇一九年）には「今日は世界自閉症啓発デーです。［アスペルガー］症候群であることを誇らしく思う！」と書く（［　］内筆者）。更に「正しい状況下で、正しい調整がなされれば、それはスーパーパワーになりうるのです」とも。ハッシュタグには「#Aspiepower（筆者注：アスピーはアスペルガー症候群のポジティヴな自称）」がある。そして二〇一九年九月一日には、グレタさんがアスペルガー者であることをあげつらって批評するような輩に対して「まだ病気だと見なしているのか」と記し——つまりアスペルガーを病気とは見なさないという立場を明確にし、「違う者として在ることはスーパーパワーである」と高らかに宣言している。（本段落の訳責は筆者）

　前段で見たような「自他未分化」であるからこそ、自分たちが生きる地球の問題を他人事《ひとごと》とは感じず、我が事として行動できたのだろう。二〇一九年九月二十三日の国連・気候行動サミットにおけるグレタさんの発言を動画で観ると、目に涙を溜めながら本気で怒りを顕わにし、私たち大人を批判している。これこそアスペルガー者であったからこそ為しえたことではないだろうか。斟酌や忖度などをしないアスペルガー者の特長こそがグレタさんを行動させたのであり、「大人の常識」や「怠惰」「諦め」にまみれてしまっていた人々の心を打ったのだと思う。

「病気」や「障碍《しょうがい》」に関する定義を一から見直す必要がある。例えば今「障碍」と記した。現在一般的に使われている「障害者」という漢字表記が「障《さわ》りがあり、何かしらの害（ダメージ、トラブル）がある」ととれることから、「障碍《しょうがい》者《しゃ》」という漢字表記とした方がよいという意見があり、私もその方がよいと考えるからだ。こちらであれば「障りがあり、碍《さまた》げがある」という意となる。一方、公共放送などでは「障がい者」という表記も見られるようだ。「碍」が一般的に用いられない漢字だからということであろう。

　しかしそもそも本当にそれは「障碍」なのか？　という根本的な問いが必要であろう。ある面に問題を抱えているかもしれないが、別の面でそれが長所になったりすることがある。例えば何かの作業をコツコツと続けることが得意であったり、一般的な人が気付かないことに気付いたり。身体的な病気とは違って、なんらかの精神的属性をもって「病気」「障碍」とすることには慎重になった方がよいのではないか。また、いわゆるＬＧＢＴＱ（性的指向・性自認の多様性を表す表現）についても一昔前は「病気」とされる場合があったが現在はそうは見なさない。それも同じことなのかもしれない。

　私は常々イメージしている、全ての属性はグラデーションである、と。例えば性別にしても生物学的には男性・女性に二大別されるだろう。しかし「男性らしさ・男性的思考・男性的行動」「女性らしさ・女性的思考・女性的行動」についてはどうだろう？　ほんとうに、生物学的に男性な人間は一〇〇％「男性らしく」「男性的思考」で「男性的行動」をするものだろうか？　その逆も？　そうではなかろう。

　そう、そもそも「男性らしさ・男性的思考・男性的行動」と「女性らしさ・女性的思考・女性的行動」とは二項対立ではなく、単にそれらの概念のグラデーションにおける両端であるだけだ。

　例えばある事柄についての思考・行動は「男性率二八％、女性率七二％」でされるかもしれない。また別の事柄については「男性率五五％、女性率四五％」でされるかもしれない。あるいは同じ事柄であっても体調や気分によっては比率が違うかもしれない。

これは「健常者」「障碍者」においても同じことであり、全ての人間がある割合で「健常」であり、残りの割合で「障碍」を持つのだ。ある事柄については「九八%健常」であったとしても、二%は「障碍」を持つ。また別の事柄については「三〇%障碍を持ち、健常度は七〇%」かもしれないが、更に別の事柄では平均的人間を大きく上回る「一二〇%の天才的思考・行動」となるかもしれないのだ。先ほど引用した青山教授の講義においても「天才的なＡＳＤアスリートが存在する」との記述があり、また精神病理学者の内海健により「芸術やスポーツなど感覚的なものが主導的役割を担う世界におけるＡＳＤ者の活躍の可能性」の指摘があることも紹介されている。

先ほど、通常学級に通う児童生徒の六・五%が発達障がいによる課題を持つ、という統計を見た。ＬＧＢＴＱについても、統計によって違いがあるが十人に一人とも百人に一人ともいう結果が出ている。これらの個性（属性）についても全ての組織は当たり前のこととして受け止めていくことが必要だ。私も中小企業の一経営者として、採用の場面などにおいてそうした属性に関する表明があったとしても、ひとつの個性と受け止めるのみであり、当たり前だが採否に影響をさせたりはしていない。

昨今の世の中、「多様性」「ダイバーシティ」という言葉は多々見かけるが、実際の行動や考え方に落とし込めていることの方が少なく、掛け声に終わっていることの方が多い。世界中の多様な人が交流し、性的指向・性自認も多様化し、過去には家に閉じこもっていさせられたりした様々な障碍《しょうがい》を持った障碍者《しょうがいしゃ》の方々も社会に出て活躍されるようになり、価値観も、働き方も、暮らし方も、様々なことが多様化している時代、世の中が多様であることを受け入れられる身構えを、教育の中で伝えたいものだと思う。

世の人みなが、谷川雁の五十年以上前の言葉「遅れている子はある意味進んでいる子です」を噛みしめて生きていけるようになれば、もっとよりよい社会が現出するだろう。

鬱がもたらしてくれたもの、私の場合

前節に記したように、一見マイナスとされることが多いようなことも、実はプラスも同じだけある、ということは私自身経験している。重くはなかったが、十代後半から二十代中盤にかけて鬱症状であったことだ。もちろんツライ体験であったし、優等生的ストレートコースからは見事に外れた紆余と曲折に満ちた人生を送ることとなった。しかし得るものも実に多かったと今は思う。人から哀れみの目で見られるような経験をしたことで、自分はそのような目はするまいと思えた。人の痛みがわかる人間になれた。学歴も病歴も人間の価値とは無関係であることを、お題目ではなく実体験として感じることができた。

今、経営者として小さな会社を経営しているが、人の学歴病歴は当然気にしない。社員が病気になったとき、あるいはその家族が病気になったときも、できうる限り融通をきかせて対応してきた。社員の産休育休もドンとこい、だ。そして中小企業はパッチワークで勝負、が信条。形の整った野菜ばかり並んでいる棚ではなく、私たちは曲がったキュウリであったり、小さすぎるトマトであったりするかもしれないが、曲がった形だからこそできることもあるだろうし、小さいことが有利になることもあるはず。そして自分たちを上手にパッチワークのように継ぎ合わせることができれば、いいところ・強みが出るように組み合わせることができさえすれば、おもしろい仕事、いい仕事ができる、そう信じている。

また「今の自分を生きる」という心構えを得られたのも良かったと思う。精神的に病んだとき、どうしても人は「前の自分に戻りたい」「今の自分を『直さなきゃ』」と思ってしまう。しかしこの気持ちこそが更に自分を追い込んでしまうのだ。今の自分を否定して「直そう」としてはいけない。新しい自分を受け入れ、慣れること。前の自分に無理に戻ろうとはしないこと。今の自分を生きること。それが大事。

これら今役立っている考え方の多くは「怪我の功名」ならぬ「鬱の功名」であった。「人間万事塞翁が馬」という言

葉を実感している次第だ。

なぜ外国語・外国人・外国文化か

表現の教育、ということから個性の表現ということに話を展開し、更には人間の属性——いわゆる「病気」とされるようなことも含め——にプラスもマイナスもない、というところまで論を進めてきた。ここで話をラボ教育に戻そう。

本題に入って最初に引用した『物語』を心のものさしに」の引用部分最後部に以下のような文があった。

——私たちは、まず現代教育へのアプローチを〈外国語・外国人・外国文化〉におき、ついで戦前・戦中の鍛錬主義と戦後の近代主義を〈物語を！〉というかたちで越えました。これは、たぶん後世が認めるほどの教育上の事件であろうかと思います——

なぜアプローチを〈外国語・外国人・外国文化〉に置いたのか、なぜ〈物語を！〉というかたちが大事だったのか、次にそれをとりあげてみよう。

前者については前節でもとりあげた「こどもたちの意識の根を強くおおらかに育てよう——静かに燃え続ける触媒として」にその問いと答えが明確に記されている。引用しよう。なおこれはテューターによる宣言、という体裁で書かれていることに留意の上お読みいただきたい。

——なぜ、こどもたちに外国語をあたえるのでしょうか。なによりもまず、こどもたちの意識の根を強くしたいからです。それは、この世の一部分を偏愛する人間ではなく、世界の全体性を率直に感じとることのできる人間をつくることだと、言いかえることもできます。外国語の底によこたわるものを感得することは、母国語の奥にひそむものを知ることです——

外国語を学ぶ意味、そしてその底に横たわるものを感じる意義を短い文章で明確に言い切っている。さらにこの文は以下のように続く。

——それをすぐ人類共通のとか、民族固有のとか理屈づけてしまわないで、無数の人間のいろとりどりの心の大洋を、そのまますなおに招き入れてほしいのです。母国語と外国語ではさまれた意味内容をよろこんで受けいれるとき、そのこどもはすでに未来のあたらしい存在へと変身しています。なぜなら、その感動は、二つのことばの岸につきあたり、はねかえりしながら、その間を自由に流れて、まさしく自分独特のものになっているからです。このような自由の体験が創造的精神の形成におよぼす影響を考えるとき、私たちは、幼児期に大きな意味を見つけないわけにはいきません——

人類とか民族とか、何かをひとくくりにするような考え方ではなく、無数の人間ひとりひとりの心を素直に感受すること、日本語と英語を同じ意味合いで同時に自分の脳に沁み入らせた時に言語を超えた意味内容が感得されること——そういった体験が、常識的な思考法や言語という枠から自由となった得がたい実体験となり、人間が作ったもの——常識的な思考法や言語——に人間自身が縛られるという自縄自縛から逃れた心持ちへと子どもたちをいざない、そのことによって型にはめられない創造的な精神が形成される、ということだろう。

「世の一部分を偏愛する人間ではなく、世界の全体性を率直に感じとる事の出来る人間をつくることだ」——この言葉も何度噛みしめても飽くことのない、すばらしい言葉だ。

そして、現代の教育者によるとらまえも合わせて紹介しておきたい。先にも引いた『知のスクランブル——文理的思考の挑戦』第一部「言葉と文化——人文学の思考」の「プロローグ」（国文学科の紅野謙介教授による）から。——異なる言語を学ぶことも、言葉をめぐる問いにつながる一つの回路である。日本語で書かれたこの文章は、日本語の条件や制約の中にある。どの言語にも与えられた条件がある。同じ意味の言葉でも言語が違えば、重なりとずれが生じる。(中略)翻訳を介しても、言葉は決して一＝一、まったく同位置の意味にはならない。その言語でなければ伝わらないもの、伝えられないニュアンスがあるということだ。それこそが互いの「文化の差異」である。だからこそ、母語とは異なる言語を学ぶ必要が出てくる。その言葉を支え、取り巻く文化的ネットワークを知ることによって、いままで使い慣れていた語彙や表現の制約を超えたものが見えてくる――平易な言葉で重要なこと＝外国語・外国文化を学ぶ意義を教えてくれている文章だ。

言葉はある言語と別の言語で一対一対応しない、そしてそれは文化の違いも表しているということは鈴木孝夫、鶴見俊輔なども述べている大事な考え方だ。わかりやすいようにひとつ私が最近気になっている例を挙げてみよう。日本語で「肉」と言うとき、自分たち人間の肉も、生きている動物の肉も意味するし、食物としての肉も意味する。それに対し英語では食肉文化の歴史が長いため、非常に細分化されている。日本語では魚介類が英語よりも細分化されているのと同じことだ。英語では人の肉としてはFlesh、牛や豚などの肉はmeat、牛肉はビーフ、豚肉はポーク、羊肉はマトン、子羊肉はラム、鳥肉はpoultry（meatではない）、鶏肉はチキン、という具合だ。ここで日本語でも「牛肉、豚肉、鶏肉……」と分けて言うじゃないか、と思うかもしれないが、その都度「肉」という言葉が入っており全ての種を通じて同じ肉であるという事を無意識にでも認識して日本語は使われる。一方で英語では全く違う言葉でそれぞれが表されており違うモノとして扱われている。これは鈴木孝夫が言うように、西洋文化では人間と動物との間に明確な太い線が引かれており、日本文化ではそうではない、ということを意味しているだろう。食事の際、日本語で「いただきます」を言い、動物や植物の生命をいただくことを感謝する文化と繋がっているとも言えるだろう。このように「ことばと文化」（鈴木孝夫による名著の題）は密接に繋がっており、母語と母国の文化だけに触れているのではそれに気付けない。外国語・外国文化に触れて、母語・母国文化との違いに気付くことで言葉と文化（すなわち、考え方）が密接に繋がっていること、言語の数だけ思考回路が違う人がいるのだ、ということに気付くことができ、世界が広がるのだ。

なぜ物語か

民族や言語に縛られない、世界の全体を率直に感じられる人間を育てるために、教育のアプローチを〈外国語・外国人・外国文化〉に置いたことがここまでわかった。次に、なぜ〈物語を！〉という形によって「戦前・戦中の鍛錬主義と戦後の近代主義を越えた」のかを見てみたい。

ここでは谷川雁がラボ教育に転ずる前、一九五九年に書いた「観測者と工作者」で見てみよう。谷川雁の人生においてラボ教育に転ずる以前とラボ教育に携わった時期とで何ら断絶が無く、連続しているという傍証ともなろう。この文章で谷川雁は「民話」をとりあげている。民話は物語の一種であるから「物語」と読み換えてみても差し支えないものとして読んでみたい。

ここではまず民話を「形式において散文であり、内容において詩であるもの」と定義されている。また「民衆の口語として存在する散文詩のことだ」と。その上で、民話を創造する者について以下のように述べる。

——知識にこびりつく者も、知識に無縁である者もともに何物も作ることはできない。知識を解体させる力をもった者だけが不幸にして、かつ光栄にも創造するのです——

つまり、知識に囚われた「知識人」でもダメ、知識に全く関心が無い者もダメ。知識を知り、その上でそれを解体させることができる者だけが創造できる、と。これはラボ教育において子どもたちに民話も含む物語を与え、知識の形式に囚われずに知識を得、それを解体させ再創造させる（＝テーマ活動による物語の再表現）ことで、表現し創造する力を養わせたことに繋がると言えるだろう。

そして次に民話を真の意味で研究する方法について以下のように記している。

――今日まで民話を顕在させてきた無意識の力を意識的にわが身に賦活することです――

そう、まさしくラボの子どもたちが物語を顕在させてきた無意識の力をシャワーのように浴びることで（ライブラリー作品を聴いて）、わが身にその力を息づかせる、ということを意識的に行ったラボ教育の在り方を述べているかのような箇所だ。

これをもって「物語によって鍛錬主義と近代主義を越え」る、というラボ教育の手法を明確に示しえている、と言えよう。

この文章には、このほかに「無署名性」という谷川雁を貫く大事なポイントをもう一つ示している点も実は大変興味深い。詩人としては世の習いに従って筆名を書名の下に記した谷川雁だが、ラボ教育においては「らくだ・こぶに」という、これまでとは全く違う筆名を用いることで、また人の名前とは思えないような人を食った筆名とすることで無署名性（匿名性と言い換えてもいいだろう）を体現した。またラボ教育に多くの無署名での文章を残し、自分の思想を実践したことも記しておきたい。（なお筆名「らくだ・こぶに」については「ラクダには瘤《こぶ》が二つある」という表面上の意味と、谷川雁の心ぐせの一つである社会や世界を二元論的にとらえ、その際に楕円にある二つの焦点というイメージを持つこと、と重ね合わせているだろうという指摘を、松本輝夫氏が谷川雁研究会機関誌『雲よ――原点と越境』創刊号掲載の論考「谷川雁研究会（略称『雁研』）への招待――不死鳥・谷川雁の全体像描出と新たな甦りをめざして――」で述べていることも付記しておこう。谷川雁の核となるイメージの一つ「楕円にある二つの焦点」については後述）

ラボ時代の谷川雁の文章からも一文だけ引いておこう。既に三度引用した「『物語』を心のものさしに」から。

――物語によって、物語的存在（筆者注：人間、子どもたち）をみちびき、個々により深く物語をくみとらせるという方法は、前にもたびたびのべましたように、決してラボ・パーティの発明品ではありません。聖書や大蔵経や論語の名をあげるまでもなく、村々の無名の父親、母親たちは、かつて全部そうしてきたのであります。そこに教育の大道がある――

実に明快。人間が、既に見たように「物語によって生まれ物語によって育ち、物語を背負い物語として完結する存在」であるのだから、物語を媒介として物語的存在にアプローチし、個々の子どもたちそれぞれの中の「物語」と共鳴させることで、より深くくみとらせ、同時に沁み入らせる、という教育の大道を行く、という宣言がここになされているわけだ。

物語の力

このように、また本書第一部のタイトルにも掲げたように、谷川雁が主導して創ったラボ教育は「ことば、物語」をくれた。人間が他の動物と違うもっとも大きな点である、人間ならではの「ことば」を軽視しては教育も人生もあったものではない。「ことば」でコミュニケーションをとることこそが人類の進化に繋がった。ラボ教育はその大事な「ことば」に対する鋭敏な感性を育ててくれた。また「ことば」の集合であり、様々な「場面・状況」の集合でもある「物語」を愛し、自ら「物語を生み出す力」も与えてくれた。自分が生きている中での一瞬一瞬の場面や事象を利那に切り取って感じるだけでは索漠たるものであり、得るものは少ない。それに対し、瞬間、場面や事象の連なりに物語性を感じ、自分なりに咀嚼して生き方に反映《フィードバック》したり、自らそれらの繋がりに意味を与えて物語として捉えたりする力、というものは限られた人生を滋味深く生きる糧ともなり、また人や社会、自らの人生を肯定する力ともなると言えよう。「人生に起きる全ての事象を、そして人生全体そのものを『物語』として捉え、おもしろがれる力、能力」と私は定義する。それをラボ教育は育てる、と。

実際、私自身、履歴書を書けば「大学中退」「フリーター」などと一般的には「ドロップアウト」と見られるだろう道筋を辿って生きてきた。その紆余や曲折については先に記したが、それでも今なんとか社会の中でそれなりにやりがいを持って生きられている。それはこの「物語力」によるものと感じている。

ドロップアウトしていた時期にはもちろんツラい思いをし、忸怩たる思いを持った。しかし常に「何とかなるさ」という根拠のない思いが私の根っこにあった。これは生得の性格ももちろんあるだろうし、そもそも自分を形作ったものは分別不能であり、母、父、兄弟、親族、先生、母校、友達、地域の人々、そしてラボなどたくさんの要素がある。ただ振り返ってみたとき、この「物語力」のおかげで、その瞬間のツラさに囚われず、自分がいる状況に絶望せず、あくまでこの耐えがたい時期や悪い状況も「物語」のごく一部であり、物語にはまだ先がある、そこには悪いことばかりではなく、状況を好転させるチャンスもあるさ、と良い意味で開き直れたと思うのだ。

全ての事象に物語性を感じるこの力により「おもしろがり」でいられるとも言えるだろう。何が起きても、自分が主人公の物語に降って湧いた「次の展開」に過ぎないのであり、また次の展開を生み出せばいいさ、と思える。そうなればヘンに深刻になりすぎることもなく、その状況をおもしろがってしまえるのだ。この「おもしろがり力」が身につけば、一見他人事《ひとごと》のようなことでも、我が事として何でも感じられるようにもなる。私は今オーダーメイドでソフトウェアを開発する企業を経営しているが、ひとが持ち込む相談事や作りたいもののイメージを聞くのが楽しくて仕方がない。他人事《ひとごと》だと思わず、我が事だと思って聞いた方がより深く対象について考えられるし、よいものを生み出せると感じている。

どう伝えたらこの力をわかってもらえるだろうか。そう、若いゲーム世代の読者には「ロールプレイングゲーム（ＲＰＧ）」の主人公になったように自分の人生を生きる力、と言えば伝わりやすいだろうか。いいことも悪いことも、自分が主人公である物語の一部だと思えばそれを楽しめる、ということだ。

物語力は「夢見る力」や「希望」「自己肯定力」も伴うし、生きる実感を持って生きられる人間を育てるとも思う。自分がなぜ学校に通っているのか、なぜこの勉強をしているのか、なぜこの習い事をしているのか、――やらされていると感じている場合に、それはツラくなるのであり、我が事化がキチンと出来ていれば、自分が自分の人生の主人公だ、という気持ちがキチンと出来ていれば、生きる実感を持って生きられる。そうでないと、自分の人生でさえも自分のものではないような生き方になってしまう。

また、夢見る力があるからといって過度に夢想的な人間になるのではなく、ゲームや仮想現実と戯れた結果として仮想現実と現実の違いもわからなくなるような人間になるのでもなく、例えば仮想現実と現実の間も自由自在に行ったり来たりできるような人間を育てることにもなるだろう。

この力のおかげで得られた人生観を別の言い方で言えば「登山口はたくさんあるさ」になる。富士山で例えれば、御殿場ルート、吉田ルート、富士宮ルート、須走ルート、とたくさんのルートがあるのだ。一つのルートでのアタックが失敗したとしても、別のルートで再アタックすればよい。あるいはルートを進む途中に迷ってしまいルートを外れて藪の中を進むことになったとしよう。しかし悩むことはない。元のルートに戻れるかもしれないし、運良く別のルートに合流するかもしれない、或いは決められた四つのルート以外であっても頂上に辿り着くことはもちろん可能なのだ。決められたルートはたくさんの人が通り成功する確率が高いものではあるが、それ以外のルートでも可能性は、ある。

そして、もし全ての試みが失敗し、富士山登山が叶わなかったとしても、世の中には別の山もある——そう考えればよいのだ。別の山を目指して自分の人生を再構築しよう。富士山に合う人ばかりではない。自分に合った山を見つけよう。

物語力の効能、おわかりいただけただろうか。

ことばの力、連想の力

ことばに対する対処力も確実に身についている。単に英語がペラペラしゃべれるなどというレベルの話ではない。それがドイツ語であれ中国語であれ、なんであれ、看板を見たときにその意味を自然と推測でき、それが当たる、そんな能力だ。

一般的な傾向としては、外国で知らない言語の看板を見たときに「どうせわからない」という判断になり、意味を探ろうとはしないだろう。しかし、ラボ教育を受けた私の場合、「人間が話す言葉だ。わからないわけがない」という構えで見る。だからわかるのだろう。

私は長らく文学少年だったが、二十七歳の時に、ひょんなことからシステムエンジニアになりコンピュータのプログラムを書くようになった。プログラミングをするときには「プログラム言語」で書くわけだが、この時も「言語なんだからわからない筈がない」という構えで取り組み、短期間でコツをつかんだ。やはり「ことば」に向き合う姿勢、構えを幼少時に作っておくのはとても大事なことだと思う。

文系なのになぜシステムエンジニアになったのか？ よく務まりましたね？ と一再ならず言われたことがあるが、人間が使うものを作るのであり、プログラム「言語」を扱うものでもあるのだから、文系のシステムエンジニアというのは実は傍流ではなく本流なのでは？ とも思ったりもするのだ。だがこれを書き出すとキリがなくなるので、一旦置いて先に進もう。

私が今も初級システムエンジニアにアドヴァイスするのは「一つの言語をまず徹底的に覚えてみるといいよ。そうすると他の言語も類推できるし、すぐに身につきやすい」ということ。もちろん大きな流れとして「C言語の流れ」「Basicの流れ」など幾つかの流れはあるけれど、それらの流派の中では殆ど方言的な違いしかないし、それらを横断した「言語」としての根っこ構造は変わらないのだ。

これは一般の言語でも多分同じ。例えば今私はデュオリンゴという世界的にヒットしているアプリで和英、英独、英蘭で、英語・ドイツ語・オランダ語を楽しく学習しているが、これらラテン語系の言語なんて、みんな、根は同一言語の方言みたいなものだと思えば楽なものだ。例えば以下に三つの言語で同じ意味を並べてみる。みな構造も同じだし、語感も似通っている。語感を実感していただくために敢えてカタカナ表記も挙げてみる。

英語　I am a man and you are a woman.　アイ　アム　ア　マン　アンド　ユー　アー　ア　ウーマン

ドイツ語　Ich bin ein Mann und du bist einen Frau.　イッヒ　ビン　アイン　マン　ウント　ドゥー　ビスト　アイネン　フラウ

オランダ語　Ik ben een man en je bent een vrouw.　イク　ベン　エエン　マン　エン　イェ　ベント　エエン　フラウ

いかがだろうか。そんなに違わない、そう思えたらもうあとは楽なもの、となる。

江戸時代、蘭学者達が通詞（通訳）として、ペリー来航などの状況に際してアメリカ人ラナルド・マクドナルドから英語を短期間で学び、英語の通詞として活躍したことを不思議に思っていたが、こうも似ていればそれも可能だろうと思える。

私も五十の手習いでも楽しく学べている。


他の例も挙げてみよう。例えばヨセミテ渓谷に初めて行ったとする。その時に現地在住の友達から「あの巨岩はエルカピタンという名前だよ」と言われたとする。その時に単にカタカナ六文字として「エルカピタン」というひとかたまりの名前なんだな、とは私は思わない。これは「ことば」に対するセンスを育てておいたおかげだ。私の場合は以下のように連想する。

——これは「エル・カピタン」と分解されるな。エルは冠詞だろう。カピタンは英語で言えばキャプテンのことだろうな。カピタンはスペイン語かな？　この辺はスペイン人が来た地域なのかな？——

また別の例。ドイツ語圏に行くと「——ベルク」や「——ブルク」という地名が多いなと気付く。ハイデルベルク、フライブルク、ザルツブルク……。辞書を引くと「ベルク」は山、「ブルク」は城だとわかる。そうなればしめたものだ。ザルツブルクなんてSalz-burgなのであり、Salzには英語のSaltがすぐに連想されよう。「塩の城」って意味なんだな、とわかる。どういう歴史的経緯でこんな名前が付いたんだ？　と歴史に興味が湧いてくる……。と言う具合に、単に「ザルツブルク」という六文字のカタカナとしてしか認識しない生き方と、意味に意識が行き、その結果その地域の歴史や文化にまで興味がどんどん湧いてくる生き方と、どちらが人生を豊かに生きられるか。私は後者だと思っているし、それをくれたのもラボ教育、ことばの力、だと思う＊。

つまり、「どうせ外国語はわからない」「習っていない言葉はわからない」と心を閉ざしていては何も理解できない。人間が話す言葉なんだ、わからないはずがない、と思って相対すれば、なんとなく相手が言っていることがわかる。そんな力をラボは私にくれた。特に英語と近い欧米系の言語に対しては「どうせ方言程度だろう」と思って対すれば案内板や看板の文字などは実によくわかるものだ。

二〇一九年、四十九歳にして初めてテキサスに行ったときにも、連想がどんどん展開することから、思いがけず楽しい交流ができた体験をした。これは「テキサスのドイツ人」という小文にまとめて第二部に置く。参照いただきたい。

＊　ちなみにザルツブルクは大司教が統治した小さな国で、塩の名産地であり、大司教が塩取引を一手に掌握していたことから絶大な権力を有した、とその後判明。そしてこの地で生まれた、かのモーツァルトは大司教の束縛を嫌ってウィーンへ出奔した、と。

ことばを大切にすること

ことばに対する鋭敏な感性が育つ、ことばを大切に扱う人間になる、とも言えよう。例えば私は現代日本語の問題点として「二文字熟語を二つ繋いだ四文字熟語」があると思っている。例えば「科学技術」。元は全く違う言葉「科学」と「技術」、英語で言えば「サイエンス」と「テクノロジー」である。科学は物事を解明して法則を見つけるものであり、技術は科学の成果を人間・社会・世界に役立つようにするものだ。別の概念であり、フェーズも違うこの二つの言葉、であるのにそれらを続けて書いて、使っている内にどんどん意味が希薄になっていく。そして遂には何となく雰囲気で使う言葉になる。以前、国の機関に「科学技術庁」があり、今は「文部科学省」になっているが、これらも同じだと思う。それぞれ「科学・技術庁」「文部・科学省」と中黒を入れれば、まだ元の意味を大事に残せるし、二つの対象をまとめて扱っているんだな、と思えるのだが、繋げて書くと「なんとなく」「イメージで」使うことになる。* こういった類では他にも「研究開発」がある。本来「研究」と「開発」は全くの別もの、或いはフェーズ違い――一般的に研究のあとに開発がくるだろう――であるはず。英語で言っても「リサーチ」と「ディヴェロップメント」は全く違うのに。英語でもResearch & Development略称R&Dという言い方はあるが、この場合「&」があることで意味を明確にしている。二〇一九年からのウィルス禍に際して頻用される「不要不急」の外出を避ける、が「不要かつ不急」を意味するか、「不要あるいは不急」なのかがすぐにはわからないのも同じ問題。意味をよく考えれば不要あるいは不急、どちらかに該当すれば避けた方がよいだろうが、「二文字熟語を二つ繋いだ四文字熟語」は「かつ」の方が一般的で「あるいは」の意味で使うことは少ないからますます厄介。

そして、特に今もっとも気になっている、イヤな使い方が「安心安全」だ。危機管理を担当する役所の大臣や官僚が、やたら連発しているが、これももはや呪文のような言葉であり意味が遊離してしまっている。いやわざと意味を遊離させ、呪文として唱えているとしか思えない。二〇一一年の原発事故以降に急にはやった役所言葉と思われる。本来、人間が「安心する」ことと、機器なりインフラなりが「安全である」ことは別次元であるのに、この二語を接合することで、意味を感じさせない単なる呪文、お守り言葉にしている。本来大事にすべき言葉の意味をわざと放棄しているとしか思えない。

このような言葉の用法は、言葉をどんどん空疎なもの、空虚なものにしていく。曖昧なイメージを共有する「合い言葉」的な用法で使い、意味を殺していっている。そして鈴木孝夫の名著『ことばと文化』の題にもある通り「ことば」と「文化」は密接に繋がっているから、ことばの減衰は文化の減衰に直結することになる。

＊世の中にはもちろん気をつけている人もいて、例えば科学史家・科学哲学者の村上陽一郎は『学鐙』二〇二〇年春号（丸善出版）に寄せた文の題を「科学・技術は何処へ行くのか」と中黒を用いて区切っている。言葉を「呪文」「お守り言葉」「合い言葉」として使うことについては第三部所収「ことば、鬱病、アナーキズム――鶴見俊輔との共振」も参照いただきたい。

ペラペラ英会話の問題点

ネイティヴから学べます、を売りにする英会話教室は多い。しかしそういった教室でネイティヴから英会話を学ぶと、鹿鳴館以来の日本が持つ問題点「欧米・白人・英語を仰ぐべき価値であるかのように捉えてしまうメンタリティー」につながってしまう問題がある。

仮に「英語が上手にペラペラ話せる」かどうかを価値観においてしまうと、生まれたときから英語を話しているネイティヴが偉い、ということになり、そこから教えを乞うという形になる。ハンデを背負った形で生まれたことになるし、自分のアイデンティティーにも自信が持てないことにもなる。脱亜入欧的な考えに陥る。和魂洋才ならまだしも、見かけはアジア人なのに欧米の猿まねをしているかのような人間ができあがることにもなりかねない。「言語生態学者」鈴木孝夫の言葉を借りれば「三流、四流のアメリカ人を作ってどうするのか」ということだ。

日本語が日本人のハンデだと言い出す人が出てくる。そういう人は日本人であることさえも呪っていたりする。自分の生まれを呪い、英語を話す国に生まれたかったとさえ思うだろう。それは不幸なことではないか。何度でも言おう、鈴木孝夫の名著の題にあるとおり「ことばと文化」は密接に繋がっており不可分だ。ことばを棄てたとき、日本人は文化も棄てることになるだろう。

ペラペラ英会話の学校や、公用語は英語ですと胸を張る会社では自分の風土、文化を真に大事にできる人がいるだろうか。外国人が箱庭のように愛でる「観光立国日本」になってよいのか、という問題を今日本社会は抱えているが、日本人自体が観光により自国の文化を「体験する」ような変な時代が到来しそうだし、もしかしたら既に到来しているのかもしれない……。

一方ラボ教育では基本的に日本人の女性が先導者役を務める。母語である日本語と日本文化を第一義的に踏まえて育った上で、英語や外国文化に興味と関心を持ち、母語と外国語、母国文化と外国文化の並置反響のあいだで自分を確立していくというラボ教育のスタイルに共感した日本人女性が、日本人の子どもたちの触媒となり、子どもたちが多様な物語に触れ、多様なことばや文化を体験しながら育っていくのを見守り、後押しするのだ。そこではペラペラになることに価値は置かれない。母語も外国語も意味を伴って相手に届くように表現できること、自分の感情を入れて再表現できることこそに価値が置かれるのだ。ことばを大切にし、自分の文化も他人《ひと》の文化も愛せる子どもが育つのだ。

そして「テーマ活動」では日本語と英語で物語を体験する、物語の登場人物になりきって話し、表現する。ここで英語だけで物語に触れたり、表現したりするのではないことが大事だ。日本語も英語もともに玩味する、それがラボ教育の姿勢だ。日本文化を大事にし、自分のルーツを知った上で、世界に出ていくバイタリティを持つ人間を育てている。

日本人はとかく、団体旅行で旗に従って外国を旅し、旅の間ずっと日本語で済ませてしまう、困ったら旅行会社が手配したガイドさんに代わって言ってもらう、そんな人が多いと思われる。それは単なる観光であり、外国体験ではない。また、お互いの文化を紹介し合ってこそ真の相互理解、相互尊敬が生まれるのであり、「君の国の文化について教えてくれないか?」「君の国の神話はどんなものなの?」と聞かれた時に全く答えられない人、ディズニーのおとぎ話やテレビアニメの話しか出来ない人は深いところまでは行けない。しかもそれを相手に英語で説明することが要求されるケースがほとんどになるであろうから、その際に自分なりの言葉で、自分なりの解釈で伝えられることが大事だ。

この節最後に、いわゆる「英会話」の問題点を指摘し、そうではない行き方を示す、谷川雁自身の言葉も引用しておこう。何度も引く名文「『物語』を心のものさしに」からだ。

——言語習得の上でとかく走りたがる方法は現実の会話に身をさらすこと、つまり実証を価値とみなすことです。しかし、通じさえすればよい、通じるものは正しいという考え方は言語による人間交渉の深浅を度外視しますから、どこまでも価値意識を卑俗化します——

「実用英会話」などという無味乾燥なものでは深い「人間交渉」にはなりえない、と短く言い切っている名文。では何があるのか？　もちろん「物語」だ。ペラペラ英会話の対極として物語を用いた英語習得を行う手法について、この次の部分で言っている。

——このように、外国語習得こそ私たちの価値観をするどくためす場でありうることを、かつてだれが説いたでしょうか。そうです。私たちがいま見いだしているのは、「物語」というすがたをもった価値意識なのです。それは、点、線、面……あるいは小なるものから大なるものへという最終的に直線形をとる価値の序列ではありません。またそれは、人間を無媒介に平等の存在とみなすだけで、そこに生きる者の血涙の推移を感受しようとしない、価値の抽象化、無化現象でもありません。ある物語が、物語に働きかけ、そのことによってさらに新しい物語をうみだし、それらの物語が無数に集まってひとつの響きをなす、物語の巨大な生成過程にむかって、私たちは「イエス」といったのです。このことは、まさにそのとき、テューター自身が一個の物語の集成として、こどもたちの前に立ったことを意味します——

物語という姿をもった価値意識によって、一人一人の人間という物語的存在同士が響き合う、子どもたちもテューターも。それこそが学びの場なのだ。

世界の人と仲良くなるための基本的な素養としての世界の物語

ラボ教育のおかげで無意識に世界の物語（文学）・文化に触れられたことは、世界中の人と仲良くなるための基本的な素養を得られた意味でも大きかった。シェイクスピア、ペロー、グリム、トム・ソーヤ、ピーター・パン、ナーサリー・ライム（マザー・グース）、などなど。これらの物語や歌からその地域の人々の考え方の傾向も無意識につかめる。その物語を糸口に話すこともできる。

例えば映画「ティファニーで朝食を」を観れば、主題歌「ムーン・リバー」を主演のオードリー・ヘップバーンが歌うが、その中で「ハックルベリー・フレンド」という言葉が出たときに、その「ハックルベリー的な友達」という語感から、実に甘酸っぱいような少年期の友情のイメージがふわーっと浮かんでくる。単に辞書を引くのとは全く違う豊かなイメージが喚起される。おばさんに育てられ、疎外感も感じながらもしかし一般家庭のトムと、浮浪児ハックの、男の子らしい友情、子ども時代にしか持てない純な気持ち、アメリカ中部、ミシシッピー川の風景までが浮かんでくる。

こういう素養があって世界に対するのと、日本のお笑い番組しか観ずに育った子*とでは、世界の人と仲良くなる力に違いが出るのは当然だ。そしていわゆる「英会話」「実用英会話」「旅の英会話」で英語を学んだだけではこのような力は決して得られないのだ。

＊　日本のお笑い文化全てを否定するものではない。落語、よく練られた漫談、諷刺を利かせた喜劇、よいものもたくさんある。しかし、バラエティ番組（この言葉自体既にヘンだが……）における条件反射的笑いや、人を嗤うような笑いには、伏線も諷刺も文脈も何も無い。

タコ壺でなく学際的な力、おもしろがり力、そして変化にしなやかに対応できる力を

今の時代に必要とされる力はタコ壺的な学問ではなく、学際的な力、総合力だ、と働いてみてつくづく感じる。私は

国内最高密度の研究機関集積地である茨城県つくば市で、国内最高峰、世界的にも最先端だろうと思われる研究をしている研究者たち向けのソフトウェアをオーダーメイドで作る会社を経営しているため、研究者すなわち或る専門性を持った人と話す機会が多いのだが、本当に優れた研究者ほどタコ壺ではなく、実に広い知識・力を有しており、できる研究者ほど人にわかりやすく研究の内容を伝えられるものだということを実感している。難しくしか話が出来ないのは一流ではない、とさえ思う。

これはここまで記してきた「物語力」「おもしろがり」とも通ずるところだろう。学ぶことがおもしろくて仕方ないとなれば、辞書を眺めていても楽しいものだ。一つの言葉を調べていたら、その説明の中にあった別の言葉が気になってそちらを調べる、更にその説明にあった言葉が気になって……という数珠つなぎになる学び、或いは調べていた言葉の隣に並んでいた言葉が目に止まってそちらも覚えてしまったという学び。おもしろがりであることこそが、学びの原動力であり、学びとは尽きないものであり連鎖するものなのだ。

であるからこそ、真に卓越した社会人は、連鎖する学び、次々と興味の範囲が広がる学びを例外無くおこなっており、タコ壺型の人間になっていない、と言えるのではないだろうか。

そしておもしろがって学んでいる気持ちは周りの人にも伝わる。昨年マレーシアの産婦人科学会に企業展示で独り出張した私、広い会場で日本からの参加企業は我が社だけだったが、マレーシアの医師たちとの交流を楽しんだ。帰路、電波をオフにして飛行機で移動、羽田に着いたときにその中のひとり、ドクター・ムニスからのメッセージが届いていた。こうだ。It was really nice to meet you and I truly admire your thirst for knowledge. I think that is why you are so-o successful. つまり「君に出逢えて本当によかった。そして君の知識への乾きに心から感心している。それが、なぜ君がそーんなに成功しているのかの理由だね」と。私自身がそんなに成功しているとは思わないけれど、このドクターの言葉は、「おもしろがり」が学びや、人とのコミュニケーションの原動力になるということを示してくれていると思う。

話を戻そう。この節でとりあげている学際的、という言葉に馴染みがない方もいらっしゃるかもしれない。学際的とは、或る学問分野と、別の或る学問分野との間にまたがることだ。そして或る学際的な研究が一流派を成すようになると、それが新しい学問分野になったりする。

しかしそもそも学びには境界線など本来ないはずで、学問分野は人間が決めた境界線なのだから、そう考えると「学際的」という言葉にもどれほどの意味があろうかと思ってしまうが。ただ、一つの学問を深く究める人もまた必要なのであり、そのためにある学問分野が確立されることも必要なことだとも思う。そのようにして学問分野が確立されたことによって深く極めた学びが得られる一方で、副作用としてその学問分野に深く嵌まりすぎてタコ壺的になってしまう弊害が出てきた頃に、その学問と別の学問を掛け合わせたような「学際的」な学びが登場して、活性化させているのかもしれない。そしてその学際的な学びが学問分野として確立され、それが深まっていってタコ壺化していくと、また次の学際的な学びが生まれる、という具合に。

しかも、真に優れた大人は、自分の専門分野を深く究めるとともに、そこにタコ壺的に嵌まることをせず、周りの分野と融通無碍に境界線などなく行き来できる人であると思うのだ。それこそ学際的あるいは業際的に（業際的とは事業分野をまたがること）。

現代は、あまりに速いスピードで物事が変わっていくので、しなやかに分野を横断できる総合力こそが必要なものとなる。社会で生きる上で、仕事をする上で、必要な技能や力の変化が激しすぎる現代、特定の技能を教え込んでも無駄になってしまう恐れがある。それよりも変化にしなやかに対応できる人材を育てるべきだ。動物が環境に応じて自らを適応させるように。それは変化やそれへの対応を苦にしない力、おもしろがれる力、我がこと化できる力だ。新しい波が次々来たとき、それをよそから来た押しつけられた波と感じるか、「おもしろいぞ、自分はどのようにこの波にかかわろうかな。自分なりに咀嚼して自分のものにしようかな」と感じられるか。

そしてこの力を身に付けるためには、たくさんの物語を自分の中に蓄えておくのが有効だ。どんなシチュエーションが新たに訪れても、引出の中の物語と類似性を見つけることもできるだろう。また全く新しい物語だったとしても、抵抗感を持つのではなく新しい物語との出逢いにワクワクできるだろう。

変化に対応するにもあまりに変化が激しすぎて個人で対応するのが難しいご時世になって来ているとも思う。個人で、或いは個社で対応が不可能な波に対し、その都度アメーバのように組んで連携して進める手法が昨今見られる。私が代表を務めている約三十社から成る一般社団法人茨城研究開発型企業交流協会（ＩＲＤＡ）でも、案件によって会員内の数社が都度組んで業務を行ったり、受発注を行ったりしている。また、今個人事業主として生きる若者たちの中で、Ｍａｋｅムーヴメント（個人によるものづくり）に共感してＤＩＹ（Do it yourself）的にものづくりをする個人、決まったオフィスを持たずにカフェやコワーキングスペースで働く遊牧民的なスタイルの個人が、案件ごとに都度必要な技能を持ち寄って連携しプロジェクトとして機能する例もある。

そしてこの変化に対応するしなやかさは、実は長寿企業の長寿の秘密とも関連していそうだ。大事な軸はぶらさないが、時代の流れに沿うべきは沿う、という構え。

文系・理系という馬鹿馬鹿しさ

少し話を戻そう。そもそも、学びを分類して考えることに本質的な意味はなく便宜的なものだ、ということを前節に記した。その最たるものは「文系」「理系」という分類だ。この分類は日本独自のものであり、欧米では「自然科学」「社会科学」「人文科学」の三つに分類するのが一般的なようだ。

そのいずれであろうと、本来、学びに境界線はなく、全人的な力を養うことが大事なはずなのに、自らの学びの場をかぎってしまうのは自分で自分に枷《かせ》をはめているようなもの、もったいない。

人間は、何かの事象を一つの概念として定義したあと、逆にその概念に自らを当てはめて行こうとする傾向が生じることがままある。この「文系」「理系」というものもまさにその一つであり、我々はどうも自らを窮屈にしてしまっているようである。

そんな、この節で私が言いたかったことを見事に表している文章を、先日加藤碵一《ひろかず》博士の講演で知った。加藤氏は国立研究開発法人産業技術総合研究所の名誉リサーチャーであり、専門は地質学。しかし氏自身が実に学際的な方であり、『宮澤賢治の地的世界』で宮沢賢治賞奨励賞を受賞するなどしている方。「石っ子賢さん」と言われた宮沢賢治作品を地質の専門家の観点から見た著作が実にユニーク。共著による『賢治と鉱物――文系のための鉱物学入門』は私の愛読書。美しい鉱物の写真とその詳細にして科学的な解説、そして鉱物名を使って色彩を表現している賢治作品中の文章が引用されている本だ。パラパラ眺めているだけで実に楽しい。

その加藤氏の講演で教えていただいた先人のすばらしい言葉、それはこうだ。

――文藝と科學と云ふ、一見磁針の兩端の様なものが、一つの軸で支へられた時に、そこに始めてその本統《ママ》の働《ママ》をする事が出來るのだらうと思ひます。それが所謂「文化」ではありますまいか――（早坂一郎『地と人』一九二一年日本図書出版）

百年前に行われた、実に見事な「文化」の定義ではないか！

この早坂一郎博士は古生物学者。化石の調査で岩手におもむいた折、一度だけ宮沢賢治と会っており、その当時は東北帝大地質学教室助教授、のちに日本地質学会会長も務めた方。岩手での調査の後に書いた論文の謝辞に賢治の名前を載せている。そして賢治の方でも早坂氏を『銀河鉄道の夜』において「プリシオン海岸」に登場する学者のモデルとしたという。この早坂氏も宮沢賢治も、真の「文化」人であり「文系」「理系」などという概念を越えた、真に「学際的」な人であると言えよう。

また加藤氏の講演によれば、最近は「文化地質学」という「新しい学際分野」が生まれているという。これは「文学と地質学の融合」であり単に学際的だというのみならず「文理融合」的な分野であると。そして加藤氏はこの分野の魁《さきがけ》として「西のゲーテ、東の賢治」を挙げている。この二つの学問の融合は世界的にも稀であり、特に日本では賢治が唯一であろうとも。

そもそも何か「カテゴライズ」したことによってわかれたものを、再度つなぎ合わせようとする努力や試みを「学際的」と呼んでいると言えるのかもしれない。

だいぶ話が逸れたが、宮沢賢治作品は当然「物語」力に溢れたものであり、谷川雁も著書に『賢治初期童話考』があるように愛好した対象であった。ラボを離れたあとに「ものがたり文化の会」で谷川雁が教材としたのも賢治作品であった（ものがたり文化の会については別稿「谷川雁、子どもに賭けた後半生」も参照いただきたい）。

この説で考えてきた学問のカテゴリー分け問題を考える上でのヒントとして、先にも引用した日本大学文理学部による『知のスクランブル――文理的思考の挑戦』（傍線筆者）の「あとがき」から引用させていただく。学部長で史学が専門の加藤直人教授による文章だ。

――私たちが学んでいるのは人間・社会・自然についてである。それらは切り離すことのできないひとつながりのものとしてある。切り離すことで、より深く専門化は進むかもしれないが、連続性をもった相互の深い関係は見過ごされてしまう。おそらく、これからの時代はその連続性のもとに世界をとらえる能力こそが重要になるだろう――

西洋の人の言葉も二つ紹介しておこう。まずトランシルヴァニア生まれの作家・思想家シオランが『生誕の災厄』に記した言葉。

――駄目な詩人がいっそう駄目になるのは、詩人の書くものしか読まぬからである（駄目な哲学者が、哲学者のものしか読まないのと同じことだ）。植物学や地質学の本のほうが、はるかに豊かな栄養を恵んでくれる。人は、自分の専門を遠く離れたものに親しまないかぎり、豊穣にはなれない――

次にアップル社の創業者スティーヴ・ジョブズの言葉。

――僕は子どものころ、自分は文系だと思っていたのに、エレクトロニクスが好きになってしまった。その後、『文系と理系の交差点に立てる人にこそ大きな価値がある』と、僕のヒーローのひとり、ポラロイド社のエドウィン・ランドが語った話を読んで、そういう人間になろうと思ったんだ――

――僕らのイノベーションはその底に人文科学が脈打っている――

――すごいアーティストとすごいエンジニアはよく似ていると僕は思う。どちらも自分を表現したいという強い想いがある。（中略）レオナルド・ダ・ビンチやミケランジェロなどはすごいアーティストであると同時に科学にも優れていた*――

これからの時代においては文系・理系という分類に意味はなく、その二つの集合の共通部分すなわちA∩Bの部分にこそ意義がある――そして文系・理系という問題に限らず、或るものと別の或るもの、その掛け算あるいは端境《はざかい》にこそ、おもしろいもの、新しいものが生まれるというのが私の実感であり信念だ。

＊　ジョブズの言葉で「文系」「理系」と訳されている部分、原文ではhumanitiesとsciencesであり「人文科学」と訳されているのはhumanityだ。これは違う言語で言葉が一対一対応していない例で、訳者の苦肉の策と言えよう。日本で言う「文系」や「理系」

をイメージしてジョブズが語ったものではない。またジョブズが愛したランドの言葉にある「交差点」という言葉も、私が愛するイメージ―数学の集合論で言う「共通部分」という言葉も、英語では同じintersectionである。

自然科学も物語である

このように、文系・理系などという、日本人がほんの百数十年前に発明した分け方に囚われず、世界の全体に丸ごとアプローチするべき、ということもラボ教育は教えてくれた。ラボ・ライブラリーの物語たちもそうであったし、実はラボ教育はそこにとどまらずもっと幅広い教育も行っていた。ラボ国際交流センターが発行した書籍『ラボ土曜講座』シリーズがそれだ。一九七八年から七九年、谷川雁がラボを去ることになる最後の時期にこれらは発刊された。第一期は全六巻。テーマと講演者を挙げよう。

一、ハチの進化をたどる／岩田久仁雄（昆虫学者）、富士山と気象観測／藤村郁雄（気象観測者）
二、海のふしぎ／宇田道隆（海洋学者）、日本の川／高橋裕（河川工学者）
三、季節と日本列島／倉嶋厚（気象学者）、寺田寅彦／小林惟司（寺田寅彦研究家）・根本順吉（気象学者）
四、ロケットと飛行機／川村竜馬（空気力学者）、原始時代の火／岩城正夫（原始技術研究家）
五、人間のからだのしくみ／井川幸雄・増田允（ともに医学者）、空を飛ぶクモの話／錦三郎（クモの生態研究家）
六、ぬれた砂はなぜ黒い・スキーの話／木下是雄（物理学者）、レオナルド・ダ・ヴィンチ／加茂儀一（科学技術史家、文化史）

何という気宇の壮大さ。一九七六年にラボが満十年を越えたとき、谷川雁の着想によって開かれた「ラボっ子土曜講座」を書籍化したもの——実にテーマが幅広いことに驚くだろう。

そして最終講座が「レオナルド・ダ・ヴィンチ」というのがまたいい。科学の様々な分野と芸術の双方でルネサンス期を代表した万能の天才。まさしくカテゴライズの無意味さを表しているかのようだ。

こういった講座をこれだけの講師陣で開き、かつ書籍という形で公刊するという構えがすばらしい（しかし残念ながら谷川雁が去ったのち、第二期は出なかった。当時谷川雁が本物志向でライブラリー作品を作ったように、その他の様々な事業にも予算をふんだんに使っていたことが会社の収支を圧迫しているという批判があったことも退社の一因であるらしいから、むべなるかな）。

この本の「はじめに」として、ラボ国際交流センター専務理事の肩書きで谷川雁がこの連続講座開始にあたって講話した「〝学んで問う心〟を育てよう」が掲載されており、実に示唆に富んだ内容なので少し長めに引用して掲げてみよう。


——こうして生まれたラボが満十年たって、さてさらに新しくこどもたちにどんなことを経験してもらおうかなと考えたときに、一番先にピンと頭に浮かんできたのは、特に自然科学という、数学とか物理とか化学とか地理とかという私たちの身のまわりの世界について、長いあいだ研究生活をし、自分でもコツコツと努力をされて、りっぱな研究をされた方の話を聞いてもらいたいということでした。自然科学の世界は、むずかしく、顔をしかめて考えないとわからない世界のように思っている人が多いけれども、実は、そうではなくて、ラボの世界と同じようにいろんな物語に満ちた世界なんです。いろんな発見をしたり発明をしたり、いろんな研究をしたりするのは全部人間がやっていくわけで、そういう偉業をなしとげた人たちにもたくさんの物語があります。また、その研究をする対象には、昆虫があったり海があったり、川があったり山があったり、いろいろです。そのものにもまた、たくさんの物語がある。そういうことを感じながら学んでいけば、大変すばらしい世界を経験できる——


ここには、言語教育という枠にはこだわらず、自然科学にも幅を広げ、しかしその核にも「物語」がある、という実に谷川雁らしい言葉がある。

そして次に引く箇所では現在提唱されている「アクティヴ・ラーニング」すなわち能動的学び、について四十年以上前にわかりやすく語っていることがわかる。これも長めになるが大事な部分なので引用しておこう。

――ラボ土曜講座でやろうとしていることは勉強ではありません。勉強ではなくて学問です。学問と勉強とはまるでちがうというのは、あんまり考えたことがなかったでしょう。でも、勉強の勉という字は「べん」のほかに「つとめる」と読む。強は「しいる」とも読む。何かやれというふうにいわれて、一生懸命汗を流してやってるというふうな、そういう感じが勉強ということばの中にはあります。（中略）ところが学問というのはちがいます。学は「まなぶ」。この「まなぶ」というのは、まねするという、本当にすぐれた人のやったことや自然がしていることを自分もまねしてみようという、そこからきています。問には「とう」という読み方がある。たずねるということです。学問とは学んで問うということです。学びながら問う、学んだあとに問う、学ぶ前に問う、そして学ぶということは問うことであるというふうにも読める。学ぶということと問うということは、自分がわからないこと、これはどういうことなんだろうかと自分でふしぎに思ったことを自分から調べ、尋ね、そして発見していくということなのです。本当に自分のほうからやる、ということが土台にあります。勉強ということと大分感じが違うと思うんですね。自分でこれはどうなってるんだろうという疑問をいっぱい持っていて、それを少しずつはっきりさせていくことが学問だということになると、これはおもしろい活動です――

今、もう一度この言葉を噛みしめて、次世代に学問のおもしろさを伝えたい、そう思わせてくれるステキな言葉だ。

ラボ教育五つの柱、五つの特長

さて、ラボ教育には五つの柱があると私は分類している。

一、ラボ・ライブラリー作品（物語）

二、テーマ活動

三、ソングバード
四、国際交流活動
五、ラボ・キャンプ
がその五つだ。
これら一つ一つを実施している機関はほかにもあろうけれども、これら全部が揃っているのはほかにはないだろう。五十年以上前にこれらを全て整備していったのは、世界でも類を見ないのではないだろうか。
以下それぞれについて少し見てみよう。

柱一＝ラボ・ライブラリー作品（物語）

この点については既に多々述べてきた。また第二部でも改めてまとめてとりあげる。

柱二＝テーマ活動

先にも引用した『ラボ教育活動四十年史年表』によればテーマ活動は「独自の表現活動、言語体験・学習プログラム」と定義されている。より詳しく書けば「物語を英日のセリフで表現し、また背景や気象条件その他の周辺環境も身体表現で表すことで表現・文化・言語・集団創造を学ぶ活動」とでも言おうか。演劇と大きく違う点を以下に挙げてみよう。

- 背景のための舞台装置（大道具）は全く使わず、背景の事物も自然環境も身体で表現する
- 手に持つような小道具も使わず、ジェスチャーで表現する
- 衣装も無し
- 登場人物の気持ちや心象風景をも舞台奥などで身体表現により表す
- ギリシア悲劇のようにナレーターによるナレーションがある。舞台演劇はこれを捨てて近代化してきたのに対し、テーマ活動は演劇表現の原形を採用しているといえる

実に独創的な形と言えよう。しかもこれらの様式は、谷川雁のラボに関する講話・文章によれば、指導者たちの創案だけでできあがったものではなく、子どもたちにこそ学んで創りあがったものらしい。その姿勢や良し。そして演劇の最も大きな違いと言えよう「登場人物（や動物）以外、すなわち草や木、石や山、海・川・波、家や壁……人間以外の自然事物・人工事物も表現対象としているところ」。これは「言語生態学者」鈴木孝夫が当時ラボ教育センターに週二〜三日顧問格で在籍しており、谷川雁がよく顔を出しては話し込んでいたということからも来ているだろう。『言語生態学者 鈴木孝夫講演集「世界を人間の目だけで見るのはもう止めよう」』のタイトルにもあるとおり、鈴木孝夫は幼少期から人間以外（特に鳥）の目で世界を見ることを体得して生きてきた人物だ。九十歳になる三日前に行った表題講演で「現在の私が最終的に到達したのは、世界を人間の目、人間の立場からだけ見るのはもう止めようということ」と話している。ここに至り遂に言葉として思想として結実したこの視座を、鈴木孝夫は谷川雁と関わっていた時期にも体現していたはず。そこから谷川雁が学んだこともきっと影響したことだろう（また谷川雁が宮沢賢治を愛読していたことも当然関係してこよう。第三部収載「賢治、雁、仁三郎──村、農業、原発」も参照いただきたい）。

このテーマ活動に類したものとしては、「ドラマ教育」あるいは「演劇教育」がアメリカ・イギリスで一九二〇年代から行われていたようだ。

今でも英米およびその系列の学校では一般的に行われている教育らしい。一例を挙げよう。二〇二〇年一月から二月にかけて、交換留学ということで我が家に十四歳の女の子が一人、ホームステイに来た。イギリスはウェールズの生まれ。イギリスの私立学校がマレーシアに作った私立学校の中学に在学中。好きな教科を聞いたところ「スペイン語とドラマ」だという。イギリスの植民地だった時期があり、現在も英連邦の一員であるマレーシアなればこそ、宗主国イギリスの分校が出来ているのだろう、イギリス式の教育をしている。そこに「ドラマ」が学科としてあるわけだ。

集団でドラマ（演劇）を創造あるいは再創造すること、物語の中の登場人物になりきる体験をすること、そこから何らかの学びを得ること、「ドラマ教育」「演劇教育」の核はそこにあるのだろう。

近年、日本でも、教育の専門研究者からこの演劇教育、ドラマ教育が注目されているらしく、関連書籍も幾つか出ている。これをラボは既に半世紀以上前から実践してきたものだと言えよう。そして、しかも単なる演劇教育、ドラマ教育という範疇をさらに超えて、単に母語で演じるのではなく、母語と外国語で並列に発語して演じること、ギリシア悲劇のようにナレーションを伴うこと、単なる演劇的な手法ではなく先述したとおり周辺環境までも表現することなど、多くの独創が見られるのが「テーマ活動」なのだ。ラボ教育の根幹は、ラボ・ライブラリー作品と、その表現活動であるテーマ活動の二つである、といっても過言ではない。

柱三＝ソングバード

冒頭の用語解説にも記した通り、欧米の歌を中心にたくさんの歌が収録された曲集。マザー・グースの名にて親しまれてきたナーサリー・ライムなど古来のものから、オリジナル曲まで幅広い。歌を歌いながら手遊びをしたりフォークダンスをしたりする。その歌詞や手遊びの中から異文化とも触れる経験ともなる。オリジナル曲の作曲者、編曲者、演奏も一流。単なる学習用教材の域を超えている贅沢な作り。また、テーマ活動など他の活動同様に、男女問わず、縦長異年齢で一緒に歌い踊り遊ぶことから魂の解放ができる時間、空間でもある。

柱四＝国際交流活動

未成年の国際交流プログラムは今となればたくさんの機関が行っているが、ラボは一九七二年夏に第一回、と約五十年前から行ってきた先駆性が光る。しかも、未成年を一ヵ月間、外国の一家族（二家族になる場合もある）にひとりで放り込む――というと乱暴と思われそうだが、実に周到に派遣元・受入側が連携・準備し、また参加する子どもにも相当前の段階から事前準備をしっかり行わせているものだ。

かたや、昨今は学校の修学旅行で海外に出かけることも少なくないらしいが、しょせん観光旅行的に過ぎないことが多い。

またいわゆる交換留学も増えているが、事前活動が足りなさすぎる。先述した我が家に来た女の子も二週間ホームステイで一緒に生活しても日本語を覚えようとしない。「ありがとう」さえ覚えずに「Thank you」だ。悪い子では全くなく、とてもいい子なのだが。ホームステイ先でこういう態度に終始してしまうのは、事前学習により「心構え」を教えない派遣元に問題がある。受入家族側のホストファザーやホストマザーにそこから教えることを押しつけるのは違うだろう。事前学習で相手の家や土地に飛び込む趣旨、持つべき心構えを伝えなくてはならない。またこれは受入校側の構えにも問題がある。派遣校側にそういった事前学習を要求しなければならない。にもかかわらず、それをしないのは既に述べた「欧米・白人・英語を仰ぐべき価値であるかのように捉えてしまうメンタリティー」に根っこがあると思えてしまう。

一方、ラボの国際交流活動は入念に事前活動を行う。三十年以上前に私が参加した時の記録が手元にあるが「茨城支部」単位での集合による公式な事前活動は渡航の一年弱前である九月から、そして当年になると毎月のように行われた――前年九月に一泊二日の合宿、当年一月に調査票・自分への手紙を記入。二月に第一回事前活動、三月に第二回事前活動、東京に集合しての結団式（第三回事前活動）、四月に一泊ホームステイ（参加者同士で別の家に一泊ホームステイ体験）・第四回事前活動、五月に二回目の一泊ホームステイ・第五回事前活動、六月に事前活動合宿（第六回事前活動）・出発前父母オリエンテーション、七月に壮行会、七～八月にホームステイ本番。九月には事後活動・父母懇談会。これだけ周到な公式事前活動が行われたし、またそれ以前からパーティ、家庭でも事前準備が行われた。

私も事前活動で様々な準備をしっかりと行った。なかでも相手国アメリカの歌と自分の国日本の歌をたくさん覚え、現地ホームステイ時にそれらの歌を歌うことで交流が深まったことを覚えている。心の「構え」も出来ていたので、アメリカでのホームステイをしていた一ヵ月間は、元々が引っ込み思案な私が人生最大の「オープンマインド期間」を過ごした時期となった。人の気持ちの回路というのはこんなにオープンなものとなりうることがあるのか、と自分でも驚いた貴重な体験となった。

ラボ国際交流活動がすばらしいものであったのは事前活動をしっかりしていたから、ということと、受け入れ先が当時「4―H（フォーエイチ）」という農業系の非常に真摯な団体だったことも大きい（現在は少し状況が変わり4―Hは部分的な交流先になっている由）。

この団体には「四つの誓い」というものがある。

I PLEDGE
my HEAD to clearer thinking,
my HEART to greater loyalty,
my HANDS to larger service, and
my HEALTH to better living, for
my club, my community,
my country,
and my world.

この精神！　崇高なる理念。カウンターパートにこのような団体を選び、ともに国際交流をつくりあげたラボ国際交流活動に敬意の念を禁じえない。青少年が、一生を通して糧とできるような「学び」を得られる国際交流活動は簡単なものではない。「送り出す側」と「受け入れる側」との間に信頼関係があり、準備を十二分に行い、参加者自身に心構えと実際的な準備を充分にさせてその時を迎えさせることが必須条件だ。

留学を含め、国際交流活動を行う全ての方々にそれを肝に銘じてほしいと願わずにはいられない。

ラボ教育における国際交流活動のキャッチフレーズは「ひとりだちへの旅」。中学生ぐらいの年代にたった一人、違う国で、違う言葉で、違う家族の一員となって暮らす体験。ひとりだちに向かう貴重な通過儀礼（イニシエーション）となったと思うし、異文化との生活レベルでの一ヵ月間の交流を高校生や大学生ほどに大人になっていない時期にしたことは、何が共通のもので、何が固有のものなのかといった視点を持ちながら大人になっていける、という意味でも非常に大きかったと思う。

柱五＝ラボ・キャンプ

冒頭の用語解説に記したとおり、長野県黒姫のラボランド等に全国から集合し三泊四日で行われるキャンプ。いつものパーティとは違い、他のパーティの子たちとともに、ロッジで寝食をともにする。野外活動として様々な活動が準備されており、参加者はいずれかの活動に参加してアウトドア体験も行う。自然と向き合うことも大事な教育という理念あってのことだろう。最も難度が高い活動として標高二千メートル超の黒姫山登頂まである。そしてメインとなる活動は、日頃は週に一度一～二時間しか行えないラボ活動すなわちソングバードやテーマ活動を集中的に行い、深めるという経験だ。かてて加えて、このロッジでの共同生活も縦長異年齢集団で行い、その全てをシニアメイトと呼ばれる高校生が仕切るのだ。

私個人としては小学生時期にしか参加した経験がなく、しかも生来の引っ込み思案から一～二日目あたりはいわゆる「壁の花」状態、壁沿いで様子を見ていてあまり積極的に参加できなかった覚えがある。しかしその分、調子が出てきた三～四日目は人一倍「はじけた」。そしてロッジの仲間たちと「ハレの日」モード同士での、心の深奥と深奥とで交流するようなときを過ごし、友情を深めた。最終日には涙を流しながら別れるほどに。

実に非日常の体験であった。そして三日目の晩、キャンプファイヤーを囲んで歌いながら踊る曲の一つに「ラボっ子ばやし」があり、谷川雁の詞によるものであったことも付記しておく（ラボっ子ばやしについては『谷川雁――永久工作者の言霊』に詳しい）。

そして、このような体験から得られるもの、それは人と人とのコミュニケーションに対する根本的肯定の構えであったと思う。私が三十六歳の時に受けたインタビュー記事が『大人になったピーター・パン――言語力と社会力――』（二〇〇六年　アートディズ）という本に掲載されている。この本は「ラボ・パーティ発足四十周年、ラボ国際交流三十五周年記念出版」として編まれたもの。そこで私はOBとして以下のように述べている――キャンプとか国際交流に行っても、まったく知らない人たちが全国から来ても、最終日にはキャンプファイヤーを囲んで一緒に肩を組んで歌を歌うまでになる。そういういろんな活動を経て、人と人とは、最後はもうなんとかなってしまうんだなという思いが身についたんだと思います——と。

ここまでラボ教育の五つの柱を見てきた。「英語塾」などという狭いものではなく「全人的教育」がなされていると言えよう。前身の「TEC（Tokyo English Center）」時には名前の中にあった「英語」が、「ラボ教育センター」という名前の中には無いことからもそれが窺われよう。表面的な英語習得部分のみを模倣した事業者が次々に現れては消えてもラボ教育が続いてきたのは、迂遠なようでも英語学習に特化せず全人的教育を志したからこそであろう。この節最後にここまで記してきたことをラボ教育の五つの特長としてまとめておく。

一、母語、日本文化の尊重……ライブラリー作品もそうであるし、服部四郎、鈴木孝夫ら名だたる言語学者を擁した東京言語研究所まで立ててきたあたりも類例をみないところだろう。子どもたちを根無し草《デラシネ》にはしない。他国の人に自国の文化を説明できる人間であるべきと

二、外国文化に物語や歌を通じて触れる

三、表現の教育……物語を表現し、登場人物・事物などになりきることから表現力・想像力などを育てる

四、言葉に対する鋭敏な感性を育てる……英・日により物語を聞き、表現することから言葉に関する感性が磨かれる

五、動物・植物・環境への関心・感性を育てる……テーマ活動において動植物などの事物になりきること、キャンプ活動、土曜講座等から

テューターが女性である意味

さて次に、テューターが女性である意味についても考えてみたい。

テューターは触媒として機能するものであり、そのことについては谷川雁も「触媒」「媒介」という言葉を使って何

度も発言し、書いている。この小文の中でも幾度も引用する名文、一九七一年の「こどもたちの意識の根を強くおおらかに育てよう――静かに燃え続ける触媒として」から又引いてみよう。

――私たちは、教育の専門家であってはならないと考えています。教育とは、もともとあきれるほど広いもので、その根幹は、人間の一世代が総がかりで次の世代に向けておこなうわけですから、私たちは、娘であり、妻であり、母であることをまぬかれない。世界の自然な一部分として、新鮮な生命の群に対するのです。外国語が私たちの活動にとって媒介であるように、私たちはこどもたちの成長にとって静かに燃えつづける触媒であることを、欲していいます。このようなのぞみのありかたが、単体としての完結を自分に求めがちな男性の指向とすれちがう限り、私たちは、この仕事を当分女性の手にとどめておきたいと思います――

このように、人の触媒、媒介として働くのは男性よりも女性の方が上手なのであろう。私自身、実は母が大病を患った時期、丁度アルバイトしかしていなかった時期であったため、実家に戻り代講として数ヵ月テューターの代わりをしたことがある。元「ラボっ子」である自分は、ラボっ子の気持ちもわかるはずだし、パーティで行われるべきことも、触媒として働くべきことも理解していたつもりだった。しかしやってみるとそれは実に難しかった。どうしても理屈で考えてしまいがちであったり、子どもたちの多様さをおおらかに受け止めたりすることが難しかったり。触媒として多様な子どもたちに向き合うことが、いかに難しいことであるか実感した。もちろん私自身にとっては貴重な体験となったし、子どもたちと心が通じ合えたという瞬間もありその時は嬉しかった。しかし、全力を尽くしたつもりではあったのだが、私には（あるいは男性には）このテューターという仕事は本当には務まらないな、というのが完了時の正直な思いだった。

また冒頭の用語解説の所にも書いたように「テューター」は「ティーチャー」と違って、一人一人と向き合う存在。博愛主義的で、全ての子どもに対して我が子のように、わけへだてなく、依怙贔屓なく接することが必要であり、これは母性的な力であろう。塾講師等であれば、学問に対する熟達度や教授法のカリスマ性等で父権的に引っ張っていけるかもしれないが、テューターはそれでは務まらない。ラボ教育の根幹である、身近で「命」を見守り「育む」という営為に男性たちは対応できないのだろう、残念ながら、少なくとも現時点では。先に引用した谷川雁の言葉の通り、当分は「この仕事を女性の手にとどめておく」ことが必要なようだ。

本気でラボに打ち込む谷川雁

私の母は一九七六年から、この文を書いている現在二〇二〇年まで四十四年の長きにわたってラボ・テューターをしてきた。その母は物持ちがいいという特長もあり、今私の手元に非売品である『季刊ラボ・パーティ』第三巻第二号（通巻第十号）がある。一九七六年九月三十日発行だ。多分テューターにのみ配られた冊子だと思われる。

そしてこの号の巻頭には「谷川雁」の署名入りの文章がなんと十ページも掲載されている（この時谷川雁はラボ教育センター専務理事）。題して「二つの力で大いなる渦を――ラボっ子大学生、高校生への期待」（『〈感動の体系〉をめぐって』にも所収）。冒頭に「これは七月九日、ラボセンター・ビルで開かれた東京地方ラボ大学生広場で話した内容に手を加えたものです」という説明書きがある。大学生・高校生に向けて、実に熱く語っている雁がここにいる。谷川雁のラボ時代を「空白の時代」などと言っていた人に刮目して見ていただきたい。空白の時代などでは断じてない、キラキラと輝く言葉たちがここにはある。幾つか引いてみよう。

――この年ごろ（筆者注：Low-teens）には、ある一つのことに深く感じた経験がその後の一生を支配するほどの意味を持つ場合がきわめて多い。感受性と経験の出合《ママ》いの季節だ。そのときに、この出合いをしっかりしたものに育てる確認の相手がいる。「うん、そうだ。そいつはおもしろいぞ」と言ってくれる身近か《ママ》な人間が必要だ――

たったこれだけの量の文章からも私は二つのことを感じる。ラボ活動に、あるいは何か別の活動にせよ深く心を動かすことに、この年ごろに触れることが一生を支配するほどの意味を持つ、ということだ。これについては既に様々に述べてきた。またもう一つは触媒作用ということだ。ここで雁が語っているのは聞き手である大学生および高校生（High-teens）に対し、年下の子（Low-teens）に対して「おもしろいぞ」と言ってあげる身近な人間になれ、ということだが、パーティにおけるテューターも実は同じことで、子どもたちの良い触媒であることが重要。勇気づけをしてあげたり、時にはいにしえのソクラテスやプラトンのように質問してあげることで子どもの思考をより深めてあげたり。谷川雁が子どもを成長させるために必要なものとして触媒的存在、しかも肯定的に「確認」する身近な存在の必要性を明確に述べていることに注目したい。実にユニークな視点だと思う。彼の肩書きに「教育運動家」を、「詩人」や「思想家」あるいは「革命家」「工作者」と同じ重みで記すべきだ、と主張したいのはこのことからである。

そしてこのようにLow-teensの年代の経験が一生を支配することを大事にして教育活動をしているのは、谷川雁自身がピーター・パンに耽溺した少年時代を持つこと、そしてその頃の思いを大人になっても忘れなかった人であったことからであろう。この一文でもピーター・パンについて特に熱く語っている。私なりの解釈で何が語られているかをまとめてみたい――大人になる人間（＝ウェンディ）は子どもを産み、またその子が子どもを産み、という形で続いていく。これは古代ギリシアで言えば「ゾーエイ」という形での生命と言えるだろう。ゾーエイとは個体の死を繰り返しながらもそれを超えて繋がる生、生物種としての連続性としての生というイメージ。対してピーター・パンは子どものままで決して死なない。ウェンディの子も、その子も、みなネヴァーランド（谷川雁の和訳「ない・ない・ないの国」）に一度は行く、そのたびにピーターはいつも同じピーターのままでいる。ここでのピーターは個体としての生（＝古代ギリシアの生命概念で言えばゾーエイと対置されるビオス）であり、かつ不滅であるという象徴性をもった存在――ということ。（ゾーエイとビオスについては『言語生態学者 鈴木孝夫講演集「世界を人間の目だけで見るのはもう止めよう」』から学びを得た）

『ピーター・パン』の主題はまさにこの点なのだ、と雁は大学生・高校生に熱く語っているのだ。単に冒険譚として「海賊フックをやっつけました。みなは幸せに暮らしましたとさ」で終わらせずに、エピローグでウェンディの子、またその子、と繋がる生と、変わらないピーター、が書いてあることこそが大事。子どもと大人の境界線、連続と非連続がテーマなのだ、と。雁の言葉をそのまま引けば「古い世代と新しい世代は、切れているようでつながっている。つながっているようで切れている。人間のそういう淡く、甘く、ものがなしいような関係」を描いている物語なのだ。だからこそ単なる童話、おとぎ話として消費されずに、ずっと残っている物語なのだ、と。

なお、谷川雁が熱く語った講話は、もちろん子どもたちに直接語ったこともあったが、多くはテューターに向けられたものだ。ごく限られた人数だけに語られた言葉は珠玉のものであり、羨ましいと思えてならない。谷川雁は不特定多数に対して売文することを第一義としておらず、顔の見える関係に向けて語る、あるいは書く、少なくとも読む人の顔を具体的に思い浮かべながら書くことこそ肝心、という考えを持っていた。谷川雁の全てがすばらしいとは私も実は思っていないのだが、この点は素直にすばらしいと思うことの一つだ。顔の見える関係を大事にするということ。その気持ちは読む側、聴く側にも確実に響くものだ。

直近二〇二〇年二月十日付の『テューター通信』に四十年前の谷川雁の言葉について記したものがあったことを、四十五年目の現役テューターである母から伝え聞いた。本田奈津子テューター（岡山県）のリポート記事の中で、テューター生活五十年の表彰を受けた小口芙悠子テューター（香川県）がご挨拶の中で話した逸話とのこと——十周年のときに谷川雁氏から子どもたちに向けて語られた言葉「両立とはおとながいうことだ。心も身体も輝いているきみたちは、三立も四立もできる」というメッセージは、四十年経ったいまでも私の胸を熱くさせます——と。

谷川雁は本気でラボに打ち込んでいた。だからこそ四十年前のことばがテューターにも、ラボに集った子どもたちにも響き続けているのだ。

十代、特にロウ・ティーンに心を寄せた谷川雁

前節に示した谷川雁の講話から、谷川雁を語る上で忘れてはならないキイワード「十代」も思い起こしておきたい。Low-teens/High-teensと分けて記してはいるが、それらを合わせて、谷川雁にとって教育活動の対象となるべきは十代

であるということ。乳幼児や低学年の子ではなく。これはラボ退社後に谷川雁が立ち上げた会が「十代の会」であったことにも繋がるだろう。「十代の会」会誌『十代』の創刊号に谷川雁が記した「自分ってなんだろう――十代創刊のことば」にはこうある。

――この雑誌の主題は「私はいったい何物だろう」です。（中略）つまり、自分は何であるか、わかってしまった人には用のない雑誌です。こどもでもなければおとなでもない、変てこな季節――十代は、昔から始末におえない厄介者みたいに扱われてきた気がします――

その「十代」の中でも谷川雁が特に重視したのはロウ・ティーンの方だ。前節で示した講話でもLow-teensの時期に「ある一つのことに深く感じた経験がその後の一生を支配するほどの意味を持つ」と述べ、High-teensに対してはその良き触媒たれと言っている。そしてより直接的に以下のようにも語っている。

――十代、とくに私はロウ・ティーンが大切だと考えています。いつもいうように中学二年二学期を焦点とする時期です――

これは谷川雁がラボを正式退社した直後といっていい時期一九八一年一月にラボ・テューターたちを糾合しようとオルグをかけている講話の中での発言だ（「内側からほとばしる表現」『谷川雁さんからのバトン』（二〇〇八年　ものがたり文化の会）収載）。

また谷川雁晩期の重要な仕事である合唱曲集『白いうた　青いうた』の作詞。この曲は谷川雁がラボを去ったのちの活動の場となったものがたり文化の会の「若い合唱団」に歌ってみてもらいながら作られ、今では一般の合唱団でも広く愛唱されているが、この五十三曲からなる合唱曲集の正式名称が『白いうた　青いうた　十代のための二部合唱曲集』

であることも指摘しておきたい（のちに「三世代のための〜」に改題）。ここでも谷川雁は「十代」のための仕事をしているのだ。死も近い一九九二年に「こんにちは、谷川です。みんな元気ですか」から始まり「夏休みのプレゼントになったでしょうか」で終わる、実に優しい語りで、ものがたり文化の会の子どもたちに対して『白いうた 青いうた』の歌詞解説をテープに吹き込んでいる谷川雁の言葉を読むとき、何やら胸が締め付けられるような思いを禁じ得ない（『谷川雁さんからのバトン』付録『白いうた 青いうた 谷川雁さんの歌詞解説』。また作曲の新実徳英による「うたの不思議――『白いうた 青いうた』の秘密」〈二〇〇九年 音楽之友社〉にも収載）。

子どもでも大人でもない変てこな季節＝十代。永遠に大人にならないピーター・パンと、大人になっていくウェンディたちと、その間《はざま》で揺れ動く十代。彼らにこそ「心を寄せなければならない」そう谷川雁は語り、実践し続けたのだった。

触媒、工作者、メディア

前々節で谷川雁が大学生・高校生に対して、小さい子と世界との間の触媒になれと語ったことを記した。またテューターにも触媒たれと求めたことも既にとりあげた。こういった「仲立ちをする存在」という立ち位置が、谷川雁が教育と向かったときの、そして谷川雁自身の人生における大事なポイントになると思う。この節ではその点を考えてみる。

仲立ちをする存在として「触媒、工作者、メディア」を挙げたい。触媒については既に充分述べた。ほか二つについては一九五八年に谷川雁が書いた「工作者の死体に萌えるもの」で見てみよう。当時共産党員であったため（のちに除名）、オルグ（＝工作者）の立場として活動していた時期に書かれたこの文章。内容を現代人にわかりやすくまとめて言えば、題名にあるとおりで、工作者自身は死してよい、その死体から芽吹くもののために死して本望だということを述べていると言えよう。しかしもちろん、そんなつまらないまとめで全てが言い表されるような文章ではない。ごくごく短い文章なので是非原文に当たっていただきたい。工作者を語っている筈の文章なのに、徹頭徹尾とりあげられているのは実は「言葉」だ。書き出しがまず「言葉について書こうとすると、しだいに不機嫌になってゆくのはなぜだろう」だ。そして日本人の言葉というものは「生活語と組織語」の二つに分裂されており、それらが妥協的に接合されたものが、自分たちが使っている言葉だ、と述べている。組織語は公用語・標準語としても記されているが、谷川雁の問題意識として「我々が思想の伝達に用いる主な言葉は一種の公用語であって、私生活とは無縁の場所から発生したものだ」「人々を上から組織することに熱中している言葉だ」「一つのものを他から区別することを軸にしている言葉だ」「労働の手触りがまったくない」が記されている。こうして読んでみると、党所属の工作者でありながら、中央の（上から組織する者の）指示の下に工作することを否定しているとも読み取れる点がおもしろい。

いや、話を戻そう。文章後半に入り、谷川雁は書く。「生活語と組織語の断絶という事態は今のところたやすく解けるきざしはない」「大衆も知識人もしゃべりつづけている。どちらも方程式のXを真の定言命題であらわすことができない。つまりかんじんのことは何もしゃべっていない」と。そしてその断絶を解く道として、「生活語で組織語をうちやぶり、それによって生活語に組織語の機能をあわせ与えること――それが新しい言葉への道である」と記される。

そして大衆と知識人の間に立つ「工作者の群」がイメージされる。私の言う「仲立ちをする存在」だ。引こう。

――大衆と知識人のどちらにもはげしく対立する工作者の群……双頭の怪獣のような媒体を作らねばならぬ。彼らはどこからも援助を受ける見込みはない遊撃隊として、大衆の沈黙を内的に破壊し、知識人の翻訳法を拒否しなければならぬ。すなわち大衆に向かっては断乎たる知識人であり、知識人に対しては鋭い大衆であるところの偽善の道をつらぬく工作者のしかばねの上に萌えるものを、それだけを私は支持する――

なんという名文だろう。なんという厳しい「仲立ち」であろう。この「仲立ち」は「触媒」などという生やさしいものではない。両側のどちらとも激しく対立する立ち方なのだ。そして「どこからも援助を受ける見込みはない遊撃隊」という言い方も、中央の指示によって動く「細胞」などと当時呼ばれた在り方には自らをとどめない矜持が見え隠れする。そして両側のどちらに対しても激しく対立する厳しい道を選びながらも、その自らの道を「偽善の道」と更に厳しく自己定義する。そしてそれを貫くと。その上で斃《たお》れたときに、その屍《しかばね》の上に芽吹くもの、それだけを支持する、そう言うのだ。私が挙げた三つの「仲立ち」のうちの二つ目、「工作者」はこのような峻烈なものとして定義されている。

次に最後の「メディア」について見てみよう。既に先ほど引いた部分にも「媒体」という言葉で表されていた。「大衆と知識人のどちらにもはげしく対立する工作者の群……双頭の怪獣のような媒体」と。そして、先ほどの部分に続く結文となる一行はこうだ。

——そして今日、連帯を求めて孤立を恐れないメディアたちの会話があるならば、それこそ明日のために死ぬ言葉であろう——

ここに置かれた「連帯を求めて孤立を恐れない」が先にも述べたとおり東大全共闘によって安田講堂に大書されたものである。そして私はその次に注目したい。連帯を求めて孤立を恐れないのは「メディア」である。ここでいうメディアはもちろん現代の我々がイメージするメディア（＝マスメディア）ではない。本来の意味のメディア。それはラテン語mediaであり、mediumの複数形なのだ。mediumは、中間、中心などの意味。神と人とを媒介する霊媒師、巫女なども意味する。その複数形としてmediaがあり、もっと大きな規模で何かと何かを媒介するものを意味することとなり、一般的に「媒体」と訳されることとなる。

つまりここで記されている「メディアたち」は、イコール「工作者たち」「媒介者たち」を意味するわけだ。一九五九年に鶴見俊輔に向けて書かれた谷川雁の文章「工作者の論理」にある言葉——工作とは伝達の可能を信じることです。そのゆえにまた伝達の困難を知り尽くすことです——も、工作者たちが伝達するもの＝メディアであることの傍証に挙げておこう。

その上で元の文に戻り、結文を味わおう。こうした位置に立つ、連帯を求めて、かつ孤立を恐れない工作者たち、媒介者たちが行う両側との会話、それこそが明日のために死ぬ言葉だ——こう結んでいるわけだ。

実に見事なこの文章、主題は工作者である筈だが、冒頭が「言葉」であり、掉尾も「言葉」である。そして「言葉」はすなわち「人間」の謂《い》いでもある。これこそがレトリック《叙述法》の極致であると言いたい。そしてもちろん、叙述の技術のみが目立つのではなく、内容の熱さ、峻厳さこそが心に残る文章だ。真の「仲立ちをする存在」はここまで厳しいものであろうかと。

そしてこの「仲立ちをする存在」は「楕円の中心」ということでもあろう。谷川雁が言う「楕円の二つの焦点」（「幻影の革命政府について」）という言葉をまずイメージとして共有したい。楕円には二つの「焦点」がある。楕円の定義自体が「平面上の二つの定点からの距離の和が一定となる点の集合で作られる曲線」であり、その際の二つの定点を「焦点」と呼ぶ、ということからだ。そして言わずもがな楕円の「中心」は二つの焦点の丁度中間位置にあり、楕円全体の中心位置にあると言うことになる。谷川雁の心ぐせとして世の中の事柄を、焦点を二つ持つ楕円だとイメージする。例えば「楕円の二つの焦点」が提示される「幻影の革命政府について」という短い文章から見ても「暗黒と光」「ためらいと自尊」「嘘と真」「陽子と反陽子」「直感と分析」「前衛と後衛」「前衛と原点」「論理と感性」「意識と下意識」「機械と大地」「首都と故郷」「感覚と論理」「上昇と下降」「私有と共有」「正と負」「楽観と悲観」と実に多くの「二つの焦点」のイメージが見られる。

そして先ほどの「工作者の死体に萌えるもの」に戻って玩味してみるに、言葉が分裂するのでなく、妥協的に接合するのでもなく、中心に立つ存在の峻烈峻厳な「仲立ち」により二種類の言葉を止揚した新しい言葉を生もう、ということなのだろう。そのような楽観的なイメージではなく、その「仲立ち」をすることにより死んだその死体の上に萌えるもの、という静かなイメージだが。

「工作者の死体に萌えるもの」の中でも「その原因になっている二箇の中心の存在」「相互の拮抗関係を一身のうちに住まわせるよりほかない」「大げさにいえば、それはアジア、アフリカとヨーロッパの関係ですらある」といった「楕円の二つの焦点」のイメージは実に多く刻印されている。そして二つの焦点というイメージをつなぐものとしての「媒体＝メディア」「触媒」というイメージも。

このように、谷川雁が教育に身を投じた際にテューターに求めた「触媒」の立ち位置は急ごしらえのものではなく、工作者であった時代からの主題であり、それどころか彼の人生を貫く一つのイメージから来るものであったと言えよう。

ことばがこどもの未来をつくる

話をラボ教育に戻そう。谷川雁はラボ活動においても工作者であり続けた。『〈感動の体系〉をめぐって』にまとめられているラボ時代の彼の言葉を読むとき、共に活動する周りの人々を起爆し続ける雁の「ことばの力」に唸らされる。詩人の面目躍如とも言えよう、短くて、それなのにイメージが広大な言葉たち。

ラボ教育センター不滅のキャッチフレーズである

「ことばがこどもの未来をつくる」

――これほど燦然と輝く言葉はそうそうあるものではない。そしてラボで得られたことばや体験が自分の未来をつくった、そう思う卒業生は多いはずだ。かくいう私もその一人。

そして、ラボ国際交流活動のキャッチフレーズである

「Rowing to another dawn」

――もうひとつの夜明けをめざして――そう訳されることもあるこの標語もすばらしい。直訳すれば「もうひとつの夜明けをめざして船を漕ぐ」か。「もうひとつの夜明け」、それが何を意味するかは受け取る側に委ねられているのだろう。私がイメージするのは、世界には全く違う世界があるということ。自分の街の夜明けとは違う夜明けが世界中にたくさんあるということ。そして自分という存在にとっての、第二の誕生とでも言うべき「もうひとつの夜明け」でもあろうこと。

そしてまたこの「dawn」という言葉の喚起力がいい。単なる夜明けではないだろう。早朝ならではの透明な空気が感じられる。対義語があるとしたら「twilight」だろうか。twilight にもトワイライトゾーンと言われ「逢魔が時」とも呼ばれるように、或る世界ともう一つの世界の繋ぎ目をグラデーションで表したかのような不思議な空がある。そして

dawnにもグラデーションの朝焼けが似合いそうだ。ただしこちらはtwilightとは対照的に、爽やかな風が吹いている。若者が新しい自分を求めて旅立つことを表すにピッタリの言葉がここで選ばれている。

　これらのキャッチフレーズに子どもであった私が、いかにワクワクしたことか。これら優れた言葉による「教育」（あるいはそれはもう「扇動《アジテーション》」と呼ぶべきものであったか!?）も、やはり詩人・工作者ならではの仕事と言えよう。

カリフォルニアの夜明け

　そんな標語「Rowing to another dawn」に導かれ、十三の歳に私はラボ国際交流活動で初めての海外、アメリカを訪れた。そしてそれからなんと三十五年の月日ののちに私は二度目のアメリカを訪れたのだった。これらの旅については第二部にてラボ・ライブラリー『アメリカ初旅行』の稿で後述するとして、その二度目のアメリカ旅の最後に、シェアライドサービスUberを利用してホテルから国際空港へと急ぐ車中でカリフォルニアの夜明けを見た。その時の手記をここに掲げたい。

　今日は帰るだけ。六時に予約しておいたUberに乗ってフリーウェイをロサンゼルス国際空港へ。運転手さんと今回のアメリカでの最後の会話を楽しんだ。

　私「フリーウェイ、タダ（無料）ってすごいね！　いいね！」

　運転手「ああ。だけどガス・タックス（ガソリン課税）が高いんだ。一ガロン三ドルだぜ。州によって違うけど、カリフォルニアは高い方だ。安いとこより二十五セントぐらい高いかな」

　一ガロン約三・八リットルだから、リッター九十三円か。日本はもっと高いよ……、そして高速も有料だ……私は心中つぶやいた。

　そうこうするうちに約一時間の道のりを経て、綺麗な朝焼けの中を車はロサンゼルス国際空港に近づいた。

空港へ向かうUberの車窓に見たカリフォルニアの夜明け

私「It is a very beautiful dawn」
運転手「What did you say?」
私「Dawn, the border between night and day」
運転手「Oh, dawn. You make a beautiful summary」
私「Thank you」
そんな夜明けとともに三十五年ぶりのアメリカ旅行は終わりゆくのだった。

このように五十歳近い歳になっても、スルッと「dawn」という単語が出てくる。これこそが単なる単語暗記型の教育ではなく、物語として、そしてイメージを伴って言葉を身につける教育活動から得られるものの証左だと私自身感じた体験だった。

ある小さなパーティの例

さてここでパーティの一つの実例として、私の母仁衡恭子がテューターとして主宰している仁衡パーティをとりあげてみよう。母は温和で根気強く、子どもたちを見守り、触媒に徹するタイプだ。全国には所属のラボっ子が百人を超えるような大パーティがいくつかあり、そのテューターは全国区で有名であり、影響力も持つと思うが、仁衡パーティはずっと十人前後から多い時で四十人から五十人くらいで推移し続けて来た。しかし、ラボ教育に感じたシンパシイを長年にわたって確固として持ち続け、地道な活動を四十年以上（！）にわたって、ひたすら続けて来た。その成果として、大パーティに比べれば多いとはいえない卒業生から世界に飛び出して活動、活躍しているユニークな人が少なからず生まれてきた。そしてそれはパーティの卒業生にとどまらず、地域の同世代にも影響を与えたりもしている。即効性が感じられず、会費を払い続ける親の立場としてはもどかしいこともあったろうと思うのだが、逆に言えばこれぞラボの面目躍如、と言えるとも思う。何人かのその後について挙げてみる（当時の姓での記載）。

畑山三姉妹：長女雅美さん＝オーストラリアで旅行関係の仕事。その後オーストラリア人と結婚し、現在もオーストラリア在住。里帰り時にテューターに話した言葉は「私はオーストラリア在住のまわりの日本人ママと違って、子育て中のナーサリー・ライム（英語の童謡）がたくさん歌えるので、うれしいです！　ラボのおかげ！」であった。次女佳代さん＝美大卒。大手自動車会社で車体のデザイン。現在は美容サロンを経営。三女妙恵さん＝ラボの高校生留学制度でアメリカ留学し、その後アメリカの大学へ進学。デザイン会社にて勤務したのち、アメリカ人と結婚。ヨセミテ渓谷近くで夫と農場経営。デザイナーとしても素敵な仕事（本書第二部に私がアメリカの御自宅を訪ねた訪問記を置いた。参照いただきたい）。

折戸陽子さん＝アメリカの日本語補習校で日本人の子どもたちに母語である日本語を教える教師。その後沖縄にて英語教師。

伊賀雄一さん＝青年海外協力隊でドミニカ共和国へ赴き、魚の養殖を指導。現在は自然環境調査・環境教育に活躍。

西野雄大《ゆうだい》さん、希《のぞみ》さん、泰大《やすひろ》さん＝雄大さんはアメリカと日本の大学で勤務後、歯科医院開業。再生医療による虫歯／歯周病治療という最先端医療に取り組んでいる。希さんはアメリカの大学で心理学を学び卒業したのち帰国、医療系の仕事に従事。泰大さんはオーストラリアの高校、アメリカの大学を出て、大手企業に就職し外国赴任も多くこなしている。

藤嶋裕昭さん＝お父さんがＴＥＣの企業内教育を受けており、ライブラリーを聞くための機械（ラボ機）を保有していたことからライブラリーを楽しんで育った。のち仁衡パーティに。商業高校通学時にAETの先生と仲良くなり、AETの先生を頼ってアメリカに行き大学に通った。帰国後はアメリカ系の銀行に勤務。

私＝社員三十人前後の中小IT企業経営。小さい会社ながらも作ったソフトはアイルランド、カンボジア、マレーシア、モンゴル等の外国でも使われており、今年もオランダ、カナダ、マレーシアとシンガポール、デンマークとドイツに商談に赴く予定（＊新型コロナウイルス感染症の影響で一時停止中）。

仁衡良磨（私の弟）＝クレーン操作技術者として地元企業で働く。大人になったのちも教会の英会話教室に通うなど英語・外国文化に親しみ続ける。英会話教室で仲良くなったアメリカ人を訪ねてテキサスをノープランで一週間訪問、最終日には大きな教会で壇上に立ち英語でスピーチ。

パーティ外への影響：蛭田敦《あつし》さん、聡《さとる》さん、秋田リサさん＝私の弟の幼なじみ。ラボ・パーティには入っていなかったが、同級生がホームステイで渡米したり、外国人を受け入れたりなどの国際的な動きやそれに伴う外国文化との接触が自分の人生に大きく影響したと話している。現在、敦さんはフロリダでリゾート会社に勤務し休日は環境保護ボランティア、聡さんはカリフォルニアで貿易関係の仕事と日本庭園の庭師として活躍中。秋田さんはカナダの私立学校で勤務。このように地域社会への影響も小さくなかったようだ。

まだまだ多彩な卒業生がいた。例に挙げきれなかった中にもブラジル在住者やドイツ赴任者など世界中に飛び出している方々がいる。またもちろん外国に関わらない仕事でも地域で生き生きと仕事をしている人も多い。そして更に自分の子どももラボに入れている人も少なくない。

四十五年近い月日の中で、いったい何人の子が巣立っていったことだろう。数百人か？　千人を超えるのか？　テューターに聞いてみても数えていないという。テューターからすれば、一人一人と向き合い続けたということであり、数ではないということなのだろう。いずれにせよ、実にたくさんの子どもたちがパーティから飛び立っていった。

けっしてラボだけのおかげではなく、日立製作所のお膝元として賑わい全国から人が集まった、当時の日立市という特異性もあっただろうことは正確を期して記しておく。しかもラボっ子たちの親自体が別の英語教育の先生をしていたケースも三家族あり、やはり当時の街の活気や文化を表していよう。それにしても、それぞれに異なる英語教育の先生をしていた三人の親が自らの子はラボに預けた、というのはおもしろい話だ。また日立製作所がテック（今のラボにつながる）の企業内教育を導入していたことも影響していたようだ。日立製作所は、株式会社テックがそれまでの汎用的な教課に続いてそれを個別の企業向けにカスタマイズする戦略として「企業専用教課」を製作する取り組みをした際、第一弾として依頼・監修し「This is Hitachi」というものができたり、宿泊研修所での企業内英語教育にも積極的に取り組んだりなど、株式会社テックの大口の利用者であったのだ。大人向け教材を社員が学び、その機械（ラボ機）を使ってその子どもも学ぶ、というケース。ラボ・パーティに通わなくても、親の機械でラボの物語に触れていた、というケースもあった。

しかしこういった点を差し引いたとしても、小さな地域の小さなパーティからこういった多様な人材が巣立っていったのはラボ教育があってこそと思われる。

自分を表現すること、真の国際人とは

前節で私が在籍した母のパーティを一例にとった。実に多様な職業に就いていること、留学・海外赴任・国際結婚など国際的な生き方をしていることがわかる。多分、全国のほかのパーティもこのようになっているのだろうと思う。

ここで、前節にも記した折戸陽子さんが一九九六年五月に『別冊 ことばの宇宙（シニア版）「ラボの世界」』に寄稿した「アメリカで日本語を教え、自分のことばで自己表現する大切さに気づいた」から引用させていただきたい。アメリカの日本語補習校で日本語を教えていた折戸さんが、ラボ教育で学ぶ子どもたちのために書いたすばらしい文章の最後部だ。

――私はラボを通して学んできたことは、決して英語力だけではなかったと確信しています。毎週パーティに通ってすごしたラボの時間、私は英語を話すようになったということよりも、ほかのメンバーとの関わりあいのなかで、心はことばをこえるのだということを身をもって実感することができたように思います。現に、私のラボの思い出のなかで残っているものは、自分がどんな英語を話していたかということでなく、一つひとつの劇をするたびに抱いていた感情、つまり、いま私の生徒が悩んでいるのと同じような、自分の気持ちをどんなふうに表現したらよいのか、という純粋なありのままの気持ちのことなのです。

ラボを通して、私は英語に、アメリカという国に興味をもち続けてきました。そして現在の仕事に就くことができたわけです。しかし念願の海外生活、海外での仕事をしていくあいだに、私は自分が英語を自由につかいこなせるようになりたい、英語を生かしたいという長年の夢にかわって新しい目標をもちはじめていることに気がついたのです。どんな言語を話すのであれ、自分の気持ちをどれだけ相手にわかってもらえるか、どれだけ十分に表現しきれるかということが国際社会において最も重要なことだとあらためて感じるようになったのです。そしてそのためには、自分の国のことばでしっかりと自分の気持ちを考え、それを相手の言語で表現していく、これがいちばん必要とされている力なのだと感じたのです。

ラボを通して外国語習得をめざしている全国の皆さん、どうか英語を話すというひとつの枠にとらわれず、その先に目指しているものは何なのか、それによって得ようとしているものは何なのかということをもう一度見つめなおして、真の国際人をめざしていただきたいと思います。そしていつの日か、世界のあちらこちらで言語によって閉ざされている人たちが、みなさんの力によって仲間になれるような、世界の架け橋となる日をめざして毎日がんばっていただきたいと思います――

とてもよくラボ教育から得られるものを示し、大事なことを表現してくれている文章だ。折戸さんとは小学校の頃にラボ活動を数年一緒にしていたのみで、それ以来四十年ぐらい会っていない。その間、全く違う人生を歩んできた。それなのに今回この本を書くために、折戸さんの文章を読んで、私と同じように振り返っていること、大人になっても考えていることに驚いた。私も折戸さんも、ラボ活動をしていたのは十年に満たない。それでも数十年が経っても人生に大きな影響があったと感じている。これが教育というものの果たすべき役割なのであろう。

もう一つのパーティの例：興味深いアンケート回答

ラボは全国に相当数のパーティを展開しており、教材の統一があり、教育手法についても大きな単位で集合してのテューター研修、地域でのテューター会合、『テューター通信』『ことばの宇宙』などの機関紙誌、事務局からの情報発信などにより根本は同じとなっている。もちろん地域ごとの特色や、テューターによってのそれぞれのパーティの特色がある良さもある一方で、ライブラリーとソングバードが共通であること、地域におけるパーティを越えて集って行われる中高大生活動、ラボ・キャンプ等で全国から集う機会があることにより同質性を担保していると言えるだろう。

例えば私が住むつくば市には筑波大学という全国区の大学があり、全国から進学してくるラボっ子大学生たちが、私の子どもたちが通うパーティに転入してくる。就職活動シーズンになるとお別れというさみしさはあるが、みな一様にすぐにパーティに馴染んで小さな子たちと楽しく活動している。これは先述した教材の統一、活動の統一があってこそであり、また縦長異年齢集団に幼少期から慣れ親しみ、地域を越えた活動で新しい環境や人にもすぐに馴染める能力を培ってきた子たちだからこそであろう。ラボの大きな強みだと思う。

先ほどは仁衡パーティをとりあげたが、ここで私が住むつくばで、私の子どもたちが通っている西保《にしやす》パーティ（西保見矢子テューター）の大学生・卒業生もお三方、紹介させていただこう。アンケート形式で協力を依頼し、寄せていただいたお三方の回答を全てほぼそのまま体裁だけ揃えた形で以下に掲げる。三人は別々のパーティでそれぞれのテューターによって幼児期から高校まで育ち、筑波大学進学時に西保パーティに移籍してきた。全国各地域でラボの特色ある教育手法が行われており、それは教育の「リレー」が行われても全く損なわれることがない、という事例と言えよう。

松尾和史さん＝大学生。千葉県出身。中学一年時にラボ国際交流活動でアメリカに一ヵ月間ホームステイ。大学では社会工学（都市計画）を学ぶ。学業以外でも「サッカー×社会貢献を掲げサッカーを通したイベントの収益でカンボジアの農村部にグラウンド建設などの支援を行う学生団体」「東日本大震災をきっかけに岩手県沿岸部の小学校とラボ・キャンプのように三日間の交流を行う学生団体」で活動。

Q、ラボはあなたにどんな力をくれましたか？

A、①行動力（一歩踏み出す力）。主役に挑戦したり、キャンプや合宿でリーダーに挑戦したり、ラボで何度も挑戦してきたことが、新しい何かに一歩踏み出す習慣となり、ラボ以外の活動においても非常に活かされている。

②どんな状況も恐れず楽しめる力。「大変な時は自分を大きく変えるチャンスである」という、キャンプでシニアをやったときに言われた言葉は、その時からずっと胸の中で大切にしてきている言葉である。ラボ・キャンプは高校生二人が二十〜三十人のキャンパーを三泊四日シニアメイトとして先導し、生活するものであり、シニアメイトにはキャンパーを楽しませることや生活面での規律を正すことなど非常に多くのことが三泊四日の間ずっと要求される（高校生二人にこんなことさせる団体は他にはないと思う）。そんな状況を楽しんでやりきれたのは、この言葉があったからこそだし、何よりシニアメイトをやりきった経験は自分のなかで自信につながり、どんな状況も「なるようになる」と思って楽しめるようになった。

③判断力。二つ目とほぼ同じだが、シニアメイトや発表会、合宿などをこなしていく中で、ハプニングを多々経験してきた。様々なハプニングを経験してきたからこそ、どんな状況も冷静に判断できるようになったと思う（直近だと発表会での発表中に小学生が転んで泣き出したこと）

Q、ラボから受けた影響は？

A、小さい頃、お世話になった高大生の影響はとても大きかった。「自分もあんな風になりたい」という憧れがモチベーションになっていた。自分が高学年になった時も、あの頃の高大生のような存在になろうという意識は常にあった。

大学で専攻を選ぶ際も、ラボにおける人と人の関わり方がもっと街に還元できないのか、将来的にそのようなまちづくりに携われないか、と思い都市計画を選んだ。

外国と関連した支援団体、キャンプを通じて小学生と交流する支援団体、という二つの支援活動もいかにもラボっ子。そしてどんな力をくれたかという問いに対して「行動力」「どんな状況も恐れず楽しめる力」「判断力」とまさに私の実感と同じ。そして縦長異年齢集団での憧れが原動力になったこと、人との関わり（＝コミュニケーション）を追求した結果として都市計画を専攻したということ、とラボ教育の影響を自身で明確に表現している回答。

渡部《わたなべ》由佳さん＝大学生。福島県出身。中学一年時にラボ国際交流活動でアメリカに一ヵ月間ホームステイ。大学では国際開発学を専攻、専門分野は文化人類学・開発人類学。学業以外でも大学一年時からインドのハンセン病問題解決を目指す学生団体に所属。ハンセン病差別に苦しみ貧しい生活を送る人々が住む村に自分も二週間住み込み、彼らとともに生活をしながらインフラ整備をしたり、差別の解消に向けたボランティア活動をしたりしてきた。これを過去五回、すなわち延べ十週間インドで活動。また、この学生団体の母団体であるNPO法人にてインターンとして約一年間インドに在住して活動。

Q、ラボはあなたにどんな力をくれましたか？

A、①失敗を恐れずに挑戦する力、失敗しても大丈夫だということ。

②誰とでも楽しくコミュニケーションをとる力（verbal/nonverbal問わず）。

Q、ラボから受けた影響は？

A、国際交流に参加したことで海外の国々への興味が湧き、国際関係・国際開発を学べる大学を選びました。将来的には国際協力や途上国開発に携わる仕事ができればと思っていますが、ラボがなければきっと海外に興味を持つことも、国際協力に携わって生きていきたいと思うこともなかったと思います。また、勇気を出して一年間海外でチャレンジできたのも、ラボのおかげだと思います。

この方は大学で国際開発学を専攻、学業以外でも外国の差別・貧困問題、しかも過去に業病とされた病を対象としてボランティアをし、ついにはインターンで一年間活動をするという国際性豊かな学び、実践をしている。このチャレンジ精神、バイタリティ、国際性もラボっ子ならではと思われる。自身もラボ教育からの影響として、学びたい学問が国際関係・国際開発となりそれを学べる大学を選んだこと、将来の職業として国際協力や途上国開発を考えていること、と人生全般に影響が及んだことを記している。また、挑戦する心、なんとかなるさ精神、コミュニケーション力、をラボ教育から得た力として挙げている点もやはり私や、他の回答者の回答と同じ。

かりんち（ラボネーム）＝現在、大学図書館司書。福岡県出身。中学一年時にラボ国際交流活動でアメリカ（ミシガン州）に一ヵ月間ホームステイ。高校二年から三年にかけて他団体の留学プログラムでアメリカ（カンザス州）に一年間留学。ホストファミリーとしても何度も受け入れを経験。大学では比較文化学部でアメリカ文学を専攻。卒業論文はモーリス・センダック（筆者注：ラボ・ライブラリーにも作品「かいじゅうたちのいるところ」など数作品が採用されている世界的絵本作家）について英語で書いた。大学在学時にはＬＧＢＴＱ（筆者注：性的指向・性自認の多様性を表す表現）のサークルを立ち上げて勉強会・学生向けイベントなどを実施。同時に東京で毎年開催されているＬＧＢＴの映画祭でボランティア活動。これは現在も毎年参加。またラボで知り合った人たちと定期的に絵本カフェ「さわらび堂」を開催し、地域の人たちと飲み物を飲みながら話したり、絵本の読み聞かせをしたりして交流。大学卒業後に図書館司書の資格を取り、現在は大学図書館で働いている。大学図書館は学問や研究を支える図書館であり、公共図書館や書店とは考え方や求められる価値が違うのでおもしろい。この先も本に関わる仕事を続けていきたい。仕事以外では、おもしろいものを見つけては出かけたりして毎日楽しく暮らしており、最近は落語や講談などの演芸にはまっている、と。

Ｑ、ラボはあなたにどんな力をくれましたか？

A、たくさんあってキリがないですが、大きくまとめると①想像力、②自由な心でいること、③自分で考えて決める力。

Q、ラボから受けた影響は？

A、三歳から大学生までラボっ子だったので、自分では気づかないくらい影響を受けていると思います。海外に対する興味や、世界との距離がすごく近いことは、多分かなりのラボっ子が感じていることだと思うので、ちょっと違うことを書きます。私は音楽を聴くことが好きで、ジャンルに関わらず色々なものを聴くのですが、中でも映画やアニメなどの劇伴（筆者注：劇の伴奏音楽）が好きなことに気づきました。多分ラボのCDの影響かな？　と思います。人の話を聴くのが好きなこともラボの影響だと思います。歳の離れた人（自分より歳の上の人や下の人）の話やユニークな人の話を聴くのは、自分でも思いもよらない話が聴けてとてもおもしろいです。物語を読んで追体験するのと似ているのかもしれません。

大学を選ぶ際にも、分野や専攻に関わらず様々な学科の授業を取れるということを重視しました。何かの枠にはまりきったことよりも、色々なことをボーダーレスにできること、より大きな枠組みでとらえること、という自分の価値観の形成に影響があったのだと思います。

大学在学時、実にたくさんのことを並行して実施していること。その中で絵本カフェを開いたり、卒論の対象がモーリス・センダックだったり、そして現在は図書館司書として勤務しているように絵本・本・物語を愛する人生を送っていること。また既存のサークルに入るのではなく自ら新しいサークルを立ち上げたり、絵本カフェを始めたり、大学卒業後の人生も、卒業してから司書の資格を取って大学図書館で働いたり、と開拓者的で自由な発想の活動をしている点も興味深い。また、劇伴音楽を特に愛好したり、演芸に興味を持つなど文藝・文化に幅広くかつ深掘りした興味を持ったりしている点も。そして「人の話を聴くのが好きなこともラボの影響」と、コミュニケーション力の基本となる「聴く力」を挙げている点、人の話を聴くことを「物語を読んで追体験するのと似ている」と記すのもまた。

このお三方とも「カンボジアの農村部」「被災地の小学生」「インドのハンセン病問題」「ＬＧＢＴＱ」と、社会的に困っている人に目を向けている点が共通していることも、世界と向き合う構えにおいてラボ教育・物語の影響が大きかったものと言えるかと思う。

「ラボはどんな力をくれましたか？」という問いにも類似した回答が多い点も興味深い。

「行動力（一歩踏み出す力）」と「失敗を恐れずに挑戦する力」はほぼ同じ。

「どんな状況も恐れず楽しめる力」と「誰とでも楽しくコミュニケーションをとる力」も。これは「想像力」も類似としてもいいかもしれない。次の状況を想像する力があればどんな状況も恐れず楽しめるし、相手の考えを想像する力があれば楽しくコミュニケーションがとれようから。

「失敗しても大丈夫だということ」「自由な心でいること」も、「なんとかなるさ精神」で自由な心でいられると言えようか。

「判断力」「自分で考えて決める力」は同義と言えるだろう。

そして三人ともに大学進学時の大学選び、専攻選びにも深く影響があった、職業選択にも同じく、という回答である点も興味深い。ラボ教育が人生全般に影響を与えることの証左と言えよう。

私の母のパーティ、私の子どもが通うパーティ、そんな身近なパーティをとりあげただけで、これだけユニークかつ多彩、ラボ教育の良さをしっかり活かした生き方をしているラボっ子、卒業生がいることに今回改めて驚かされた。二つのパーティでこれなのだから、全国のパーティでラボ教育を受けて育ったとても多くの人々が社会に出てラボ教育卒業生らしい生き方をし、それが周りにも影響を与えているはずだ。教育とはそういうことなのだろう。

ラボ教育活動の見つめる水平線

前節で、教材の統一、活動の統一、縦長異年齢集団に幼少期から慣れ親しみ、地域を越えた活動で新しい環境や人にもすぐに馴染める能力を培ってきた子たちだからこそ、大学進学で違う地域に来て違うパーティに転入してもすぐに溶け込んでしまえるということを書いた。

同様に家庭の事情等でパーティを閉じざるをえないテューターがいた際に、近隣のパーティがラボっ子たちを受け入れて、ちょっとするともう何の違和感もなく活動しているというところも何度も見てきた。

自身がラボっ子であった女の子が大人になってテューターをしているという例も数え切れないほどある。我が家の母↓私たち↓子どもたち、のように三世代でラボ教育活動に関わるといった例も我が家のみならず、全国に少なからずあるだろう。

前にも引いた一九七一年の「こどもたちの意識の根を強くおおらかに育てよう——静かに燃え続ける触媒として」の結びで、谷川雁はこう記している。

——文化の根源を、こどもの魂のなかでたがやそうとするこの運動は、長い長い時間に耐えなければなりません。いまのこどもたちがテューターとなり、そのこどもたちがまたテューターになり、回帰してはのびるはるかな連鎖が、私たちを永遠の無名に送りこむとき、私たちのひとりひとりが、先駆者としての大きな意味をもつことになるのではないでしょうか。その水平線を見つめるまなざしを失わないようにしたいものです——

谷川雁が見ていたラボ教育活動の水平線は、かくも遙けきものであり、かくも壮大なものなのだ。

第三の居場所としてのラボ・パーティ

「子ども食堂」のような「第三の居場所」の必要性が昨今叫ばれている。つまり「家庭」「学校」以外の場所を子どもが持つことの重要さ、だ。しかしこれは元々「村」社会において、或いは地域の子どもたち同士で縦長異年齢集団を形成し野山を駆けまわることで、自然に持たれた場所であった筈だ。それが現代社会で失われているということから問題としてあぶりだされてきたわけだ。

最近ブレイディみかこ氏の言葉から教えられたのだが、イギリスにも同様のことを言う言葉があり、よく使われるという。It takes a village すなわち子育てには一つの村が要るという言葉。子どもは村全体で育てるもの、親だけでなく、色々な人から色んな話を聞いたり色んな社会状況を見たりして、環境の中で育っていくもの、という意味。

ラボ・パーティが五十年以上前から、現代社会が失ってきてしまったこの「第三の居場所」を子どもたちに提供し続けていることも見逃してはならないだろう。何度でも引用したい一九七一年の「こどもたちの意識の根を強くおおらかに育てよう——静かに燃え続ける触媒として」で既にそれは明確に書かれている。こうだ。

——また単なる母親集団でもなければ、専門的な教師集団でもない私たちは、あまりに整備されすぎて、どこか息のつまる感じのする制度や環境を好みません。こどもたちが、自分の内部にとてつもなく広い空間を見つけ、そこで鳥のように、魚のようにあそぶには素朴なふんいきだけでたくさんです。つまり私たちの「教室」は、質素な明るい一室を中心に、街路にも、村にも、林にもあるという風に考えます。それは「現代の寺子屋」と名づけられるものかもしれません。つきつめていえば、学校や家庭とちがった、第三の教育の場を探求していることになりましょう——

また、第二次世界大戦敗戦後に男女別学（男子校、女子校）が共学化される流れの中でも、やはり戦前の日本文化が根底に残っているせいか、学校で「男子」「女子」を峻別した活動が未だに多く残っている。そんななかで、五十年以上前から男女を問わず活動し、時にはロミオやジュリエットになって表現し、また時には手を繫いでダンスを行うラボ教育はその点でも貴重と言えよう。

今、経営に活きていること

ちょっと前に『人生に必要な知恵はすべて幼稚園の砂場で学んだ』という本が流行った。私は中身を読んではいないが、タイトルの言っていることは正しいな、と感じた。私の場合も少年時代にラボ教育から学んだことが、人生の中でどう身を処するかに役立っている。

特に、今私は経営者として会社を経営しているが、経営者の仕事は突き詰めて言えば「判断すること」だ。しかもどんな問題が来るかは事前にはわからず、バラエティに富んだ問題が降ってくる。それを次から次へと「こうする」「やる」「やらない」と決めていくのだ。こういった力は学校の詰め込み型教育からは決して身につかず、それこそ幼稚園やラボ教育のようなもの、あるいは友達との遊び、などからしか得られないものだろう。全ての課題、山、問題を、自分を物語の主人公として考える力があれば、苦にならずに、常に新しい山を越え、課題・問題に判断を下せるのだ。

例えばこの文章を書いている二〇二〇年、世界は新型コロナウイルス感染症に大きく揺らいでいる。全ての人間が、全ての職種が、全ての組織が未知の課題への対応を強いられている。どんな対応をするかを判断しなければならない。こういったときに重要になってくるのが、物事の本質と瑣末を分けられる力だ。何が大事で何は周辺事に過ぎないか。何は変えてはいけないことで、何は変えてもいいことか。それを速やかに判断し、本質を大事にして、瑣末は後回しにするという方針を決めることが必要。これは救急の現場が行うトリアージもそうであろうし、企業の経営者も行う必要があるものだ。

私も中小企業の経営者として速やかに方針を決め、社内外に発信した。人命が大事、避けられるリスクを避けるのが大事。平時であれば約束は全て大事なものとして遂行するが、非常時においては人命に関わりかねないことは避けうる限り避けるべきであり、対面会議をオンライン会議に変更する、あるいはしばらく延期すると言ったお願いを取引先にすること、などを速やかに定めた。

同時に個人としても地域の医療崩壊を食い止める一助としたいと考え、マスク等感染防御具の調達に動いたり、酒造会社により消毒用に高濃度アルコールの製造・提供が始まるとそれを地域に配布する活動を行ったりもした。

何が本筋で、何は瑣末に過ぎないのか、何が次の展開への伏線になりそうなのか、人生ではそういうものを読む力が必要となる。今回のような難しい判断を迫られたときにとても助かる力だ。これは物語と多く触れた人の方が、より身に付けている力だと思う。様々な登場人物、場面、事態、関係性、展開、などを知っていることから、思考の幅が広がっており、自由であり、思考の限界を定めず、視座を高く置ける。視座を高く、と書くと驕《おご》っているように聞こえるだろうか。言い方を変えれば、大局観を持てるということだ。囲碁や将棋において、今現在の盤上の状態だけを見て次の手を考える人はプロ棋士にはなれないだろう。大局観を持っていること、すなわち今の盤面だけでなく、先を見越して考え、今の損がのちの得になるような手を見つけられる高い視座を持つこと。局地的な闘いだけに気を取られず、盤面の他の部分にも神経を使える視座を持つこと。

　そうすれば、平時の考え方に縛られずに、真に大事なものを守るためには更に奥に最終手段を持てることになる。無理に約束を守るために社員を危険にさらすぐらいであれば、例えば「お客様への相談」もアリだと思えるか。納期の延長など平時は決してしない相談でも、非常時であれば選択肢にはあってよい。そういう構えをとれるか。その構え、最終手段を持てれば、実際にそれを実行しなくても、心に余裕を持って対処できることにもなる。何があっても命まで取られるわけじゃない、また次にみんなで頑張れば良い、挽回すれば良い、そう思えれば、ピンチでも何とか活路を見いだして前を向けると思うのだ。

　また、このような時のリーダー力というものを考えるとき、私が鍵になると思うのは前記した「本筋と瑣末を分けて考え判断する力」あるいは「大局観」の他にもう一つある。「身を置き換える力」だ。リーダー力と記したがこれは巷のビジネス書などに溢れる「リーダー術」とは違う。やらせる技術などではなく、人の立場に自分の身を置き換えて判断する力ということ。社員の立場ではどうか、お客様の立場ではどうか、このプロジェクト自体の立場ではどうか、自社の存続を考えたときにどうか、様々な立場で眼の前に降ってきた課題を考えて判断、決断すること。これも物語をたくさん吸収したことから得られた力であるとも思うし、テーマ活動でさまざまな役になりきって演じた体験から得られた力でもあると思う。

　ただし、あまりこの力が行き過ぎると、面接ひとつやっても、真剣に身を置き換えて考えるので、時間もかかるし、ドッと疲れるという副作用があることには注意が必要だ。私自身はそこがうまくコントロールできないでいるのだが……。

もう一つ別の言い方をすれば、経営者、特に中小企業の経営者は「究極のゼネラリスト（なんでも屋）」であることが求められるのかもしれない。先ほども書いたように、どんな問題が降ってきても判断をしなければならない。弁護士でもないのに契約書も見る、キャッチコピーも考える、デザイナーからあがってきた広告もチェックする、社員の相談に乗る、経済の予測をする、流行の予測をする、営業を行う、保険の契約をする……。企業の規模が大きくなるのに比例してこういったコマゴマしたことは分業されていくが、最終的には全ての責任を負うのが代表者だ。昨今経営者層の役割分担を英字三文字であらわすことがあるが、ＣＴＯ（Chief Technical Officer　最高技術責任者）、ＣＦＯ（Chief Financial Officer　最高財務責任者）、ＣＯＯ（Chief Operating Officer　最高執行責任者）などは役割が明確なのに対して、ＣＥＯ（Chief Executive Officer）の役割は明確ではない。一般的には「最高経営責任者」などと訳されるが、Executive に「経営」という意味はないだろう。単に「究極の役員」、すなわち全てのことに責任を持つ人、という意味だろう。全てのことに責任を持つためには、全てのことを自分でやれないまでも判断をしなければならないということだ。初めての状況だ、ということは言い訳にならない。そんなときにここまで述べてきた「物事の本質と瑣末を分けられる力」「大局観」「身を置き換える力」が判断を助けてくれると実感している。そしてこれらの力は大人になってから身につけることは難しく、幼少期に物語に多く触れることでこそ身につくものだ。

そして組織の長として求められるのは、当然のことながら組織の内・外の人と円滑にコミュニケーションすることだ。内・外の人と物事を調整して前に進める力だ。こういった調整能力についても様々な物語から学べるし、パーティ活動の中で、テーマ活動を縦長異年齢の多種多様な仲間と生んでいく中で、自然と身についていったと思う。

ラボ教育から得て、経営者としての今に活きている力、まだある。「組織力」だ。組織の長として、組織を構成する人ひとりひとりの長所短所を見極め、適材適所に仕事を振り分ける。人が十人いたとして、下手に置く場所を間違い、振る仕事を間違えると「十」の力は出ない。逆に上手に配置を考え仕事を振れれば、チームとしての相乗効果などが生まれ「十」を超える力を発揮することもできるだろう。特に中小企業では大企業の役員・社員のように「なんでも八〇点以上取れる人」ではなく「何かにとても秀でていて、一方でどこかに弱みを抱えている人」が集まって成り立っている。私も含め。そういう人々を「強みがより発揮され、弱みが出ない」ことを意識して組み合わせられたとき、「なんでも八〇点以上取れる人材」が揃っている大企業でもできないような、おもしろい仕事ができることがある。それが中小企業の醍醐味だな、などとも思うのだ。

そして「組織力」は一会社にとどまるものでもない。冒頭の自己紹介でも書いたように、私は現在地元茨城の研究開発型中小企業約三十社から成る一般社団法人の代表もしているが、それぞれの会社は目的も違えば、得意不得意も違う、抱えている事情も違えば、会に求めているものも違う。そんな多種多様な企業群を組み合わせ、一社ではできないことを成そうとしている。一社ではできないことを複数社だからこそ成し遂げられたとき、この会の意味はあるなと感じられるし、代表をしている苦労も報われるな、と思いながら日々この取り組みに挑み続けている。こういった組織化に際しても、ラボ教育から、谷川雁から学んだものは活きていると感じる。

谷川雁が一九六一年に発表した「民主集中性の対極を」という極めて短い文章に記していることばに「成員の所属は登録制ではない。みずからが全力をこめてその組織に属すると自覚し、または自称するときの自己認識だけがそれを規定する」というものがある。これは社会的闘争活動において発せられた言葉であるから、給料で繋がっている会社組織には本来そぐわないものかもしれないが、私は日々の経営の中でこの言葉を念じている。成員が強制されているとか給料のために仕方なくなどとは感じず、自らが全力をこめて会社に属すると自覚し、自称する組織にしたい、と。

この節で述べた様々な力は、経営者にとってのみ必要な力ということではなく、様々なリーダー、例えば会社の部長・課長も、部活動の部長あるいはキャプテンも、趣味のサークルのリーダーでも、必要な力と思う。そしてこれらの組織のリーダーとして必要な要素は、全て幼少期に学べたと実感している。

更に、良いリーダーだけでなく、良いフォロワー、良いメンバーにもなれる融通性《フレキシビリティ》も大事な時代になってきていることも付言しておきたい。現代においてはリーダーがずっとリーダーであるとは限らない。リーダーとフォロワーが頻繁に交代しながら、或いはプロジェクトごとに立場を変えたりしながら、進んで行くこともあるだろう。またある組織ではリーダーでも、別の組織ではサブリーダーであったりメンバーであったりということもあるだろう。しかし心配はない。真のリーダーは、良いサブリーダーの経験も、良いメンバーシップあるいはフォロワーシップを発揮した経験もあるはずだからだ。そして私の場合は、ラボ・パーティのなかで、様々な役割を経験し、物語のなかで様々な疑似経験を積んだからこそ、様々な役割を果たせていると感じている。

この時代に谷川雁とラボ教育から何を学べるか

この本を書いているさなか、世は新型コロナウイルス感染症に揺れ続けていた。これはラボ教育にとっても未曾有の危機であろう。「幼年の皮膚」を通して言葉と表現を交換し合うラボ教育の根幹をこの感染症は揺るがせる。

しかしこの感染症の問題がありとあらゆる営為を考え直させる契機となっているように、これからの教育がどうあるべきなのかということも今こそ深く掘り下げるべきときであろう。さて、谷川雁らが形づくったラボ教育を深く掘り下げたとき、谷川雁の言う「原点」まで「下りて」いったとき、何が核として見えてくるだろうか。それはやはり「ことば」であり「物語」であろう。感染症により平時の「皮膚」感を伴うことが困難でも、人間が生き続ける限り「ことば」はそこにある。「物語」はそこにある。

思えば谷川雁自身も「ことば」にこだわり続けた生涯であったと言えよう。詩人であった時も、炭鉱労働者と共に闘い、アジっていた時も、テック＝ラボで子供たちのために物語を書いていた時も、宮沢賢治の物語を味わい尽くす活動をしていた時も、合唱曲のために詞を作っていた時も、彼はことばと格闘し、ことばを愛した人間であった。

碩学鈴木孝夫は言う、今は「下山の時代」であると。下山を憂えるのではなく、その認識をキチンと持った上でどう生きるかを考えよ、と。難しい下りの時代を、いかに乗り切っていくか、いや乗り切るだけでなく意味のある生として生きるか、そのために今こそ谷川雁が与えてくれた「原点」である「ことばと物語」を尊重することを思い出したい。

人間は物語的存在だ、ことばがこどもの未来をつくる、と谷川雁は言う。しかし今、その物語と言葉が失われようとしている時代に我々は生きている。物語ではなく細切れの言葉の羅列がインターネットでもそして実社会でも行き交う、言葉がどんどん乾燥して意味を失いつつある現代。物語性など全く無視し、それぞれの土地が持つ意味、そこから生まれる伝承、所作、風習を軽視し、「東京」と「地方」と二分化して憚ることのない傾向、グローバリゼーションと言う名のアメリカナイゼーションを何の疑問もなく受け入れたり、中米対立の前でおろおろしたりするばかりの主体性に乏しい羊の群れ。

この時代にこそ、「ことば」の持つ意味をもう一度考え、回復し、一人一人が自己の人生の物語性を取り戻していくべきなのだ。

そして、もう一度谷川雁の言葉を玩味しよう。「人間とは、物語によって生まれ、物語によって育ち、物語を背負い、物語として完結する存在である」——物語を感じる力がない人間は人間らしく生きられない。そしてその物語を構成するのが「ことば」だ。

谷川雁が絶望した高度成長期、その裏返しの時代が今だ。緩やかに下っていく時代。

本来、上りと下りは単なる対である。上りが下りより上位概念ということではないはず。しかし今、世には「少子化」「経済衰退」などを呪い、無理にあがくような声があふれている。

そうではなく、村を衰退させ、物語と「ことば」を減衰させた高度成長期とそれに続く弛緩・怠惰の数十年を能動的に反転させて、つまり個々人の「イメージを裏返し」て、よりゆっくりと、より楽しく、よりトータルに「ことば」を慈しみ、そして人生の物語性を大事にして生き切る、そういう時代にするべきだ。

そしてラボ教育もその原点である「ことばと物語」を大事にする限り、これからも生き残り、世に貢献していくことができるだろうと私は信じる。なぜならここまで記してきたとおり「ことばと物語」によって世界をまるごと感受し、多様性を重んじ、そして愛し、産業構造の変化や一般的に「想定外」とされるような事態にもしなやかに対応できる構えを「物語力」から得ることができるからだ。人の多様性は益々広がり、時代・社会の変革も益々加速するであろう、だからこそ、この構えを育てる教育が必要なのだ。

そして「物語力」によって「想定」の範囲、イメージの範囲も広くなる。何が来たって「そう来たか」と楽しめる。型を作り、また躊躇無くその型を壊し、新たな型を作る——それを楽しむことができる。この力こそがこれからの時代の教育が目的とすべきものなのではなかろうか。知識の量ではなく新しい課題にどう対応するか判断する力、社会や時代が変わろうとも、しなやかに変化を楽しみ柔軟に対応していける力をつけることを重視すべきだろう。

今こそ谷川雁を読み、彼が作ったラボ教育の原点を見つめなおし、そこから学ぶべき時である。

人間は物語を必要とする動物である

世界における日本の位置が相対的に低下し続けている現在、そしてこれからの厳しい社会を生き抜く日本人を育てるにはどうしたらよいか？　その解の一つを示そうと、ここまで記してきた。その際に私が考える目指すべき人物像は、最初にも記した「日々の生活、人生に起きる全ての物事を物語と感じて、何でもおもしろがって対応できる人間。ことばという道具を十二分に活かして世界中の人と楽しく付き合える人間」だ。そしてそのためには谷川雁が「ことばと物語」を核に形づくったラボ教育の手法が極めて有効だと私は自分の人生を通じて実感しており、その特色を示すことを企図して記してきた。読者の皆さまに、少しでもそれが伝わっただろうか。今般教育界や社会全体で必要とされるようになった「自ら学ぶアクティヴ・ラーニング」「課題解決型学習」「論理的思考力（ロジカル・シンキング）」「演劇教育」「第三の居場所」といったようなものが五十年以上前から行われていたこと、そしてその効果が実際に四十年後、五十年後の卒業生たちの人生から実証的に確かめられたものになっていればと願う。

谷川雁は「教育」を、明治以降の官制教育ではなく、古来より家族のなかにあった「昔話」「民話」「神話」や、村にあった縦長教育、母語以外のことばと文化を知ることで母語と自分の文化も相対的に見られる俯瞰的視座、そこから得られる「人種・民俗・宗教・国などを超えて普遍的なもの」と「固有のもの」を分けて捉えられる力を育てる民間教育を確立した。

この教育手法は複数の要素を織り成したものであり、かつその効果・影響は即効的ではなく、生涯にわたってジックリと効くというものであるため、即効性がある教育手法よりも脚光を浴びにくい憾《うら》みがあるように思う。しかし、学校教育とは全く異なる、塾教育、受験教育とも違う、民間教育の一理想形がここにある。ユニークにして学際的、そして生涯にわたって使える力を与える教育。

そしてその核となるのが「物語」だ。ここまで述べてきたように、ことばと物語を通して世界とじっくり向き合うことで、人生に起きる全てのことを物語だと感じられるようになることが、人生の起伏を楽しみ、それどころか自ら能動的にメリハリをつけて、しなやかに生きていく力となると思う。

逆に言えば、人間は物語を必要とする動物である、ということだ。物語がないと人は働けない。生活できない。生きていけない。目的のない行動に人は耐えられない。人生に起きた一つ一つの事象を都度納得・得心しながら人は行動している。つまり外在的に起きた或る事象について、我がこと化して——すなわち自分を主体とした物語を一瞬のうちに組み立て、それが自分にとって必然であると内在化させて——行動する。それがないと苦しくなる。自分以外の人やものごとに、理由も趣旨も感じられずにただただ従い生きていく、ということは人間には出来ないのではないだろうか？

この「人生に起きる全てのものごとを、我がこととして感じ、自分を主体として進む物語だと感じる」力があればあるほど、人生を滋味深く過ごしていけるのだ。

この力は、世界中の多様な物語に触れ、物語として物事を感じる力を育て、テーマ活動で自分以外のものに身を置き換える体験を重ねるラボ教育によって育てることができたと、私は感じている。

そして世界の文化に関心を持ち、自分以外の他者に心を開くこと。また自分を表現し、つまり自分の物語を自分のことばで話し、相手の表現すなわち他者のことば、物語を受けとること。これこそがお互いに心を通わせるコミュニケーションなのであり、これからを生きる子どもたちに持ってほしい力だ、と思う。

谷川雁らが創った教育手法から私たちは学ぶことができよう。「ことば、物語、表現」の教育によって、あるいはそれらを大事にする生き方によって、人はより良い人生を生きることができる、ということを。

私がラボから受けとったもの
――度胸、外国語を使う能力、物語を愛する人生

［ここでラボ教育から私が受けとったものについて短くまとめた文章を置きたい。ラボ・パーティでは周年行事として記念文集発行や記念発表会などが開かれることが多い。この文章は仁衡恭子パーティの卒業生として四十周年記念文集に寄せた文章。二〇一五年に書いたもの。］

仁衡パーティ四十周年を寿ぎ、私がラボから受けとったものを、本当はたくさんありますが三つに絞って挙げてみます。

一、世界中どこに行ってもやっていける度胸、身の構え

海外というと中学二年時に一ヵ月間アメリカに行っただけ、のままその後十五年ほどが経過。三十歳前後に独り旅と新婚旅行で二度フィンランドに行きました。そこからまた十四年ほどあいて、四十五歳の頃から仕事の関係でロシア、台湾、ドイツ、などなど急に海外に出ることが増えました。その際、同行した他のビジネスマンから驚かれたのは「とても十四〜十五年ぶりとは思えない。プレゼンや商談等をしっかり進めている。毎月のように海外出張がある営業マンであればわかるけれど」ということでした。

しかし元ラボっ子だから、そのくらいは当たり前。度胸、体当たり精神、どこへでも飛び込んでやる！　の姿勢はラボっ子がみな得ているものであろうと思います。

二、外国語をしっかり使って表現する能力

語彙の多寡ではなく、外国語で表現する力、道具として使う力です。例を挙げれば先日行ってきたドイツ商用旅行。プレゼンをドイツ企業相手に英語で七回実施。同行の他の企業は、事前に用意していた英語の文章（社内の英語が上手な人が作ったのか、あるいは翻訳業者に頼んだか）を読み上げながらプレゼンを進めるスタイル、私は英語のスライドだけ作ったらあとはその場で適当にしゃべるというスタイルで行きました。原稿がある人の方が間違いはないのかもしれませんが、棒読み的になりますし、臨機応変性にも欠けます。私のやり方ですと、波はありましたが、段々にしゃべる内容も増やしたり改良したりして、しり上がりに上手になりました。七回それぞれ違うお客さん候補なので、話の内容も相手に合わせて臨機応変に変更。英語が上手云々よりも英語を「使う」能力、が大事なのだと感じます。また、手前味噌で恐縮ですが、ラボでしっかり聞き込みした成果で、発音も一番よかったかなと思います。相手の話も大体わかりましたから、英語を聞き取る力も間違いなく受けとっていますね。

それから、外国の知らない土地に行っても看板や標識、あるいは通訳さんがよく使っている言葉——例えばフィーレンダンクはドイツ語で直訳「たくさんのありがとう」の意で、ダンケシェーンよりも謝意を多く伝えられる言葉——などをどんどん吸収して、すぐにそのあとから使い始める、こういう「外国語対応力」のような力も得ました。

三、物語を愛する人生

また、物語を愛する人生を過ごせているのもラボ、仁衡パーティのおかげだと思っています。大人になっても私は変わらず物語が好きです。物語の舞台を訪ねたり、子供に読み聞かせをしたり、自分で文章を書いたり。物語を愛する人生を続けています。これはやはりラボでたくさんの物語に触れたからなのだと思います。

ラボ初期のたくさんのライブラリーを作ってくれた「らくだ・こぶに」さん、彼は谷川雁という名前で詩人・思想家などで活躍したすごい人ですが、彼の言葉に「人間は物語的存在である」というのがあります。人間は生まれてから死ぬまでが一つの物語。そして毎日も一つの物語。何かの出来事、それも一つの物語。そしてそういう物語無しで生きる、

ということは不可能だ、ということを言っている言葉でしょう。人間は頭の中で人生を、生活を、一つ一つの出来事を、無意識に「物語《ストーリー》」にしながら過ごしているのだと思います。或る種楽しみながら。それが無い状態で何かをしたり、生きたりすることはできない。そういう内的衝動・内的整理・内的感情があるからこそ人間なのだし、人間をやっていられるのです。それが無かったらつまらない。それが無かったら人間ではなくロボットと変わらなくなってしまう。

だから「人間は物語的存在」なのです。だからこそ「物語」をたくさん知っていて、自分でも紡ぎだすことができて――それは文章化しなくても心の中でも――、家族や仲間と一緒に物語を楽しむことができて、そういう人は「人間であること」を、「人生」を、よりよく楽しめる人だと言えましょう。ラボをやっていて本当に良かった！　と思う理由の一つです。

最後にもう一言、現在、私は「らくだ・こぶに」さんのもう一つの名前である谷川雁を研究する会「谷川雁研究会」を発起人の一人として立ち上げ、運営をしたり、機関誌に寄稿したりしています。機関誌ではラボ・ライブラリー作品『グリーシュ』や『ピーター・パン』を深く掘り下げて研究した文章や、ラボとは離れたところで宮沢賢治や原発と谷川雁をからめた形の文章などを書いてきました。

また沖縄の文芸誌『脈』に寄稿して谷川雁と、そのお兄さんである民俗学者の谷川健一さんについて書いたりもしています。

これを書いている今週末も谷川雁が革命家として活躍した福岡県の元炭鉱の町や、熊本県にある谷川雁のお墓参りに行く予定です。単に仕事だけして寝る人生よりも、仕事とは別の学びあるいは活動も充実した人生にさせてもらったな、ラボに感謝だな、と思っています。

そして今、私の子どもたちも、ラボっ子として、現在私が在住しているつくば市のラボ・パーティで活動中。是非、子どもたちも私と同じようにラボからたくさんのことを吸収してほしいと願っています。またラボがラボの良さを失わずに、これからも永続するよう祈ります。

以上、記念文集へのお祝いのメッセージといたします。仁衡テューター、ありがとうございました！　そして四十周年、おめでとうございます！

人生におけるすべてのことは物語

［ラボ教育センターのＷｅｂサイトに卒業生として寄せた二〇一八年の文章］

光陰矢のごとし。ラボ・パーティに参加していた頃から長い歳月が経ちました。また、ラボに参加していた期間の何倍も生きてきました。ですが、ラボで培ったものは今の自分の骨格となっている、今でも迷わずそう言うことができます。

ことばが脳内に染み込んでいく活動

特に私を育ててくれたのは優れたラボ・ライブラリー、ラボがくれた物語です。毎晩布団の中でワクワクしながらお話を聞きました。自分が主人公になった気分で。本も好きでよく読んでいましたし、映画も好きでよく観ていましたが、ラボ・ライブラリーはそのあいだぐらいの位置にあたるでしょうか。本は自分の想像力をフルに働かせられるのが魅力、しかしそのイメージは高精細で結像するわけではない。ちょっとボヤーッとした感じ。一方、映画は鮮やかなイメージを演技・セリフ・音楽などでトータルに受け取れるのが魅力。しかし完全に視聴覚を委ねるので自分の想像力が活躍する余地は大きくはない。ラボ・ライブラリーは視覚なしで聴覚のみに限定――物語のエッセンスを余すところなく伝える鍛え抜かれた台本、それを表現する優れた役者たちの声による演技、一流の音楽・効果音、それらが耳から豊穣に注がれ、脳内でイメージ化しながら聞く――物語を受けとるためのとてもすばらしい手法だと思います。映画を第七芸術（映画を建築、絵画、彫刻、音楽、舞踏、文学に続く第七番目の新しい芸術と考えるもので、フランスの映画理論家カニュードが唱えた）と呼ぶのであれば、ラボ・ライブラリーを第八芸術と呼んでもいいのでは?!　とさえ私は常々思っています。特に少年少女時代に物語を受けとるための最適なかたち、と言い得るのではないでしょうか。

こうして受けとった物語を、自分たちでテーマ活動として劇表現にすることで、さらに物語の理解は深まりました。そしてその活動を日本語と英語とで行うことで、知らず知らずに両言語が脳内深部に染み込んでいきました。

そして今、私は会社の経営者として、ラボ・ライブラリーを通して物語を浴びるように聞いたこと、なりきって表現したことがとても役立っていると感じています。なぜなら「人生におけるすべてのことは物語」だと思うからです。

「おもしろがる」がすべての原動力

私の会社はオーダーメイドでソフトウェアを開発する会社です。多種多様な仕事をしている人たちから、バラエティに富んだオーダーをいただきます。例えば人工衛星向けのソフト、医療向けのソフト、スポーツ戦術向けのソフト、下水道プラント向けのソフト、鮮魚直接取引システム……などなど。そんなやり方を続けていますと、人から「そんなにいろんな種類を受けて大変じゃない？

ドイツにて商談中の筆者

ほかの会社は○○向けシステム、とか範囲を決めてそのなかで注文に応えてちょっと変更を加えたり、ラインナップを少しずつ広げたり、でしょ。何でもかんでも受けてるのは大変だろうに……」なんていわれることがあります。でもそれを私はおもしろがってやります。他の人では受けないような仕事も私にはおもしろいのです。

どうしておもしろいのか？　それはどんな課題やニーズでも、そこに物語を感じるからでしょう。このお客さんはこんなことに困っている。そこに登場する人物はこの方と、あの取引先だな……。こんなものを作ればこの立場の人はこうなって、こちらの立場の人はこっちに展開して、そうなるとこ〜んなおもしろい効果が生まれるぞ……。といった具合に、無意識に脳内で物語が紡がれているのです。どんなことでもおもしろくないわけがありません。

ですから他の人からは困難なことに見えてもおもしろがってやることができ、難しい注文、変わった注文、どんな注文でも受けて粘り強くしっかり対応するユニークな会社、という立ち位置を認めていただきながら仕事の幅を段々に広げていくことができているのだと思っています。

そんな私の会社の主な顧客は研究者です。研究所・大学などで世界にインパクトを与えるような研究をしている人たちからのオーダーメイドですから、世の中にまだないものを作る楽しさがあります。夢は大きく「わが社の顧客がノーベル賞を取ること！」に置いて日々仕事に励んでいます。

生きた英語力、コミュニケーション力を身につけた

お客さんの要望を形にするオーダーメイドを事業の軸にしつつも、自社製品を開発して販売していくことにもチャレンジしています。しかも国内で売れているから良し、とは思っておらず、世界で販売を増やしていきたいとがんばっています。日本社会の高齢化・人口減少、世界全体で見れば人口爆発、そしてグローバル経済――これらを考えれば、私の会社のような中小企業であっても国内で安穏としている場合ではありません。

現在わが社の製品「救トレ」の世界展開に励んでいるところです。先日はカンボジアに営業に行ってきました。すでにカンボジア、マレーシアにユーザーがいるのです。いまはそれをどう増やしていくかという段階、現場に足を運ぶことが大事だと考えています。さらに来月にはアメリカのテキサス州で開かれる国際医療シミュレーションの学会に営業へ、そこから移動してカリフォルニア州で開かれる医療機器展示会へ、と行脚は続きます。

こういった場面でものをいうのがラボで培った「英語力」と「コミュニケーション力」です。流暢な英語ではないかもしれませんし、さほど多くのボキャブラリーはありませんが、まったく困ったりはしません。実際の英語での会話では、「机上の英語」より「生きた英語」が必要だとつくづく感じています。私は、初めて会った外国の人とも結構短期間で仲よくなってしまいます。軽口を英語でいうことが多いのですが、すべてその場の思いつきです。難しい単語や言

い回しも使いません。相手の人と一緒にいる時間におもしろいことが起きた。それを一緒に楽しみたい。そう思うと素直に軽口が出たりします。気づいたらすっかり仲よくなっていた――そこからビジネスが広がったりしています。

こういった生きた英語力、コミュニケーション力は学校の授業ではなかなか身につかないものでしょう。ラボ・キャンプや国際交流の体験のおかげだと思っています。

だれとでも繋がる力

私は何かができないとか、誰かとコミュニケーションできないなどで困ったことがほとんどありません。それが私の強みだと思っています。地球の裏側だろうが、いま自分がやっている仕事と全く関係ない話であろうが、コミュニケーション不可能だとも、できないとも思いません。

会社を経営するにおいても、あまり長期的展望などと肩肘張らず、目の前にいる人、目の前の人が困っている課題に真摯に対する。それをまずおもしろがる。それが儲かるかとか、いいことあるか、とかは後回し。人と会うこと、話すこと、困っていることを解決してあげること、それをただただ続けていくなかで、「これをビジネスにしたらおもしろそうだな」とか、「この人とこの人を繋げたらおもしろいかも」とか、そんなことを続けてきました。

来る者拒まず、来た相談事も基本的には全部断りません。そういう方針でがんばってきたら、なんだかいろいろ幅が広がってきて「おもしろい感じになってきたかな」といった成り行きなのです。

そういうオープンマインド、「できないことはない」「なんとかなる」「誰とでも繋がれる」という構え、どんなことにでも「物語性」を感じてそれをおもしろがれるというメンタリティ《精神性》、それらは持って生まれたものであるかもしれず、親に感謝していますし、そしてラボ活動から貰ったものでもある、と思っています。これからも「人生すべて物語」の精神で何でもおもしろがって、周りの人たちとの繋がりを大事にしつつ、世界中に飛び出していきたいと期しています。

谷川雁と「集団創造」

――「らくだ・こぶに＝谷川雁を中心とした集団創造体」を起点として

らくだ・こぶに、とは

以前「らくだ・こぶに」によるラボ・ライブラリー作品『グリーシュ』について書いたとき（本書では第二部に収載）、私はその書き出しを「らくだ・こぶに、すなわちラボ教育センター時代の谷川雁が」と置いた。

そう書き出したうえで、縷々《るる》『グリーシュ』という作品について、そしてそこから見えてきたらくだ・こぶに（＝谷川雁）の柔らかな在りようについて、記したわけだが、書きながら一つの想念に取り憑かれている自分に気がついていた。その想念とは「らくだ・こぶにを一個人である谷川雁の別名と考えて本当によいのか？　らくだ・こぶにと言うとき、もちろん谷川雁を中心に置いて、その周囲に居た人たちを巻き込んだもう少し大きな同心円を言う方が妥当なのではないだろうか」というものである。そしてその思いは、脱稿し原稿を送って数日経った頃には、既に確信に変わっていた。

そう考えてみると、全てがしっくりくるのだ。

その文章中に書いた「谷川雁研究の一分野としてらくだ・こぶにを研究するとき、最も悩ましいのが『どこまでがらくだ・こぶに（谷川雁）の仕事なのかが不分明』という点だ」という問題もこれで霧消する。

私のイメージした同心円

私のイメージした「もう少し大きな同心円」は、谷川雁一個人を表す円を一とした場合、一・四〜一・五倍程度の直径を持つ同心円である。谷川雁は一人でラボ・ライブラリーを作ったのではなかった。常にそれは共同作業であった。

まず彼はライブラリーを制作する制作室の責任者である取締役部長であった。その周りには当然制作室の社員がいる。定村忠士も高野睦も西藤和もいただろう。そして彼が抜擢したC・Wニコルやアラン・ブースたちもいた。彼らは英語の台詞を書き、テープへの英語台詞吹き込みもした。そして谷川雁のご指名であった絵：高松次郎、音楽：間宮芳生らの同志たち。

彼らは単に谷川雁の指名を受けて、あとは自由に己の思うように仕事をしたのではなかった。ともに飲みに行き、酒場で熱くその物語について語り合いもした。激論も交わしながら進めていった。彼ら、谷川雁の周りにいたスタッフたちは谷川雁の意を受けて、その意を汲んで、示唆・助言を受けて、あるいは駄目を出されながら作業を続けていった。それぞれの立ち位置によってその程度の差はあるので綺麗な円にはもちろんならないが、彼らを「拡大された谷川雁」ととらえることができると思う。

ライブラリー制作はけっして一人でできる作業ではない。物語の選定（あるいは創作）、寸法に合わせる作業、台詞化、著作権保持者との交渉、画家選定、作曲者選定、テープへの吹き込み者（声優）の選定、吹き込み時の演出、録音の品質保持（呼吸音を取り除く作業など）、出版準備（装本、校正）、出版、乱丁・落丁対応、広告・宣伝、キャンペーン等々、これらは共同作業でなければ到底為し得ない一大事業だ。責任者であった谷川雁は、その一大事業を、自分の部下たち、そして外部から連れてきたプロフェッショナルたちと一緒に、集団で進めたのだ。

前記したような非常に多くの種類の作業がある場合、現代の一般的な会社であれば、まずしっかりとグループ分けをする。その中でリーダーを決め、グループ内部でも分担をしっかり決める。部員はまずリーダーに報告・相談をして仕事を進める、リーダーは自分で回答できる程度のことは自分で回答し、大事な部分は更に上司の部長に相談し、と言った具合にいわゆるピラミッド型にして作業を進めようとするだろう。それは合理的なやり方だとは思う。しかし多分出来上がってくるライブラリーは無機質な生ぬるいものになってしまうのではないだろうか。そういう状態を谷川雁の言葉で言えば「責任の分業主義に陥っているのです」となるのだ。[1]ラボ・ライブラリーは工業製品ではない。単なる「教材」でもないのだ。確かに「教材」なのだが常に「総合芸術」たらんとしていた。子どもに与えるものだからこそ最高のものを最高のままに、がらくだ・こぶにの意志であった。そういったもの、工業製品ではなく総合芸術品、なのであるから、ピラミッド型の責任分担は似つかわしくないのだ。責任者である谷川雁が君臨し同時に全てに責任を持ち、ライブラリーの細部一つ一つにまで染み渡る一本の筋を通す。[2] 物語、音楽、絵、台詞、演出、装本、なにもかも、全てに強靱な意志で自らの全てをなげうって当たった。だからこそ、全ての要素が絶妙にシンクロし、止揚され、温かな手触りのするライブラリー群ができたのだ。

もちろん「拡大された谷川雁」を担った彼らは隷属していたのではない。特に外部のプロフェッショナルたちは各々が一家をなせるだけの実力の持ち主だ。ただ、彼らが谷川雁に魅入られたことは確かなのだろう。自己同化もあっただろう。彼らのほとんどは谷川雁がラボを去り、「十代の会」を立ち上げる際についていっている。十代の会設立趣意書にある発起人名はこうだ――谷川雁、間宮芳生、高松次郎、C・Wニコル、根本順吉、定村忠士、高野睦、西藤和――気象学者である根本順吉を除いてはみなラボ・ライブラリー制作に携わっていた者たちだ。[3]

一方、谷川雁ではなくラボ教育センターの方をそれぞれの事情の中で選択したスタッフもいただろう。ついていった者、残った者――どちらにせよ、谷川雁とともにあの途轍《とてつ》もない聳《そび》え立つラボ・ライブラリー作品群を作り上げた彼らこそ「らくだ・こぶに」という円（英語で言えばサークル）を構成する要素と言えよう。

「らくだ・こぶに＝谷川雁を中心とした集団創造体」を定義として置き、そこを起点として「谷川雁と集団創造」研究へ

もちろん「らくだ・こぶに」は確かに「谷川雁の別名」として生まれた名前に違いない。

しかし「らくだ・こぶに」を「拡大された谷川雁」と見て、「谷川雁を中心とした集団創造体」と定義してみることで、そこから見えてくるものもあるのではないか。少なくとも私にはそこから見えてくるものがあった。即ち「谷川雁の人生を通貫するキーワードとして『集団』『集団創造』こそがもっとクローズアップされるべきものなのではないか」という思いに至った、という収穫である。以下、谷川雁の人生を「集団」「集団創造」というキーワードが一貫して流れていたのではないか、という仮定を置いて、その証左を積み上げていってみたい。

壮期：ラボ時代における「集団創造」の様子

まずは壮期：ラボ時代をとりあげたい。前々段に書いたような「拡大された谷川雁」体制によるラボ・ライブラリー制作に当たってのエピソードは随所で見られる。幾つか挙げてみたい。

㈠ラボ・ライブラリー『国生み』制作に際しての様子[4]

・谷川雁の講話：ニコルさんに英語を書いてもらったわけだけれども、そのニコルさんが、ぼくと顔を合わせるたびに「がらんどうがあった」「がらんどうがあった」とくりかえすわけさ。夜になると、ぼくんちの「いろり」のそばで一杯やったりするわけだけれども（後略）。

・C・W ニコルの講話：だんだん、一行一行くらべて、英語にして、谷川さんのところへもっていきました。「これ、英語と日本語がうまく『結婚』してくれるだろうか」ってたくさん話しました。

・同上：ぼくはぼくなりに、谷川さんも谷川さんで考えていた。それをぶつけ合って、話しました。何回も何回も書き直したというのは、そういうことなんです。

・同上：そして四、五時間いっしょに仕事をすると、一番楽しい時間になる。いろりのまわりでお酒といろんなおいしいおつまみをいただきながら、ずうっと話をしたんです。『国生み』の伝説の裏にあることとか、そのころの日本人の気持とか、いろんな話を聞きました。

・同上：たくさん書きました。それを、雁さんが「だめ、だめ、だめ、だめ」。（笑）ぼくにも、すごくためになりました。この作品で、ぼくの英語のスタイルがちょっと変わりました。

㈡ラボ・ライブラリー『アリ・ババと40人の盗賊』制作に際しての様子——谷川雁による文章[5]。

絵本を担当したVladimir Tamari君は、色白長身の大人しいパレスティナ人でした。（中略）作品は順調に完成して届けられました。（中略）「だけど、これはやはり日本人じゃ描けませんよ」というのが、表紙のつぎのとびらに見入った高松次郎評でした（筆者注：高松次郎が、自分は絵画担当ではないのに顔を出し、評なり助言なりを谷川雁にしている様子がうかがえる)。

㈢これはライブラリー制作か別の仕事かは判らないがラボにおける仕事の様子——一時期ラボと関わりがあったらしい長谷川龍生の証言(6)。

たとえば公的な文書ね、谷川の前で数時間かかって文章を仕上げるんです。それを完成される《ママ》までにどれだけのチェックが入るか。それを耐え抜いて仕上げる。

集団創造の例、ラボ時代以外

常に読み手を意識してしか発信しない、という谷川雁なのであるから、読み手と書き手の共同（＝集団）による創造と見なせば、「谷川雁の活動は全て『集団創造』だ」と言い切ることもできよう。ただそれでは極論過ぎる、という声も聞こえてきそうなので、明らかに集団（複数名）による仕事だ、と言えるものをラボ時代以外でも列挙してみる。

㈠共著（および共訳）が少なくない

幾つか挙げてみる。

・民主主義の神話——安保闘争の思想的総括（谷川雁、吉本隆明、埴谷雄高、森本和夫、梅本克己、黒田寛一　現代思潮社　一九六〇年）
・物語としての日本神話（谷川雁、C・Wニコル、高松次郎、間宮芳生　テーマ活動文庫刊行会　一九八〇年）
・ピーター・パンの世界（谷川雁・高野睦　テーマ活動文庫刊行会　一九八一年）
・ピーター・パン（J・バリ作、谷川雁・高野睦訳　第三文明社　一九八九年）
・モグラの鼻　ゾウの鼻（小原秀雄〈動物生態学〉・谷川雁　筑摩書房　一九九〇年）

㈡創刊宣言、共同声明など、連名の形はとるが実質的に谷川雁が書いたもの

・さらに深く集団の意味を「『サークル村』創刊宣言」（谷川雁起草。上野英信、森崎和江らの編集委員会による協議

を経て無署名で発表された。『サークル村』創刊号　一九五八年）

・「全国交流誌」発刊準備について［共同声明］（谷川雁起草。編集委員会による協議を経て発表と推定される。(7)『サークル村』一九五九年）

・さしあたってこれだけは［共同声明］（谷川雁起草。谷川雁、関根弘、武井昭夫、鶴見俊輔、藤田省三、吉本隆明の六人連名で呼びかけたもの。『日本読書新聞』、『サークル村』などに掲載　一九六〇年）

・試行のために［『試行』創刊宣言］（谷川雁起草責任者。谷川雁、村上一郎、吉本隆明の連名。『試行』創刊号　一九六一年）

・十代の会設立趣意書（谷川雁起草。谷川雁、間宮芳生、高松次郎、C・Wニコル、根本順吉、定村忠士、高野睦、西藤和の連名。一九八一年）

㈢後期、ものがたり文化の会の時期になされた仕事である合唱曲集『白いうた 青いうた』、これも新実徳英氏が書いた曲を谷川雁に送り、雁がそれに詞を付ける、という共同創作（集団創造）であった。

谷川雁にとっての書くという行為は疑似「集団創造」と言えまいか

そもそも谷川雁は「誰に向かって」という対象を必ず置いて創造活動をする人であった。(8)書くという作業について「書くという作業は自分自身のためにする行為だから、そのゆえに現実または架空の相手がいる。現実の相手も、気体にまで昇華しておかねばならない」と書いている。(9)これは谷川雁を知る上でとても大事な文章だ。吉本隆明との論争についてとりあげる際などにもよく引かれたりするこの部分、確かに核心的なことを言っている。

まず「書く行為」を「自分自身のためにする行為」と言い切っていること。人のためとか、世界をよくするためとか、「おためごかし」は一切無し、極めて明快で清冽な物言いだ。

ただ、なぜそこからいきなり「そのゆえに」「現実または架空の相手がいる」に直結してしまうのかが理解し難いが……先に進みたい。いずれにせよ、書く行為をする際には必ず現実または架空の相手を置いて書くことが必要だと谷川雁は思っている、わけだ。

そしてさらに、もしそれが現実の相手だったとしてもそのままの対象に書くのではなく「気体にまで昇華しておかねばならない」と書いている。ここは「手紙」という形式で沢山の作品を残した谷川雁[10]ならでは、のポリシーであり、必ず形而上に昇華させた上で書いてきた、という自恃《じじ》でもあろう。


このように、必ず「誰に向かって」という書き方をしてきたこと、即ち「読み手」を想定して書いたということの徹底さ加減が、谷川雁という、思想家であり実践者でもあった人、を考える上で最も大事なことの一つと思えてならない。

これに対して当時の一般の文筆家たちは、自分の中を掘り下げて、自分という一個の人間から普遍性を絞り出すようなことをしていたように思う。私小説、という分野が大流行のこの国の文壇においては特に[11]。その対極が谷川雁の行き方であり生き方であったのではないだろうか。

必ずモノローグではなくダイアローグとしてものを考える。そして書く。これは擬似的ではあるが「集団創造」と言えようではないか。

そもそも「集団創造」とは――『サークル村』創刊宣言――

そもそも集団創造とは何だろう。戦後の思想史を暫し勉強してみたい。

鳥羽耕史は言う、「一九五〇年代は記録の時代だった」と[12]。彼はその「記録」を八種類に分類している。興味深い分類なので、要約して紹介する――「一　戦争記録。原民喜、大岡昇平など」「二　生活実感。無着成恭、無数のガリ版サークル誌」「三　探訪ルポ」「四　『サークル村』の上野英信・森崎和江ら地方定住の知識人によるルポ」「五　記録映画。羽仁進ら」「六　テレビドキュメンタリー」「七　絵画におけるルポ・アート」「八　安部公房らによる思弁的側面」――なるほど確かにこう並べられてみると記録の時代、だったのだろう、一九五〇年代とは。もちろん谷川雁との関連が強いのは第四の分類だ。

というわけで『サークル村』、である。もう名前からして「サークル」も「村」も「集団」以外の何物でもない。そして創刊宣言のタイトルがまさしくこうだ――「さらに深く集団の意味を」[13]。――この創刊宣言の中で「集団創造」に関する部分を引いてみよう。「私たちがやろうとしているのは一つの創造運動」「民衆の文化創造に熱している」「私たちの運動は民主的な創造運動の一つ」「究極的に文化を個人の創造物とみなす観点をうちやぶり、新しい集団的な荷い手を登場させるほかはない」「新しい創造単位とは何か。それは創造の機軸に集団の刻印をつけたサークルである」「サークルは外側に集団創造という統一的課題をもつ」。

『サークル村』がなぜ集団創造にこだわったかを思想史的背景から辿るためにウエズリー・ササキ・ウエムラの論考[14]を参照しながら記してみたい。一九五〇年代前半、日本共産党は「工作者」を地方に派遣した。小作農を組織し、来るべき革命に備えさせた若き幹部のことだ。彼らは革命のための手段として地方に行ったのであり、まさしく「工作」を行ったのであった。そこには党の視座はあっても、地方在住者個人に対する視点も地方における階層的あるいは地域的な集団が抱える問題に対する視線も欠けていたであろう。こういった状態であったために「工作者」という言葉も地に墜ち忘れられかけていた。そんな古びた言葉を取り出して手垢を落とし魔法のように人を幻惑するほどのイメージに変えて見せたのが谷川雁であった[15][16]。日本共産党の旧「工作者たち」だけでなく、日本社会党による国民文化会議も同様に大衆を「自らの指導のもとで統一戦線に組み入れていくこと」に堕していった。それらに対して『サークル村』は、そして谷川雁は敢然と異を唱えた。『サークル村』創刊宣言で谷川雁は既に書いている。「組織的に指導する機関ではない」「組織は内容の自由な発展を保証するものでなければならない。私たちは自分の運動を唯一のものと考えそれを組織的におしつけようとはしない立場をもつ」。ウエムラのまとめ方に拠れば「このように、彼らが追求していたのは、単なる個人の創造性ではなく、むしろ集団の創造性を涵養することであった」からだ。『サークル村』創刊宣言からまた引こう。谷川雁は書いている――「名目だけは集団意識を強調しながら、その地点をいかにも甘く通り過ぎている傾きがつよい。集団ということばは単純だが、そのなかみはたいへんな重さを持っていることをつきとめなければならない」――そして結語「集団という一個のイメージを決定的な重さでとり扱うこと、創造の世界でのオルガナイザーを創造の世界で組織すること――私たちの運動はただそれだけをめざしている」。恐ろしく深く重い言葉だ――我々現代人のほとんどは、何らかの集団に属しながら生活を生き、それに際して「個人」という言葉も「集団」という言葉もまともに考えずただ単に馬齢を重ねているに過ぎないのではないか――谷川雁を今読む意味の一つはここにあるだろう――我々はこの言葉を真摯に受け止めなければならない。

『サークル村』そして『無名通信』誌における「集団創造」の実践

そして『サークル村』を母体として生まれた女性交流誌『無名通信』（編集：森崎和江ら。執筆者に石牟礼道子ら）。このタイトルも実に示唆的だ。「無名」通信――この言葉からは「思想の無署名性」[17]という谷川雁の言葉も想起されるし、その名を眺めているだけでも「集団の中の個人」「名付けられることは名に束縛されることだ」と言ったイメージがどんどん湧いてくる。

この『無名通信』もまた、集団創造を当初から目的としていた。『サークル村』第二巻七号巻末に掲載された『無名通信』発行の呼びかけである「通信誌発行準備会」名義（多分森崎和江によるか）の「凍っている女たち、集まりましょう」という文章にはこうある。「文学もことばも女の手もとにはないのです。ひとりではどうしようもありません。言わねばならぬ問題をもっているが書けない者、書く技術だけ知っていて何をやらねばならないか迷っている者、そんな者がよりあって、このように裂けている女の実情を考えましょう。そして、個人のものでなく女のものを作り出しましょう[18]」。

そして森崎和江を中心として『サークル村』（および『無名通信』）においてなされた創作活動に「聞き書き」がある。『無名通信』の会員のうち、森崎、石牟礼など文筆に長けた者はむしろ例外であり、大多数は文字や書くこととは無縁の生活を送っていた。[19]森崎が筑豊の女坑夫からの聞き書きを集めた「まっくら」（『サークル村』連載中のタイトルは「スラをひく女たち」）、それに影響を受けて書かれた[20]石牟礼による「奇病（水俣湾漁民のルポルタージュ）」（『サークル村』一九六〇年一月号）、これらは、女坑夫あるいは水俣病患者の女漁民という語り手と、森崎、石牟礼という書き手との共同制作であった。

そして『サークル村』には「生活記録」運動もあった。上野英信が炭鉱の笑い話を収集した『地の底の笑い話』(『サークル村』第Ⅰ期・第Ⅱ期終刊後の一九六七年出版)などが代表的であろう。

これら、「聞き書き」あるいは「生活記録」というスタイルは「語り部たち」と「聞き手」の共同による制作、という形でなされる集団創造である。

もちろん「聞き書き」あるいは「生活記録」のようなわかりやすい実践をもってイコール「集団創造」と呼ぶのではない。私が初学者であるために知らぬだけかもしれないが、谷川雁がこれらの実践をした形跡はないようだ。谷川雁が言う「集団創造」とは何か――彼が『サークル村』創刊宣言「さらに深く集団の意味を」で言わんとしていたことを再度おさらいしてこの節を締めたい。「サークルの集団的性格」はよい方向に行けば切磋琢磨しあって前進し広がっていくものだが、悪い方向に行くと「自己閉鎖」し、「共有感覚がいつのまにか外部に対しての占有感覚になってしまう」と谷川雁は言う。このように集団が排他的になる、という陥穽を逃れ、その傾向を排除し尽くして「生産(創造)型の共同組織として」集団が創造的であり続けること、それが谷川雁の言う「集団創造」であろう。しかもこの「集団」は単なる「なかよしこよし」なものではなかった。『サークル村』のコーナー名には「詩」「生活記録」「短歌」などと並んで「毒舌」「内政干渉」「往復書簡」といったものがあり、[21]激しい討論がなされていた。「対立点をぶっつけあうのが交流だ」「共通の場を堅く保ちながら、矛盾を恐れげもなく深めること、それ以外の道はありえない」……ここまで厳しい前提を置いた上で「集団で生産(創造)する」運動、と谷川雁は定義したのだ。

この基本線がしっかりと引かれていたからこそ、『サークル村』において「聞き書き」や「生活記録」という実践が花開いたのであろう。

ラボ、ものがたり文化の会も「集団創造」である——そして四次元的存在とは

さて次に谷川雁の、いわゆる壮期（ラボ時代）・後期（ものがたり文化の会など）について述べよう。これは当たり前ではあるが、ラボも、ものがたり文化の会も集団創造である、と改めて書いておこう。これらはパーティであり、会である。即ち集団である。そのライブラリー（一般的に言えば教材）の創作も極めて大きな事業であり集団創造であったことは既に述べた。

ラボにおいて多くとりあげられたのが神話や民話であった、というのも象徴的ではないだろうか。神話や民話は「原点」から湧き出てくるものであり、集合無意識の表象、と言うこともできるだろうからだ。

そしてラボで言う「テーマ活動」、ものがたり文化の会でいう「人体交響劇」も集団創造以外の何物でもない。子ども達、あるいは子どもから大人に至る集団が、ライブラリーを人体のみを用いて集団で表現する、という行為。

しかも表現者は単に「原作を表現する者」ではなく、「原作に対して共同制作者の立場に立つ」、と谷川雁は言っている。[22]『文藝』誌編集部のインタビューに対して、ものがたり文化の会における人体交響劇について語っている興味深い箇所。これは元ラボ会員である私にとっても刺激に満ちたものだった。谷川雁は言う。人体交響劇においては四次元的な存在の表現が大事だ、と。四次元的、とは何か。例えばまず表現者の集団を三つに分ける。Aグループは「言葉」を担う。台詞を言う、あるいはナレーションをする。Bグループはその場の情景を表現する。風が書いてあれば風を表現する。横断歩道を渡る主人公が居れば横断歩道をも人が表現してよい。そして「いちばん特徴的なのは、三番目のCグループがやることです」と言う。「それは、この物語に直接にはどこにも書かれていない存在だが、しかしその存在がこの物語をどこからか見て居て、そしてその物語に対して何かあるシグナルを送っているというふうに考えるとすれば、それは何かという問題を集団討議していく」というのだ。これを四次元的、というとのこと。これには驚いた。

ラボとものがたり文化の会は似たものだと漠然と思っていたが、大きく違う点があるとすればこの点であろう。ラボはAとBはもちろんやるが、Cまでは扱っていない。ものがたり文化の会では途中から英語を捨てて日本語のみに活動を絞ったわけで、この点については複数言語を同時に扱うことから生まれるものを捨ててもったいない、と私は考えて

いる。ラボにおいて継続されている母語と異語との複数言語並置には「ことば」及び「物語」を非常に没入的に体得すると同時に客観的な視座をも無意識のうちに獲得する、という特性があると思う。これを捨てたのはもったいない、と私が考えたのはそのためだ。しかし一方で言語を一つに絞ってシンプルにしたおかげか、表現については四次元的、まで行っていたのか……と驚いた次第だ。

さらに引いてみよう。「そしてそれは、たとえば太陽とか月とかいうような大きいものではなくて、いと小さきもの、卑小なるもの。そういうものが実はこの世界の根源的な動力になっているというふうに考えてみよう、ということです」とこうだ。

このインタビュー記事、既に清瀬の国立東京病院に入院していた最晩年の谷川雁の心境を窺わせて実に興味深い。聞き手が「谷川さんは、六五年に一切の執筆活動をおやめになられました」から始める、という困った出だしではあるが、この記事にある谷川雁の言葉を残してくれたことについて『文藝』誌編集部に感謝したい。

さてこの記事のここまでを踏まえた上で、谷川雁の以下の発言を読んでほしい。

——そしてそれは、どんな原作に対しても、それをやる連中が必ず共同制作者の立場に立つ。どんな原作者も『ここでの四次元的存在は何です』とは規定していないから。

賢治は、さすがにそういう点では、たとえば『やまなし』の中に出てくるクラムボンなんていうのは、四次元の存在そのものを「クラムボン」という形で呼んでいると思うし（後略）——

ここだ。この最初の一文だ。原作に対しても、表現者は単なる表現者ではなく共同制作者の立場に立つ、ということ。[23]四次元的存在、を探して表現しなければならない、ということだ（この最初の一文だけ引けば本稿には十分なのだが、その後ろ、クラムボンのくだりも実に興味深いので引いておいた。宮沢賢治のクラムボンに関してこう考えた人が他にいただろうか）。

「集団創造」は谷川雁の第八の「盤石」要素と言えるのではないだろうか

松本輝夫氏は谷川雁の人生を五期に区分した。[24] 初期＝敗戦まで。前期＝詩作、日本共産党など。中期＝サークル村など。壮期＝ラボ時代。後期＝ものがたり文化の会など。

そしてこの全五期を貫通する「盤石」要素が七つある、と整理した。「原点、ふるさと」「言魂力、預言力」「エネルギー、越境」「自立・自由な連合体」「二元論的思考法」「物語。子ども。教育活動」「女への畏敬の念」と。

これに加えて本稿で示したように「集団創造」というキーワードも第八の「盤石」要素といっていいのではないだろうか。四番目に挙げられている「自立・自由な連合体」と近い関係にはあるのでその中に含めてもよいかもしれないが、独立して考えてもよいキーワードであると私は言いたい。[25]

初期、敗戦まで。ここについては論の外に置く。

前期、詩作をする際も谷川雁は受け手を想定して置き、そして書いたと思う。疑似集団創造である。日本共産党、これも谷川雁にとっては集団創造に向かうものであったろう。実際の日本共産党はイデオロギーというお化けが、個人なり地方の集団なりを押し潰してしまう傾向があったろうと思うが、谷川雁にとってはそうではなかったであろう。そうではなかったからこそ除名されるのだ。

中期、サークル村〜大正闘争。サークル村は既に先述したとおり、集団創造そのものの活動だ。そして大正闘争も「自立」したコミューンを作りだす共同作業（集団創造）、であった。[26]

壮期、後期。ラボ、ものがたり文化の会。これも先述した。集団創造そのものの活動だ。

谷川雁は、天性のオルグ（オルガナイザー。組織者）であった。[27] 傲岸不遜の人のように言われることが多いが、実は己一人でできることの限界を知っていたのではないだろうか。常に人を糾合して活動していた。詩人とは孤独なものだ、というイメージがあるが……孤独だからこそ人を集めたのか。

事を為すに際し、個人ではなく、個人を組織化し、しかも組織の中で個人が個人たり得ることも大事にした。そしてその組織（集団）によって創造し続け、表現し続けた。

見事に一貫して、谷川雁は「集団創造」という表現手段を生きた人であった。

注

（1）「観測者と工作者」（『工作者宣言』中央公論社　一九五九年）

（2）全面的な責任と機能分担を統一するときにこそサークルは有機的な集団になるのです。「観測者と工作者」（『工作者宣言』中央公論社　一九五九年）

（3）ただし、間宮芳生、C・Wニコルなどは、のちにラボに戻って仕事をしている。戻るに際しニコル氏は当時ラボ会長であった松本輝夫氏に対し「経営者として色々問題もあって雁さんがラボを辞めることになったのだとは思う。しかしラボ草創期における雁さんの功績は絶大であったはず。それを今のラボが認めないのであれば協力しない」と宣言。雁への恩義を自身忘れない姿勢、忘れるべきでないという考えを明確にしたという。

（4）「物語としての日本神話」（テーマ活動文庫刊行会　一九八〇年）

（5）らくだ・こぶに「三日月形の激情」『青の発見――「テーマ活動」ノォト一』（物語テープ出版　一九八一年）

（6）インタビュー長谷川龍生「ごっこ遊び」の詩人『KAWADE道の手帖　谷川雁　詩人思想家、復活』（河出書房新社　二〇〇九年）

（7）岩崎稔・米谷匡史編『谷川雁セレクションⅠ　工作者の論理と背理』（日本経済評論社　二〇〇九年）巻末解題による。

（8）「ぼくの場合は誰に向かってということがつねにあるわけですが」と語っている。谷川雁特別インタビュー「いと小さきものが世界を動かす」『文藝　春季号』（河出書房新社　一九九五年）

（9）「神話ごっこ」の十五年（毎日新聞　一九八一・九・五　夕刊）

（10）「汝、尾をふらざるか　詩人とは何か」（思潮社　二〇〇五年）の目次を見れば一目瞭然。

（11）「党内芸術家のこのような私小説的姿勢を厳密に検討すべきではなかろうか」と谷川雁は私小説を排斥すべきものとして捉えている。「辺境の眼は疑う――革命的ロマンティシズムの展開を願って」『アカハタ二二六三・二二六四号』（日本共産党一九五七年四月）

（12）「記録される現実をつくる記録――一九五〇年代のダムとルポルタージュ――」『思想　第九八〇号　二〇〇五年第一二号』（岩

波書店　二〇〇五年）

（13）「さらに深く集団の意味を（創刊宣言）」『サークル村　第一号』（一九五八年）

（14）ウエズリー・ササキ・ウエムラ（門田健一訳）「遺産を移植する――戦後日本のサークル運動の影響――」『思想　第九八〇号　二〇〇五年第一二号』（岩波書店　二〇〇五年）

（15）「工作者という言葉に私はなにか奇妙な定義をあたえた人間として通用しはじめております」と谷川雁本人が書いている。「観測者と工作者」（『工作者宣言』中央公論社　一九五九年）

（16）五十年代前半に強い意味を持っていた「工作者」やサークル運動といった「無名」の人々の活動が歴史のくずかごへと放り捨てられるなかで、谷川雁は、「工作者」という手垢のついたキーワードをあえて再びひっさげて、党と民衆の狭間で、新たな「集団」形成をはじめたわけです。米谷匡史「［谷川雁入門］『流民』のコミューンを幻視する――『運動体』としての谷川雁」『KAWADE道の手帖　谷川雁　詩人思想家、復活』（河出書房新社　二〇〇九年）

（17）思想がもともと無署名のものであり（中略）したがって大衆を思想は私有されるものだという呪縛から解放することが私たちの思想運動の目的（後略）「観測者と工作者」（『工作者宣言』中央公論社　一九五九年）

（18）『サークル村』に直接当たれなかったため、この部分は、天野正子『「つきあい」の戦後史』（吉川弘文館　二〇〇五年）から採った。

（19）会員の女たちの大半は、書くことと無縁であったから（後略）森崎和江『闘いとエロス』（三一書房　一九七〇年）

（20）水溜真由美「森崎和江と『サークル村』――一九六〇年前後の九州におけるリブの胎動――」『思想　第九八〇号　二〇〇五年第一二号』（岩波書店　二〇〇五年）

（21）Ｗｅｂサイト「スカラベの会――西南日本文化資料探査ネットワーク」に掲載されていた『サークル村』総目次、『無名通信』総目次（ともに坂口博編）にこの場を借りてお礼申し上げたい。本稿執筆当時『サークル村』および『無名通信』に直接当たれなかった私にとって目次だけでも目を通すことができたことは、両誌の外観だけでも知ることができ、大変ありがたいものであった。

（22）谷川雁特別インタビュー「いと小さきものが世界を動かす」『文藝　春季号』（河出書房新社　一九九五年）

（23）こどもたちは単なる受け手ではなく、原作に透明な万華鏡をモンタージュし、賢治その人と「共同して」創造するよろこびを知ったのです。「ドーム感覚の造型へ――〝人体交響劇〟で賢治を表現する」岩崎稔・米谷匡史編『谷川雁セレクションⅡ

原点の幻視者』（日本経済評論社　二〇〇九年）

（24）松本輝夫「雲と雁と『国生み』（雁流日本神話）と――雁の可能性が渦巻く七つの源とは?・」『雲よ――原点と越境――』第二号（谷川雁研究会　二〇〇九年）

（25）谷川雁は「集団」というキーワードを好み、多用している。例えば渡辺京二たちのグループ『炎の眼』と『サークル村』の一員であった熊本県庁文学サークルとが提携してできた合同グループに、谷川雁は「新文化集団」と命名している。「渡辺京二評論集成Ⅱ　新編　小さきものの死」（葦書房　二〇〇〇年）

（26）谷川雁というカリスマ的なリーダーが「指導」する大正闘争ではなくて、失業坑夫たちやともに戦った「同志」たちが連携しながら「自立」したコミューンを作りだす共同作業として大正闘争があった。米谷匡史「[谷川雁入門]『流民』のコミューンを幻視する――『運動体』としての谷川雁」『KAWADE道の手帖　谷川雁　詩人思想家、復活』（河出書房新社　二〇〇九年）

（27）谷川雁『原点が存在する』（潮出版社　一九七六年）付録の渡辺京二による文「わが谷川雁」によると、吉本隆明は谷川雁を「あの人は日本一のオルグですよ」と評していたと言う。また渡辺京二によれば谷川雁はオルグするにあたって単に弁舌で人を圧倒するといったことではなく、人と接するにあたって実に辛抱強く、かつ一人一人の琴線を探す人柄であったという。

どんな感受性が育つのか
——映画『ホテル・ルワンダ』を巡る父娘のメール往来

二〇一九年三月の或る夜、出張で滞在中のホテルにいる私に中三の長女から一通のメールが届いた。授業で鑑賞した映画『ホテル・ルワンダ』に非常に心揺さぶられたとのことで、その勢いのままに書いたという感想文が添えられていた。授業で感想文を義務づけられたわけではなく、書きたくて書いたとのこと。以下は、その娘からのメールと出張先から私が書いた返信。
娘は現役のラボっ子、父は元ラボっ子。ここに見られる感受性へのラボ教育による影響とそれ以外の要因の弁別は不可能だが、ラボ教育による世界全体への興味および想像力の涵養が主な要因の一つに数えられることは間違いないだろう。

娘からの往信

映画『ホテル・ルワンダ』の感想書いてみた。読んでほしいです！

映画“HOTEL RWANDA – A TRUE STORY –”（イギリス・イタリア・南アフリカ共和国合作。二〇〇四年）
Date: 二〇一九年二月二十五日、三月四日、三月十一日。地理の授業で三回に分けて観た。

[Episode]
一九九四年に実際にあった「ルワンダ虐殺」を描いた映画。フツ族の過激派が巻き起こした混乱状態の中で、ホテルの支配人だったポールは、自分の家族を救うことに一生懸命だった。しかし、大量虐殺が始まったことを知り、その重

大さに気付いた彼は、自分のホテルにツチ族とフツ族の難民をともに受け入れることを決断。一二六八人の難民の命を救った。

［IMPRESSION］

ものすごい映画だった。フツ族とツチ族。同じ言葉を喋り、同じ宗教を信じ、部族間結婚もしている。そんな見分けもつかない人たち同士が殺し合っている。その様子が怖かった。「もうやめて。もうイヤだ」、観ていた私は思わず目をつぶった。映画の登場人物の一人、外国から来たテレビ局の報道者が「みな報道を観ても『怖いな』と思うだけで助けには来ない」と言っていたのが印象的、というか今までで一番心にグサッと刺さった。「なんて自分は無力なんだ」と思った。「怖い」とも「ひどい。許せない」とも思ったけれど、正直「助けに行きたい。戦いを無くしに行きたい。止めに行きたい」とは思えなかった。一瞬、考えはしたが「自分も死んでしまう」と考えてしまった。報道者の言葉に、そんな自分のことを言われている気がして心がズタボロになった。「怖い」と思うだけじゃダメだと思った。よく学校の作文とかで「まずは〇〇な現状を多くの人に知ってもらう。あるいは自分が知る必要がある」と書いていた。たしかに現状を知ることは大事だ。だが、私は、そこで満足していたのだ。「こんなことがあるんだ。ひどいな。許せない。なくしたい。平和になればいいのに」、そう思っている自分に満足していた。私が「ひどい」とか「許せない」とか言って終わりだったら何のために報道者は虐殺の現場を撮影したんだよ、と思った。「許せない」？　どの立場で言ってるんだ。撮影されている人は「助けて」と訴えていたはずだ。もしかしたら撮影者が戦って一人でも救えたかもしれない。それでも彼は映像を撮って世界に虐殺の事実を知らせることを選んだ。そんな苦しい思いをして撮った映像を観て、私たちは「怖い」とか「イヤ」とか「やめて」とか思って終わりにしている。もし自分が殺されたり、あるいは殺されている映像をみても「怖い」で終わりにされたりしたらどう思うか。自分の不甲斐なさを感じた。情けなく思った。でも正直に、正直に言うと、紛争とかの戦地に行くのは怖い。どうすればいいのだろうか。考えてみたけれど、答えが出なかった。ネットで調べてみた。難民を受け入れるとかがあった。もちろんそれはとても大事。だけど、戦争じたいを無くすことはできないのだろうか。長い時間をかけて考えてみようと思う。

そしてこの映画を観て気付いたことが二つある。

一つ目は「人間は敵をつくって結束する」ということ。これは私の友達が「みんな敵をつくってまとまってるよね」と言っていて気付いたことだ。確かに、学校でもそうだし、なんだってそうだ。そうやって敵をつくって結束している集団は一見強そうに見えるが、本当は弱いのだ。敵をつくって結束して、それで安心している。だが、そのような関係はすぐに滅びると思う。すぐでなくても、やがては滅びるだろう。

それから二つ目。この映画を観て、最初は「フツ族とツチ族という同じところに住んでて、同じ言葉を喋ってて、部族間で結婚もしているのになぜ殺し合うの？」と思った。だが、よくよく考えてみれば、世界中の人たちは違う国の人同士でも結婚しているし、同じ生き物。よく考えたら、国にわかれて戦争すること自体がおかしなことだ。そのことには前から気付いていたつもりだったが、今回改めて実感した。

長くなったが、私はこの映画で、自分と、人間のアホさに気付いた。「戦争がなくなってほしいと思った」とか「この現状を多くの人に知ってもらいたいと思った」とか、そんな簡単に言えることじゃない。そんな簡単な答えじゃない。これはもっともっと重大で、深刻で、答はすぐには見つけられない、あるいは正解はないのかもしれない問題なのだ。

これからは、この問題やほかの様々な問題と面と向かって、きちんと時間をかけて考えようと思う。

最後にこの映画をつくった人、見せてくれた先生に感謝する。

父からの返信

まず、この感想を読ませてくれたことにありがとう。

五十近くになっている僕自身、改めて考えさせられました——知ることと行動に移すことは次元が違う。行動に移してこそ知った意味がある、ってこと。

「傍観者は加害者だ」という言葉があります。加害者は言い過ぎなようにも思うけれど、少なくとも問題によっては「傍観者は共犯者だ」と言われても仕方ない、と僕は思います。

反原発のことにしてもそう。経産省前で座り込んでいる人たちと、仕事が忙しいことをいいわけにして慨嘆するだけの自分。

政治にしてもそう。あまりに酷すぎる政治に異を唱えたい思いがあっても、自分の投票行動止まりで、それ以上のことはできていない。

一度、もう我慢ができないと思い、国会前の抗議行動に行こうとしたことがある。行こうとした日に参加予定にしていた読書会があったので、その会に誘ってくれた元ラボのMさんに「抗議行動に行くので読書会は欠席します」と言ったら、「直接行動だけが行動なのではない。君が今日やるべきことは抗議行動ではないのではないか。今晩の読書会も大事な行動なのだから」と諭された。

これを言ったMさんは「六〇年安保闘争」の時に浦和の高校からデモに参加したり、大学時代やラボに入社してからも色々な闘争に加わってきたりした人なので、その背景を考えると重い言葉だな、と思った。

年長者の智慧には従った方が良い、僕は経験的にそう思っているので、その日はデモ行動ではなく読書会に行った。でも心中では割り切れないものが残った。「勉強だけしていればいいとは思えない。知識を仕入れるだけでは意味がない。仕入れた知識を血肉にして、より効果的な行動に繋げることを大事に思うべしということなんだろう。でも傍観者としての自分を変えることを今回僕はしなかった、できなかった」と。

多分どちらも正しいのだ。一人一人が一人分の力を持ち寄る直接行動も。そして直接行動は自分には適任ではなく、しっかりと時間をかけて自分を鍛え、立ち位置を変え、より多くの人に届く、波及するような手段をとることも。

誤解を恐れずに言えば、後者は「真のエリート」を意味するとも言えるかもしれない。「エリート」というのは現代日本においてはいい意味では使われないが、真のエリートは自分を鍛え、全員の幸せに貢献できる人を言うはずだ。

別の言葉で言えば「ノブレス・オブリージュ」だ。「高貴《ノーブル》な人」は社会に貢献する義務・責任がある、という言葉。

うちは別に「高貴な」わけじゃないし、そもそも家柄とか血統とか、そんなものは大事ではない。僕はこの言葉を「何かに恵まれたら、それを社会にお返しするべきだ」という意味に捉えている。

君のように学費を親が出してくれて、私立の中高一貫校の多様なすばらしい教育システムの下で学べる人は、そう多くはない。そこにも目を向けてほしい。自分の力で試験に合格した、それは事実であり尊いことだ。しかし勉強ができたとしても、学費が工面できず私立には進めず公立に行く人もいる。実は私もそう、私立中学に合格したが家の近くの公立中に進んだ。

根源的には「場」はどうでもよくて、本当に花咲く人は、どこに自分という種が着地してもちゃんと花を咲かせるものだ。しかし「場」や「環境」のせいで、栄養が足らずちゃんと花を咲かせることができなかったすばらしい種たちがいるのも事実だ。

そういう意味では君は恵まれている。ある意味「エリート」であり「ノーブル」な人、なのだ。君には「ノブレス・オブリージュ」が課されている、そう思うべきだ。

少なくとも僕はそう思って生きてきた。人より色んな機会やチャンスをいただいた。親から貰った健康な身体とよく回る頭。親に感謝して、先生に感謝して、ラッキーに感謝して。それをちゃんと社会に返す義務が僕にはあると感じながら。それが「ノブレス・オブリージュ」だと思う。

君の映画の感想に直接応えた返信ではないけれど、君のすばらしい感想、思いに触れて、僕が考えたことを真剣に書いている。君がこの映画のおかげで、十五歳という大事な年代にここまで深い思いに到達したことがすばらしいね。これからの君のスタートラインになった出会いだったのではないかな？

自分の弱さ、醜さ、狡さに気付けたんだね。徒党を組むこと、国境線を引くこと、の馬鹿馬鹿しさに気付いたんだね。それを今できたことはとても良かった。

そして君が書いている「答が見つからないかもしれない問い」はとてもとても大事な「問い」だ。僕自身、この歳になっても君の問いには一〇〇%正解だと思っての答など言えない。

でも、考え続けることが大事なんだ。考え続ける姿勢こそが尊いし、考え続けていれば、それは自然と君の行動全てを変えていくはずだ。

僕の大好きな宮沢賢治の言葉に「求道既に道である」というものがある。「道を求めている姿勢、それが既に道なんだ」という言葉。僕はこの言葉を信じて、考え続け、道を求め続けていきたいと思っている。君にもそうしてほしいな。僕なんかが言わなくても、君はきっとそうするね。それが僕には嬉しいよ。

「ノブレス・オブリージュ」のこと、「直接行動だけが行動ではない」ということ、についても考えてみてほしい。

考えた上で君がする行動については、僕はいつでも賛同したいと思う。でも一方で自分の考え・思いだけに凝りすぎてもいけないよ。他の人の意見をよく聞いて、柔軟にとりいれることも大事だ。僕がとりあえずMさんの言葉を彼の背景も考え合わせてまずは受け入れたように。

それにしても君の若々しい正義感はすてきだ。自分の無力さを恥じる、その気持ちもとても大事だ。それらを年齢とともに手放す人は多い。でも君にはずっとそれを手放さないでほしい。

君の感想を読ませてもらった僕も、これからもそうするよ。ありがとう。

谷川雁、子どもに賭けた後半生
――ものがたり文化の会、『白いうた 青いうた』にも共振して

谷川雁の人生を論じるとき、従来はテック＝ラボに入社する一九六五年までの、詩人・思想家としての時期が中心に据えられ続けて来た。もちろんその詩作、思想的な文章の煌《きら》めきは眩《まばゆ》いばかりであり私も愛してやまないところだ。しかしこれまでの谷川雁論ではその後のテック＝ラボでの十五年間――一九六五年九月から一九八〇年九月まで――を「沈黙・空白の十五年」として等閑視していたという問題があった。その誤りを正《ただ》す動きがようやく近年、松本輝夫氏を中心とした谷川雁研究会（略称雁研）の活動によって行われ、読み直しが進んできたところだ。

谷川雁の人生をトータルに見渡して様々な視座から評価し直すに際し、松本氏が提唱したのが谷川雁の人生を五期に区分することである（雁研機関誌『雲よ』第二号）。曰く、「初期」＝生まれてから敗戦まで。「前期」＝敗戦から筑豊に移住するまで、詩作、労働争議、日本共産党員としての活動、結核での闘病生活。「中期」＝筑豊での奮戦期、中央の商業誌紙等でも安保闘争などに関し積極的に発言。「壮期」＝テック、ラボ時代。商業誌紙等からは離れ、教育活動に専念した時期。「後期」＝ラボをやめ「ものがたり文化の会」活動を行うとともに商業誌紙・出版物での発信も再度行った時期。この区分は谷川雁を深く知ろうとするときの基礎となるだろう。

そしてテック＝ラボで教育活動に専念していた十五年間を「壮期」としたところが画期的だ。この十五年は、一般的商業誌での文筆活動から離れていたがゆえに空白扱いされていただけであり、年齢的にも四十一歳から五十六歳と脂が乗りきったとき。空白どころか、実際には教育の分野で大活躍していた「壮期」であったのだ、と松本氏は喝破したのである。

本書でも谷川雁がこの時期に精魂を傾けて創り出したラボ教育の特色についてここまで記してきた。詩人・思想家と

しての一九六五年までの活動に比して勝るとも劣らぬ輝きが、この時期の教育活動に見られると筆者は確信するものだ。そしてこの時期に谷川雁が生み出したラボ・ライブラリー作品群は、その精華と言える芸術的な作品である。これについては第二部でご紹介しよう。

さて、こうして谷川雁七十一年の生涯全体のうち不当に貶められてきた一九六五年から一九八〇年までの十五年間に光をあてることが漸くできてきたかと思われるが、一九八〇年九月にラボを退社してから七十一歳での死を迎える一九九五年二月までのこれまた約十五年弱、谷川雁の「後期」についてはどうだろうか。

以前の谷川雁評価は、詩作や評論活動および社会運動をもってのみされてきたものであり、教育活動については全く知ろうともしなかったところが問題点。一般商業誌紙に文章を発表していた一九六五年前半までを評価し、谷川雁が教育にのみ全精力を注いでいたラボ教育活動の十五年については、詩作・評論・社会運動を行わなかったという一面的な見方から「空白の十五年」と断じ、ラボを去った一九八〇年以降また谷川雁が一般商業誌紙に文章を出すようになったのをもって「復活」としてきた。であれば一九八〇年以降は正しく評価されてきたと言えるのか？

否。その前の十五年を空白としたのと何も変わってはいない。同じ問題がある。即ち「一般的な文筆活動および社会運動をもってのみ」評価がされがち、ということだ。確かに雁は一九八〇年以降に『詞集　海としての信濃』『賢治初期童話考』『北がなければ日本は三角』などの優れた詩と散文を残した。しかしそれをもってのみ「後期」十五年を見てよいのか。よいはずがない。

この時期、彼は「ものがたり文化の会」において宮沢賢治を核とした教育活動を続けていた。

また、今なお愛唱され続けている合唱曲集『白いうた　青いうた』の作詞を行うという特筆すべき果実を生んでいる。

これら二つはもっと評価されてしかるべきだ。本章では、この二つを通じて谷川雁の「後期」を、そして「壮期」と「後期」を繋いだ後半生全体をとらえ直すことを試みたい。

谷川雁は「十代の会」そして「ものがたり文化の会」へ

さて詳細は先行文献を参照いただくこととして本書では割愛するが、ラボ教育センターは一九八〇年から八一年にかけて三分裂、谷川雁と榊原陽の両代表取締役は八〇年九月に退社し、それぞれの団体を作る流れとなった。

谷川雁はラボ正式退社から約四ヶ月後、一九八一年一月、十代への教育を志す各界専門家に呼びかけ「十代の会」を設立。そしてその次の段階として宮沢賢治作品を核とした教育活動に取り組むべく、翌一九八二年の九月には、「ものがたり文化の会」を設立。十代の会はその支援を担うという位置付けとなった様子。現在十代の会はなくなったといえる状態だが、ものがたり文化の会の会誌『十代』にその名を残している。なお、ものがたり文化の会では、用語テューター、パーティをラボ同様に用いている。

ラボにおいては、「物語」を大事にする谷川雁、「外国語習得」を第一とする榊原陽の二人が当初は全面的に協調、途中から相容れなくなり路線対立、という経過をたどったとのことだが、その危ういバランスの上に、いい意味で緊張感のあるラボ教育が成り立っていたと見ることもできよう。しかし分裂の結果生まれた二つの会では、谷川雁の理念、榊原陽の理念がそのままストレートに反映され、それぞれの理念である「物語」と「外国語習得」が、より尖鋭化されて活動が進められた様子だ。「ものがたり文化の会」は途中から英語を捨ててその名の通り「物語」に特化し、榊原陽が設立した団体は「外国語習得」に特化して雁が大事にしていた意味での「物語」からは離れた。そのように特化した上で、これら二つの団体も現在に至るまで活動を続けている。

さて、「ものがたり文化の会」はラボ分裂時に谷川雁と行動を共にしたテューター、そのパーティの子どもたちが中心となり始まったものであり、パーティ数（＝テューター数）は設立当時約百、以後四十年近くが経過し、現在はかなり減って全国で十パーティ強となっているが、継続しているパーティでは熱を帯びた活動がされていると私も聞き及んでいた。

ものがたり文化の会見学記

そしてふとしたご縁からそのうちの一つ、大分の朝倉パーティの活動を見学させて頂けることとなり、二〇一九年五月、私は大分に飛び、パーティ活動を見学、色々とお話も聞かせていただくことができた。

その日とりあげていたのは宮沢賢治の『水仙月の四日』。ラボ・ライブラリーでも活躍した岸田今日子さんが、複数の声音を使って吹込を担当。音楽の間宮芳生、絵の高松次郎も、ラボ・ライブラリーでおなじみの顔ぶれ。間宮の音楽も小編成の管弦楽とチェンバロを使った立派なもので、特にチェンバロが効果的だ。英訳はC・Wニコルと谷川雁。こちらもラボ・ライブラリーでおなじみ。

ラボ・パーティは一人のラボっ子からすれば週に一度の開催というペースで全国的に統一されているが、ものがたり文化の会では、よりテューターに裁量権があるのだろうか、朝倉パーティは月に一度の開催とのこと。ほとんど小さい子だけの六～七名での活動だったが、ベテランテューターの朝倉さんの自在なパーティ運営で、子どもたちが実に活き活きと楽しく活動しているのが印象的だった。会場を訪れたときも、会場そばを流れる小川沿いの土手でテューターと子どもたちが楽しく遊んでいた。土手沿いに生える木の実を採って食べたりして、テューターも子どもたちも自然体での活動がすばらしい。

そして土手から会場に戻って活動。子どもたちはまずソングバードを楽しみ、次に表現活動（ラボで言う「テーマ活動」）。テューターが植物を多く用意しており、その植物の話から『水仙月の四日』の世界に導入していく。表現活動は日本語だけでされていた。英・日で表現活動を行うラボ教育との大きな違いだ。

ライブラリーはテキストとCDのセットとなっており、テキストは英日対応でラボ同様であったが、CD録音は英語と日本語が完全に分かれて収録されている。ラボがセンテンスごとに英・日・英・日……と続く形式であるのに対し、日本語だけで物語が全て語られ、その次に英語だけで物語が語られるという形。制作当時はラボ同様に英日対応でカセットテープに収録されていたものだが、CD化する段階で英日対応維持と分離とで議論の結果、分離させたものだという。

英語を外し、日本語のみの物語・表現へ

パーティの見学後には朝倉千代テューター、私と同年配のものがたり文化の会関係者である椋梨雅紀子さん、京徳治さんにお話を聞かせていただいた。作品の制作については、

――谷川雁は英語にもBBCアナウンサーを呼んできたりしてこだわっていた。有名人も安いお金でも谷川雁の人脈のおかげでやってくれた――

と証言。しかし、九作目からは英語を除いて日本語のみを対象とするようになった。これは基本的には資金的な問題であったという。資本がそれなりに充実していたラボ教育センターに比して、ものがたり文化の会は資金的に相当苦労したであろうことは想像に難くない。また元ラボ会長の松本輝夫氏によれば、資金的な問題以外に、ある事情により谷川雁がC・Wニコルに絶縁を宣告したことが大きかったとのことだが、いずれにせよ教材が日本語のみとなるとともに、会の表現活動（ものがたり文化の会では「人体交響劇」と呼ぶ）も英日両語から日本語のみへとかわった。この周辺の事情をお三方は以下のように証言した。

――ものがたり文化の会の活動に移った頃、「聞き込み（反復して聞くこと）で英語を覚えるものじゃない」という考えが谷川雁にはあった。英語圏には英語圏の文化がある。宮沢賢治には日本語圏の文化がある。同じ事を同じ言葉ではいえない、きちんと各々の言葉で表現することが大事。言葉を習得するための録音ではない。英語圏は英語で賢治に向かう。日本人は日本語で物語、文化に向かう、と――

――テューターの中には、本来英語が好きだったのに……と渋々日本語のみでの活動に対した向きもあった――

――一方で、表面づらで英語を喋るのには抵抗があったのがすっきりした、という感覚もあった――

――本当は雁さんは、お金があれば、ニコルさんが駄目でも、しかるべき英語の表現者を見つけて絶対英語もやりたかったはず――

このようにして途中から日本語のみでの表現活動を行うようになり、ものがたり文化の会は外国語習得という課題から離れて、物語を味わい、自ら表現する活動に焦点を絞っていったのであった。

ものがたり文化の会の活動諸相

さて、次に谷川雁のものがたり文化の会での活動の諸相を見ていこう。まずは制作した物語ライブラリーだ。しょっぱなは一九八二年に刊行されたC・Wニコルの英語によって制作されたオリジナル作品『氷の国の走馬燈――コロンとグルガ』（以下『コロンとグルガ』）。日本語訳をらくだ・こぶに（谷川雁）と西藤和、音楽をジャズピアニスト・作曲家の佐藤允彦が、声を久米明、岸田今日子らが担当したという相変わらず豪華な布陣。ただ残念ながら絵本とカセットテープから成るこの作品は、今となっては入手が困難であり、私は鑑賞できていない。内容については『雲よ――原点と越境――』第七号所収の金丸謙一郎氏による「コロンとグルガの歩いた場所へ――三雁転入　その①」が詳らか。また今回お話を伺ったうちのお一人京德治さんはラボからものがたり文化の会に移った子ども（自身の行動ではなく大人によるものだったろう）であったが、ラボ・ライブラリーについて「『国生み』が一番好きだった。それまでのものはお遊戯的だった」と評する一方で『コロンとグルガ』についてはキッパリとひと言「名作です」と断言していた。C・Wニコルさんも今春残念ながら鬼籍に入られたが、彼の作品の中でも「幻の名作」となってしまっているこの『コロンとグルガ』を何かしらの形で復活できないものだろうか。

話を戻そう。その後、ものがたり文化の会のライブラリー及びそれによる表現活動はオリジナル作品ではなく、宮沢賢治作品へと移る。雁執筆と思われる会設立時の趣意書には既に「日本に生まれたふしあわせもすくなからぬこどもたちにとって、宮沢賢治の作品を母国語で味わえることを、その幸せの最たるものに数えてよいと思います」とあることから、当初からの計画にある程度沿ったものか。全十五作品がリリースされている。順に挙げる。一九八三年に『どんぐりと山猫』『水仙月の四日』、八四年に『やまなし』『オツベルと象』、八五年に『狼《オイノ》森と笊《ざる》森、盗《ぬすと》森』『月夜のでんしんばしら』、八七年に『かしはばやしの森』『鹿《しし》踊りのはじまり』、八八年に『洞熊《ほらくま》学校を卒業した二人』『北守《ほくしゅ》将軍と三人兄弟の医者』、九〇年に『蛙のゴム靴』、九一年『土神と狐』、九二年『山男の四月』、九三年『楢ノ木大学士の野宿』、雁の死後となる九七年に『よだかの星 畑のへり 祭の晩』。錚々たる制作陣からも少し抜き書きしておこう……英訳：C・Wニコル／谷川雁、音楽：外山雄三／間宮芳生／佐藤允彦／新実徳英／ドビュッシー（新実徳英編曲）、演奏：安田明子／安田謙一郎／高田みどり、絵：高松次郎／李禹煥／中西夏之、語り：岸田今日子／日下武史／佐藤慶。なお『鹿踊りのはじまり』以降は日本語のみでの収録となる。先ほども記したように谷川雁からニコルへの絶交があったこと、資金的事情などが理由と伝え聞くところだ。

　また先にとりあげた「ラボ土曜講座」の流れと言えるのだろう、「万有学」という体験的学習も活動の一つとしてあったようだ。ものがたり文化の会ホームページによれば「知らないことは本で調べたり、実際に見にいったり、やってみたり、専門家に聞いたり」する活動とのこと。実際に見学させていただいた朝倉パーティの子どもたちが川沿いの土手で果物を楽しんでいたのも、この考え方の流れといえるのかもしれない。そして出版活動もしており『賢治童話全集』全六巻を一九九三年から九六年にかけて編集・刊行している。さらに会の中には合唱サークル、絵画サークル、俳句サークル（『俳句十代』誌により句作に取り組む）、朗読サークルもあったというのが『サークル村』を想起させる。「それぞれ先生が一流のスゴい人ばかり」で、その分サークル費も高額だったとはいうが、贅沢な内容だったらしい。特に合唱サークルはこのあととりあげる谷川雁作詞、新実徳英作曲『白いうた 青いうた』を新実の指導で歌ったりもしていて、今では有名作品となった同作は「ものがたり文化の会の若い合唱団の協力が必要でした」と谷川雁が曲集への序文で記しているように多大な貢献をしたものと言えるようだ。

　物語を中心に据えつつも、実に多彩な表現活動を行うあり方はやはり谷川雁によって作られた会らしいと言えよう。

なお、谷川雁はラボ時代と同じく、ものがたり文化の会においても活発にテューターたち・子どもたちと話している。『山男の四月』CDリーフレットに掲載の「谷川雁氏によるこどもたちへの講話より・一九九二年夏の各地合宿にむけて」から、子どもたちに「物語」について語っている部分を引用させていただきたい。

——こういう語り手は、あやしくてふしぎな存在ですね。精霊とか妖精とかに近い。それを古い日本語では〈もの〉とよびました。〈もの〉が語ったのが〈ものがたり〉です。〈かたる〉は〈騙る〉で、聞き手の心をどこかふつうでない世界へだまして連れていってしまうのです。なにしろ魂はあんまり日常の場所にいすぎると、古ぼけて腐ってしまうので、ときどき非日常のものがたり世界に遊ばなければなりません——

谷川雁は七十近くになっても、こうして本気で子どもたちに語りかけている。尊いことだと思う。

そして二〇一九年五月の大分での取材で、この時期の谷川雁に直に接したお三方も、雁が傾けていたエネルギーについて証言した。

——テューター合宿でお酒が入ると谷川雁は饒舌になる。もう少しで七十歳になるという頃、「いいですか。僕がね、五歳と同じ目線で向き合うのにどのぐらいのエネルギーをかけているかわかりますか。そのぐらい本気でやらないといけないんですよ！」ということを凄いエネルギーで語っていた。「それでも僕は向き合うんです」と。そして七十二歳直前で亡くなった——

谷川雁は単なる商売で子どもと接していたのではなく、ましてや執筆の合間に道楽で接していたのでもない。次世代に、子どもたちに本気で向き合っていたのだ。

テーマ活動と人体交響劇

ラボ教育におけるテーマ活動は、ものがたり文化の会においては「人体交響劇」と名を変える。ただし「テーマ活動」という言い方も、その後も併用されていたようだ。

しかし名は変えても、土台はほぼ同じものと言っていいだろう。「大道具・小道具なし」「衣装なし」「人体のみで表現する」「登場人物だけでなく事物・心象等も表現する」「ナレーションがある」「上質な音楽」といった基本要素は全て同じだ。

違いがあるのは以下の三つと言えよう。

一、ものがたり文化の会が途中で英語を捨てて日本語だけの表現としたこと

二、宮沢賢治のみにフォーカスしていったこと

三、セリフを担う「言語班」、パントマイム表現をする「視覚班」、そして谷川雁のことば（「ドーム感覚の造型」）を借りれば「物語の奥部にある（中略）なにかよく分からない（中略）もの（中略）そんな存在がいると想定して」表現する「聴覚班」という役割分担を推し進めたこと

一についてはこれによって外国語習得とは完全に切れ、一つの表現様式による文化活動に移行したと言えよう。そしてその表現の共同創造活動を通じて子どもたちが育つ、ということを目的としたということか。

二については次節で触れる。

三については二〇一九年五月に大分で見学をしたときには小学生での活動だったため、そこまでの役割分担は見てとれなかった。お話を伺った朝倉テューターも「中高生が入ってこそ、ものがたり文化の会がわかる」とお話しされ、幼少年活動しか見せられなかったことを残念がって下さった。確かに谷川雁が重視していた「十代」による人体交響劇こそが、ものがたり文化の会の本領なのだろう。そこで、あいにくライヴで観ることはかなわなかったが、インターネットの動画サイトで近年の発表の様子を観てみた。縦長異年齢のたくさんの子が活き活きと演じていてすばらしい。セリフとパントマイムの分離はよくみてとれた。しかも固定化されず担当は自然に入れ替わっていく。私はこの分離を初め

て知ったとき、表現活動をする上では少し不自由なのではないか……と感じたのだが動画を観たところ、特に違和感もなく楽しめ、一つの表現様式たりうると感じた。なお、ラボ教育のテーマ活動との大きな差異であるはずの「聴覚班」の表現については私が鑑賞した動画からは見て取ることはできなかった。最近はあまりなされないのかもしれないし、一つの発表動画だけではわかりえないものでもあろう。今後鑑賞する機会、特にライヴで鑑賞する機会を俟《ま》ちたい。

ものがたり文化の会の方々に聞く谷川雁

さて、大分でお話をさせていただいたお三方とは、表現と教育について興味を同じくし、谷川雁の影響が色濃い教育団体で過ごしてきた共通性からか、話は弾み、長い時間さまざまな話を聞かせていただいた。伺った貴重なお話をここに記録しておきたい。

やはり「表現」と、ラボの「分裂」、そして谷川雁の人物像についての話が多かった。

表現について興味深かったのは「宮沢賢治は難しい。意味がわからないときに英語で見ると内容がわかることがあった」「あったあった」と皆さんが盛り上がっていたこと。宮沢賢治が作品に籠めた思いを谷川雁とC・Wニコルが全身的に受け止めて英語化していったことが窺われる。また「聴覚班」についても「難しい。言語班、視覚班では表現できないものを受け持つもの、と思ってやっている」とのこと。ただし人数がある程度いないと三班に分けられないこともあるし、年齢にもよるそうだ。「聴覚班」については「いと小さきもの」を対象としておりそのことを議論するのが大事、説明はせず「いと小さきもの」を「いと小さきもの」そのままに表現すること。谷川雁の名言「下部へ、下部へ」は「いと小さきもの」に繋がる言葉。宮沢賢治にこだわるのもまたこのことから来ている、との証言が印象に残った。

また「音楽班」「舞踏班」など更に細分化した試行錯誤もあったとも。舞踏班についてはその発表を見た谷川雁が「ソングバードをやらなくなった連中のリズムがとれなくなったこと……。これはやめよう……。どう思う……」と呟いたとの貴重な証言も。このように試行錯誤をしながら模索を続けていたのだろう。

なおソングバードについてはテューターによってやる人やらない人がいるとのこと。

人体交響劇については「交響するというのはとてもいいと感じた」との発言があった。確かに「交響する」ということばには「主役・脇役」といった平板さから離れて立体的な趣きが感じられる。また「新たな総合芸術であると感じた」「二つの発表会で幾つもの『水仙月の四日』が発表されるようなケースも少なくないがそれぞれ違って全然飽きない」「滅多に見られないけれど『偶然の産物』的に『凄い芸術』を観られる時があって『やっててよかった』と思う伝説の発表が何年かに一度ある。身体を叩く表現など自由にやっていてそれが揃ってされるとき等」とも。

分裂期に出された書籍・冊子についても話を伺った。『根の国の力――「国生み」発刊にあたって』(著者：らくだ・こぶに。一九八〇年二月「葦牙《あしかび》」購読者の会発起人会)、『物語としての日本神話』(著者代表：谷川雁。一九八〇年十二月　テーマ活動文庫刊行会)、『ピーター・パンの世界』(著者代表：谷川雁、編集制作：十代の会。一九八一年十一月　テーマ活動文庫刊行会)、『青の発見「テーマ活動」ノォト 一』(著者：らくだ・こぶに〈谷川雁〉。一九八一年十一月　㈱物語テープ出版)といった冊子・書籍が出され、八〇年九月の谷川雁ラボ正式退社の前後に集中しているが、これらについては「過渡期の産物。雁さんに同調してラボをやめたテューターたちが雁さんの了解をとって作った。ただしものがたり文化の会ができたとき、こうした活動の中心メンバーであったテューターは来なかった」とのこと。このテューターたちは、それまでに刊行されたラボ物語作品ではなく宮沢賢治一本の活動になることへの違和感等があったのだろうが、組織が引き裂かされた難しさの中で、それぞれの立場で真剣にテューターたちが自分から動いたおかげとしての冊子・書籍であり、我々がそこから学べることに私としては感謝したい。

最後に谷川雁の思い出について。谷川雁は手紙魔。またテューター全員に毎月電話も。まめな人だった。「テューターたちが恋人のように慕っている。多感な男子中高生としては反抗心がわいていた」という京徳治氏の証言もおもしろかった。ただし谷川雁はテューターだけにまめに接したわけではなく、子どもたちにも直接手紙を書いており、「もらった手紙は全ていまだに人生に影響を与えている」「一番感動したのは和紙に達筆で切手も綺麗なものが貼ってあり、十七歳の私が悩みを書いたのに対する返信で、それに時間を割いて真正面から答えてくれていたこと」「とにかく個人的につきあっていた、全ての人と。テューターが話すパーティの子どもたちのことを憶えていて、次の会の時にちゃんと『あれはどうなった?』と。すごく『個』を見る。十数パーティの発表を観て一つ一つに講評をする」「雁さんは逃さない、タイミングとことばを。貰った人には、その感動がいつまでもいつまでも残る」

これだけ一人一人と向き合うことは、さぞやエネルギーを消費するものだろうと思うが、谷川雁は手抜きなどできない、何にでも本気で取り組む人だったのだろう。確かに谷川雁はここでもラボ教育のとき同様に本気で教育活動に取り組んでいたのだ。

『白いうた　青いうた』——作詞家としての谷川雁

さて、次にこの時期のもう一つの大事な活動『白いうた 青いうた』の作詞について見ていこう。新実徳英が先に曲を書き、それに谷川雁が詞を付ける、といういわゆる「曲先《きょくせん》」と呼ばれる珍しい形で作られた合唱曲集だ。百曲を目指して一九八九年に始まり、一九九五年の雁の死までに五十三曲が生み出された。目標の百曲には届かなかったが五十三の小世界があるという豊穣。ぜひたくさんの方にそれらの世界を味わっていただきたいと願う。子どもたちが楽しんで歌えるような言葉遊びをメインにしたものなどわかりやすい詞もあれば、一見少々難解だがイメージを喚び起こす趣のものもある。あるいは奥深い隠喩がありそうだと思わせるものもある。実に多彩な味わいだ。

当初この曲集は「十代のための二部合唱曲集」のサブタイトルとともに世に出た。のち「三世代のための〜」に改題。基本はピアノ伴奏付き二部合唱。一部の曲で打楽器、リコーダー、手拍子が効果的に加わっていたり、二部に分かれず斉唱《ユニゾン》で歌われるものもある。

新実徳英が谷川雁と初めて会ったのは一九八四年の暮れ、間宮芳生の紹介。その後、宮沢賢治作品の音楽を数作担当している。順に宮沢賢治童話シリーズ第五作『狼森と笊森、盗森』、第六作『月夜のでんしんばしら』(以上二作、一九八五年)、第九作『洞熊学校を卒業した三人』、第十作『北守将軍と三人兄弟の医者』(以上二作、一九八八年)、第十二作『土神と狐』（一九九一年。ドビュッシーの曲を編曲）、第十五作『よだかの星畑のへり祭の晩』（雁の死後、一九九七年）。宮沢賢治童話シリーズ十五作のうち六作を担当している。そのうち四作を既に終えた時期である一九八九年から『白いうた 青いうた』の制作が始まったことになる。月刊誌『教育音楽 中学・高校版』への連載として行われた仕事。

この制作の経緯を新実自身が以下のように記している――なぜこのような普通とは逆の順序で作られたのでしょうか。私は日本語のイントネーションや構造にとらわれないスックと立った旋律を作りたかったのです。そして、谷川さんはそれを良しとするのみならず、中国唐代の塡詞《てんし》にもなぞらえて、詞の後付けを楽しんで下さることになったのでした。一曲ずつ出来上がってきた詞は、どれも驚くべき出来栄えでした。美しく、奥深い叙情詩が、まるで曲より先に作られたかのようにピタリとはまっているのです。そしてなによりも「歌う詞」としての素晴らしさがあります。このことは歌ってみるとよく分かります。曲、旋律の表情を見事にとらえて歌う者の心を高揚させてくれます。すごい詩人と組んだものだ、というのが私の実感でした――。

雁の側はどうだったか。私は想像する。谷川雁が、届いた曲をまず聴いて、イメージを膨らませる姿を。これは「海」のイメージの曲だ、これは恋だな、などと直感力を働かせたりしたこともあっただろう。あるいはこの曲のこの部分は「偽善者」「自転車」で韻を踏むと面白いぞ、といったようにきっかけを得てそこから作った場合もあったか。いずれにせよ雁はこの仕事を心底から楽しんでいたと信じる。なぜならあまりにすばらしい出来映えだから。楽しんでした仕事でなければこのすばらしさは生まれ得ない。論語にも「知之者不如好之者　好之者不如楽之者」というではないか。知っている者は好きな者には及ばない。好きな者は楽しむ者には及ばない。

谷川雁自身の言葉からもこの仕事への思いを見てみたい。「〈塡詞《アテブリ》〉に可能性がある」という文章から。藍川由美が『白いうた 青いうた』から二十九曲を選んで録音した『鳥舟《とりふね》』というアルバムのブックレットに谷川雁が寄せた文章だ。「現代日本の歌曲に、私はまったく不案内である。そのくせ、歌うに足る曲は暁天の星のごとくまれだとおもいこんでいる」と如何にも雁らしい書き出しで始まる。そしてその原因を「現代詩のなかのある作品に譜をつければ、前衛的な曲ができあがると、安手な見当をつけているらしい」作曲家の錯覚によるものだろうと喝破する。なぜ錯覚だというのか。先を見よう。「現代詩というものは、ヨーロッパでもアジアでも、強烈な異文明に遭遇した戦慄を基調にする。危機意識の先端で発光していることばは、平衡する声の組織化とは両立しない。この意見がまちがっていれば、『悪の華』や『地獄の季節』はとっくにすばらしい歌曲になっていなければならぬ。歌になる現代詩とは、そこに前衛性とは別の物が多量に混入している詩のことだ」「現代詩のことばと歌曲のそれはヴェクトルが逆さま」だ、と。なるほど、近現代の合唱曲の問題点を明確に述べている。確かに「現代詩」に曲を付けたものには、合唱の原点である「平衡する声の組織化」すなわちハーモニーの美質を大きく損なったようなものが少なくない。ここでも谷川雁は本質を射抜いている。

そして、歌曲のことばについて「私は、積極的な意味で〈後衛のことば〉と呼ぶ。感性上の親しさと卑俗さをぎりぎりの低空でふりわけるゴール・キーパーの選別力をいうのだ」と宣言する。かつて前衛詩人と呼ばれた雁がなぜ後衛の言葉を紡ぐのか。彼は記す。「私はただ、ことばの前衛だけでなく、後衛にも身を投じてみたい興味から、新実徳英の投げてくる曲にあたかも条件反射のごとく反応したにすぎぬ」と。しかし条件反射などと記してはいるが、そう簡単な仕事であるはずがない。「むろんシシリアーノだのハバネラだのラーガだのガムランだの、彼の球が変わるたびに、日本語の常套的手法は色色さまざまな関所につきあたる。その難関こそは、それぞれの歌のもっとも美しいところだ。だから、そこをのりこえたとき、ちょっとエクゾティックな香りのする汗がにじむ。このような一曲の歌詞を、流行歌でいうアテブリの方法でつけることは、一頭の野生の馬を馴らすのにひとしいとさとったしだいだ」と吐露。汗はにじませながらも作曲家の多様な球種を大事に受け止めているのだ。そして彼は自負する。「言語の操縦能力を駆使すれば、世界のどんな伝統歌曲の旋律にも、日本語をあてることは可能だと考えてよいのではないか。アテブリによって、一つの言語は韻律の潜在性を拡大し、顕在化できるのだ。(中略) 壮語をもてあそべば、私たちは (中略) 音楽と文学の交叉する新しい分野を (中略) 提唱していることになる。なんとなく大きな可能性の予感がある」と。そしてこの「音楽と文学の交叉する新しい分野」の「大きな可能性」は見事に花ひらいたのだった。

さて曲先ということで、作詞家は曲の雰囲気に合わせて詞を考えるわけだが、これが実に多彩。「島原」という題で四百年近く前に飛んだり、一九九〇年のベルリンの壁崩壊をリアルタイムで扱った「壁きえた」といった時事的な題材もあったり。韻による言葉遊びもあり、オノマトペもあり。童話的なものがあると思えば、前衛的難解なものもあり。文語体の叙情詩もあれば、恋の歌もある。ギリシャ神話から「アルデバラン」を持ち出したり、インド風の曲に「砂よ」と名付け、バリ島のガムラン風の音楽には「就職」と題する。中国残留孤児、ヴェトナム難民、ボスニア・ヘルツェゴヴィナの悲劇を扱ったり。

作曲家と作詞家の創作時における関係を、新実自身の著書『うたの不思議』から引用したい。――時折、雁さんが「ニイミさんは日本語の都合のことをほとんど考えてくれないからなァ」とぼやいておられたのを思い出します。でも僕は、あえて日本語の都合を考えなかった。だって、せっかく自由気ままに旋律を書ける「場」だったんだから。（中略）僕は雁さんに甘えっ放しでした――

なるほど、日頃合唱曲を書く際には詞が（詩が）先にあり、日本語のイントネーションや構造を気にしながら曲を書かざるをえない作曲家が、谷川雁という得難いパートナーを得て、日本語の都合を全く考えずに書きたいように書けた。これは稀有なことであり、このような僥倖は全ての作曲家が得られるものではないだろう。こうして日本語の詞（詩）に合わせずに自由に書くことができることから、新実は世界各地の音楽―インド風、ガムラン風、スラヴ風、スペイン民謡を素材にした曲、ドイツ舞曲など、をとり入れた多彩な曲を次々と生み出した。谷川雁はそれら世界中の要素を全て自在かつ多様に料理してみせた。このように多彩な曲と詞が相俟《あいま》ったのだから大ヒットしないはずがない。瞬く間に日本じゅうの合唱団に愛される曲集となり、新実は独唱、女声合唱、無伴奏混声合唱、混声合唱、男声合唱、などと様々なヴァリエーションを生み出していくこととともなる。ヴァリエーションのなかで言えば、私は『北極星の子守歌』という曲集を愛聴している。新実が『白いうた 青いうた』から八曲を選び無伴奏混声合唱にアレンジしたもの。無伴奏であるため『白いうた 青いうた』よりも詞が際立ち、谷川雁の詞を味わいつくせる感がある。

十代に向けた曲集

『教育音楽　中学・高校版』の連載であったこの曲集。中学・高校といえば、すなわち「十代」だ。十代に思いを寄せた活動を続けた谷川雁にピッタリの仕事であったのだ、この『白いうた 青いうた』は。詞としても、初っぱな一曲目が「十四歳」、次が「ともだちおばけ」と始まったように十代を扱ったものが基調となっている。一方で「二十歳《はたち》」があったり、「無名」という谷川雁の生涯を通じたキーワードを題としたものもあったり、と「子ども向け」などと程度を下げるようなことは一切せず、テーマも多彩なところがさすが、なわけだが。基調は十代、と言えると思う。そしてその基調である十代を扱ったものに、そのものずばりの「高二の肖像」「卒業」というものもあったりする。前者はユニーク。こんな谷川雁もあるのだ。

――鏡のなかの　たまねぎガール　きざめばたぶん　目にしむかもね　つるつると　まろやかに　嘘の皮が　はがれてつづく　あぶらに焦げる　けむりの高二　ソースをかけた　色白小町――

女子をとりあげたこの一番に続き、二番は男子を調理。これもおもしろいが、ここでは割愛。

一方の「卒業」では一転して叙情の極み。

――紙ひこうき　芝生で　とばしたら　折りたたむ　かなしみが　ひらいた　この　白さは　いつまで　のこるのか　天山北路の　すなふる　はなみずき　まどがらすに　さよなら　書いたゆび――

詩人谷川雁が十代に向けて書いた叙情詩、をここでは味わいたい。

言葉遊びの系列も少し見てみよう。まず「自転車でにげる」。「やばい　しばい　オートバイ」の脚韻から始まり、「どいつも　こいつも　ぎぜんしゃ　おれは　どっこい　じてんしゃ」でもまた韻を踏む。高度なワザであり、かつ楽しい。次に「ぼくは雲雀《ひばり》」も輪を掛けておもしろい。雲を偏愛した谷川雁らしいタイトルだな、などと思っていると、なんと「英語はにがてさ」から始まる衝撃！　TEC《テック》（東京イングリッシュセンター）＝ラボ教育センターで代表取締役専務まで務めたのに、と笑ってしまう。曲調も楽しく、子どもの気持ちを代弁するような歌詞が続く（以下、「数学きらいだ 国語もさっぱり 社会はねむいよ」と）。この曲、少年少女合唱団は特に楽しい気分で歌えるだろう。大手を振って勉強の悪口を大声で歌える。実に見事な塡詞《てんし》である。『白いうた 青いうた』を是非読者には実際に聴いていただきたいのだが、特にこの曲などは是非。元々この詞のためにこの曲があったのでは、と思えるぐらい曲想と歌詞が絶妙にマッチしている。これをあとから付けたというのは俄《にわか》には信じがたい、とてつもない凄いワザだ。

曲先という形であったからこそ、雁のユーモアが表に出たのであろう。新実の曲には美しいものもあれば、楽しく活発なものもあった。後者には当然楽しい詞を付けねばならない。そこにユーモア溢れる谷川雁が甦ったと言えるのではないか。「甦った」と書いたが、ユーモアは元来谷川雁が豊かに持っていたセンス。筑豊時代に共に闘った大正行動隊のメンバーたちは口を揃えて言うのだ、雁さんにはユーモアがあり、実に愉快な人であったと。ただしその時代にはユーモアで周囲の人々を明るくさせつつも、谷川雁は文章ではそれを表現していなかった。つまり雁の前半生の諸活動、そして後半生の教育活動においても、そのユーモアは文章ではあまり表出されてはいなかった。「十代のための歌」というテーマ、そして明るい曲が送られてきてそれに詞を付けるという趣向、これらによって雁本来のユーモアが詞という形で書き付けられた。彼のユーモアが存分に発揮された唯一の表現だったと言えるかもしれない。

文章の難解さや「工作者」という彼自身の名乗りにより、こわもてなイメージが先行してしまった感があるが、『白いうた 青いうた』を合唱曲としてシンプルに取り組んだ合唱団の人々からすれば、こういった言葉遊びのようなユーモアを素直に楽しめたのだろうし、それが広く愛唱される曲集となった要因の一つだと言えよう。

この稿のために聴き直してみた今、改めて驚嘆の念を禁じ得ない。実に自在にして融通無碍な詞の数々。最晩年にこのような仕事が谷川雁にあったことを彼のために喜びたい。そして私たちのためにも喜びたい。

谷川雁の後半生は「子ども」「十代」が一貫した主題であった——次世代に賭けた三十年

谷川雁は『白いうた　青いうた——十代のための二部合唱曲集　一』の序文を十代への呼びかけとして、以下のように始めている。

——あなたのお父さんがまず曲をつくり、なんとおじいさんが詞をつけ、十代のあなたがそれを歌うということになったら、おうちの空気はどうなります。盆栽までにやにやし、冷蔵庫がかたこと踊りだしはしませんか——

自らを「おじいさん」になぞらえて、肩肘を張らず坦懐に子どもたちと向き合う老境の雁がここにいる。そして同時に十代のみずみずしい感覚を手放さずに懐中に持ち続けているのが雁の真骨頂だ。この序文のなかでも十代を「この世への敏感な反応をかくして静かに紅潮している時期」と表現している。そしてその時期に自己を表現すること、世界の諸問題が内包する叙情性を表現することは十代には難しいことだ、と述べた上で、「アドレッセンス（筆者注：思春期、青年期）前期の感情を年長者が歌のかたちできっぱり〈代弁〉してやる必要があるのです」と説く。そして「ではぼくのような偏屈な人間に十代の代理人がどうしたらつとまるでしょうか。新実さんという世代の中継点から毎月届けられるしゃれた曲と、つぎつぎに歌ってみてくれる孫の世代にあたる『ものがたり文化の会』の若い合唱団の協力が必要でした。微笑をかわす三世代リレーの産物を受けとってください」と結ぶのだ。

「十代」「三世代」という言葉が短い序文に深い意味合いを帯びて木魂《こだま》する、さすがの名文だ。十代、そして子どもたちへの温かな目線が満ちている。

ここまで見てきたように、谷川雁の後半生は一貫して子どもたちと過ごしたものであった。それがラボであれ、ものがたり文化の会であれ。彼は人生の半分を子どもたちのために生き、子どもたちとともに過ごしたのだ。そして『白いうた　青いうた』も子どもたちのために書かれた。

彼の前半生を知るものは、後半生の彼を前半生の延長線上にしか見られない傾向があるようだ。また前半生で深く関わった方からは「子どもなんて好きな人じゃなかった」といった証言もある。しかしあくまでそれは前半生の谷川雁なのであって後半生における彼は違う。写真に見る後半生の彼は子どもたちの輪の真ん中に飛び込んでお話をしたり、踊ってみせたりしている。素直に明るい笑顔で溶け込んでいる谷川雁がそこにいる。人生を一気通貫するものもあるが、人間は途中で変わることもある。変わる前の人間を基準にして変わったあとの人間を評価するのは誤りであろう。

雁の生涯を文筆活動および社会運動の面からのみ見ると、教育のみに専念したラボの十五年を空白とみなす陥穽に落ちると本章冒頭に記した。そしてもっと詳細に見るためには松本輝夫氏が提唱する彼の生涯を五期に分けて見る見方が、より妥当だとも。

しかし、この便利な五期区分も大事にしつつ、もっと大づかみにみるためには二期に分けて見ることを私は提唱したい。すなわち「前半生」と「後半生」だ。七十一年の生涯のうち、四十二歳時の筑豊からテック＝ラボへの移行の前と後で二期に分ける。そう見れば前半生は詩作、思想家そして実践家としての社会運動の日々ととれる。そして後半生の三十年は子どもに、次世代に向けた教育活動を中心としたものだったと。『白いうた　青いうた』もまた子ども、次世代に向けた贈り物であったのだから後半生をそう総括してよいだろう。

ラボを離れてから死までの約十四年は執筆活動に戻っているということに目が行く向きが多かったと思うが、これは経済的な事情や、「ものがたり文化の会」の広報宣伝の必要からおこなったものとも言えようし、ラボという一定程度大きな組織の役員だった時期に比べれば、より時間が取れた時期だったということもあるだろう。この十四年における谷川雁の主題はあくまで「子ども」「十代」だったと見たい。そうすれば眼前から靄が消えるように見えてくる。前半生は詩人・思想家として生き、後半生には子どもの教育をおこなった生涯であったと。

一九六五年の当初時点でそこまでの熱があったのかはわからない。やっていくなかで子どもたちから学びを得、本気度を増していったということも言えるだろう。

これだけの人物が人生の半分をかけた教育活動の手法と、その元となっている彼の思想から学ぶものは大変多い。教育手法については既に第一章で記した。今こそ教育に携わる方々、そして親世代が学ぶべき先駆的手法がそこにはある。そしてそれは教育のみに有意義なのではなく、我々一人一人がより良く生きるためのヒントに満ちている。

谷川雁の一生を通貫したのは「ことば」「物語」。そして彼の後半生にもう一つ「子ども」というキーワードが加わってその核は三つとなった。なぜ人は素直に谷川雁の子ども、次世代への祈りに目をやれなかったのだろう。彼は「見るべきものは見つ」といって筑豊を去った。高度成長という名の時代が、成長どころではなく、縄文の昔からある日本の村を決定的に破壊し尽くしてしまうということに心から絶望し、子どもたちの心の中、そして次世代の未来への希望にしか賭けられなくなった谷川雁であった。であればこそ全身全霊で子どもに向かっていった、そんな後半生であったのだ。

谷川雁の死、その「しかばねの上に萌えるもの」

谷川雁の「後期」における著作活動以外の活動、すなわち「ものがたり文化の会」での教育活動、合唱曲『白いうた 青いうた』の詞はもっと評価されてしかるべき、という思いでこの章を書いた。雁はこの最後の十五年弱、世間がバブル経済とその崩壊に右往左往するのに背を向けながら、教育、作詞、執筆を静かに行っていた。

一九九五年二月二日永眠。当日の葬儀にはものがたり文化の会関係者が多数参列。また死の翌々月にはものがたり文化の会会葬も開かれ、谷川雁の霊前で宮沢賢治の『鹿《しし》踊りのはじまり』の人体表現が行われたとのこと。大変熱のこもったすばらしい表現だったという。

昨年五月、大分でお話を伺った朝倉テューターは、雁が「後期」を通じて活動を続けた「ものがたり文化の会」について語った。

——芸術として凝縮されたところは凄いので決してなくならないと思う。会を大きくするのが大事だとは思わない。なんとか伝えていきたい——

ともにお話をして下さった椋梨さん、京徳さんもこれに深くうなずいておられた。

これだけ熱い思いを、谷川雁の死から二十五年近い歳月が流れても会の人々が持っている——谷川雁はやはり「後期」における教育活動にもラボ教育に対したときと同様に全力で当たっていたのだ。様々な要因で思い通りに行かなかったことも少なくないだろうが、それでも全力で。

私自身は谷川雁が死した頃、まだ鬱々としたつらい時期を過ごしていた。社会とは最小限の関わりしか持ちえなかった状況であったため、その死について当時何らかの感懐を持ったかでさえ憶えていない。ただ、のちに谷川雁研究会の活動に関わるようになってから観る機会を得た一九九五年当時の番組で谷川雁の葬儀の様子をかいま見た。

葬儀では、ものがたり文化の会の方たちと思われる子どもから大人に至る三十名ほどが、祭壇の前で『白いうた　青いうた』から「火の山の子守歌」を歌っていた。

夜が　くばる　やさしさの便り
あおい鐘が　鳴りはじめたら
火の山のふもと　ナルコユリ咲く
ささやかな風に　吹かれて　ひとりで
月の　ひかり　縄ばしごおりる

指を　ひらく　影法師よ　ねむれ

ラボ・ライブラリー作品『ピーター・パン』を全編夜の物語として描いたように、夜を大切にした谷川雁らしい、優しい「夜」のイメージ。

一九八一年の「夜をこどもに」の文章も思い起こされる。

——物語の母胎は夜であり、夜の核は物語であることをかみしめるならば、こどもたちの暗黒へのおそれを偉大なものへの崇敬に通底させるためのいとなみをおろそかにしたくないと思います——

光る部分にのみ目を向けるような世の風潮とは一貫して対極を行き、夜、暗黒、おそれ、偉大なものへの崇敬といった奥の深いイメージ、物語を惜しげもなく子どもたちに与え続けた後半生を谷川雁は生きた。この時期、彼は古今東西の物語そして自作を、子どもを大きく育てるための総合芸術的教材（ライブラリー）として制作し、子どもたちと一緒にその表現に全霊をかけて取り組み続けた。現在もラボ、ものがたり文化の会のたくさんの子どもたちが、そのライブラリーで谷川雁のことばに触れつづけている。

そして、彼が作った詞のイメージを愛し、日本じゅうの合唱団が『白いうた　青いうた』を歌いつづけている。鎌倉や鹿児島で「白いうた　青いうたフェスティバル」として『白いうた　青いうた』だけをたくさんの合唱団が歌う催しが毎年開かれ、各地から合唱愛好者たちが集まっているという。そのように広く長く愛される合唱曲を雁は生み出した。谷川雁の葬儀で子どもたちが彼の詞による子守歌を合唱したことは、彼の後半生を見事に象徴していると言えよう。

病床を見舞いに訪れたものがたり文化の会の若者たちに谷川雁が遺した言葉が伝えられている。

――千人の人間を乗せる船の見事な航海図を作るよりも、一人の人間の魂を掘り起こすことの方が、はるかに才能を要する仕事である――

谷川雁は、そのことばの力をもって、詩と文章で、そして社会運動において、さらには教育と合唱の分野でも一人一人の人間の魂を掘り起こしつづけた。そしてその掘り起こされた魂たちは、彼のしかばねの上に萌え出でた。そして萌え出でた芽は、全ての分野で今も育ちつづけている。

第二部　谷川雁と子ども、ことば、物語
——ラボ・ライブラリー作品をひもとく

「らくだ・こぶに」名で、あるいは無署名で書かれ、創られた谷川雁作品

ラボ教育センター時代の谷川雁が「らくだ・こぶに」という筆名で書き、また最高責任者として制作をしたラボ・ライブラリーと呼ばれる教材の作品群は、その域のみにとどめておくのが惜しいほどの優れた芸術作品だ。子供を見くびったような作品はほぼ無く、そのほとんどは、詩情にも富み、音楽・吹込（声優）・絵画も含めた総合芸術であり、大人の鑑賞にも充分に耐えうるものだ。

ラボ・ライブラリーは当初「ラボ機」と呼ばれる専用の機械と専用の「ラボ・テープ」とで聴くものであった。のち一九九〇年にCD化されるが、それまでの長きにわたってこの組合せでライブラリーは聴かれた。一本のテープ（一つのライブラリー）には十二チャンネルが収録されていた。一チャンネルは十五分収録。そして三チャンネルで一話分、すなわち十二チャンネルで四話のお話が収録されており、四話の短編が収録されているものと、四話全てを一つの長編で使う場合があった。また十三チャンネル目に多重録音することも可能であり、自分の声を吹き込んで比較することもできた。らくだ・こぶに（谷川雁）による、と記していない作品についても無署名で谷川雁が書いた可能性が充分にある。一部から、相当量、そしてほぼ全てに至る可能性が。担当者が別にいる場合においても直しの指示を出したり、手を入れたりもしているだろう。いずれにしてもこの時期のラボ・ライブラリー作品については全て最高責任者として谷川雁が主導あるいは監修をして創られた作品と言って良いだろう。

さて、ラボ・ライブラリーはお話の成り立ちから四つの類に大別できると思う。以下に谷川雁在籍時の作品を私なりの分類に従って挙げてみる。なお、短篇は「　」、四話全て使った長篇あるいは連作は『　』で表記して挙げる。

◎オリジナルの物語：「ポアン・ホワンけのくもたち」「こつばめチュチュ」「かいだんこぞう」「うみがたずねてきた」（以上らくだ・こぶに〈谷川雁〉による）『ＴＡＮＵＫＩ（たぬき）』『すてきなワフ家』「ああ、ふるきよき時代」「日時計」「すれちがい」「ゴロヒゲ平左衛門・ノミの仇討ち」（以上Ｃ・Ｗニコル作）「山山もっこり」（ラボっ子作）『宇宙旅行の用意はよいか』『アメリカ初旅行　西部編』『アメリカ初旅行　東部編』（東京イングリッシュセンター〈ＴＥＣ〉名での制作）

◎西洋の民話・物語：「アリ・ババと40人の盗賊」「かえると金のまり」「ひとうちななつ」「おおかみと七ひきのこやぎ」「ホッレおばさん」（以上らくだ・こぶにによる再話）「ブレーメンの音楽隊」「幸福な王子」「ありときりぎりす」「はだかの王様」「長ぐつをはいたネコ」「ゆきむすめ」「グリーシュ」「きてれつ六勇士」「3びきのコブタ」「クルリンぼうず」「猫の王」「ジャックと豆の木」「白雪姫」「ヘンゼルとグレーテル」「みにくいあひるのこ」「ナイチンゲール」『イギリス昔話集』『ピーター・パン』『ロミオとジュリエット』『わんぱく大将トム・ソーヤ』『ドゥリトル先生　海をゆく』

◎日本の神話・民話：『国生み』（らくだ・こぶに作）、「三本柱」（狂言）「柿山伏」（狂言）『おばあさんが話した日本のむかしばなし37』「耳なし芳一」「鏡の精」「鮫人のなみだ」「みるなのはなざしき」「ふるやのもり」

◎日本の絵本：「ぐりとぐらのおきゃくさま」「ぐるんぱのようちえん」「たろうのおでかけ」「そらいろのたね」「しょうぼうじどうしゃじぷた」「うみのがくたい」「だるまちゃんとかみなりちゃん」「てじなしとこねこ」「はるかぜとぷう」「へそもち（かみなりこぞう）」『オバケのＱ太郎』（漫画）

『オリジナルの物語』には「ポアン・ホアン家のくもたち」「こつばめチュチュ」「日時計」など優れて叙情的な物語が多い。また、西洋と日本の民話や神話を扱った作品群においては、「神話」「民話」というものが何であるか、集合的無意識の表象と一言にしてしまうと整理しすぎかもしれないが、その根本的なとらまえを踏まえた上で再話がなされており、オリジナルの神話・民話をも超えて、かつ神話・民話にしか持ち得ない「力」を保持したものであった。この流れではらくだ・

こぶにの到達点とも言えよう『国生み』（日本神話の再話）がある。また「おおかみと七ひきのこやぎ」といった世によく知られた民話を再話するにあたっても随所にらくだ・こぶにならではの細やかな仕事がなされている（こやぎの名前、など）。

日本の絵本を元にしたなかでは「うみのがくたい」「てじなしとこねこ」「はるかぜとぷう」などでの切ないほどの温かさが絶品である。

そしてこの時期の教材を制作した顔ぶれがまたすごい。単なる「子供向け教材」などと気を抜いていないすごみがある。例えば音楽。林光、間宮芳生といった現代クラシック音楽作曲家、佐藤允彦《まさひこ》、野平一郎といったピアニスト兼作曲家の異才がいたりする。絵も高松次郎、野見山暁治、梶山俊夫、井上洋介、元永定正、中西夏之など一流。語りも久米明、江守徹、岸田今日子、米倉斎加年など名優揃い。

更に狂言の「三本柱」「柿山伏」を野村万蔵ら本物の狂言師によってそのまま教材化したり（狂言を日・英で！）、『おばあさんが話した日本のむかしばなし37』としておばあさんに土地の方言でその土地のむかしばなし（民話）を語ってもらった、それをそのまま教材として提供したりしている。これは谷川雁が関わっているからこそなされた、と思われてならない。特に後者に至っては英語が一切入っていない、日本語のみ、しかも方言でというもの。ラボ教育センターを前身のテック（ＴＥＣ、東京イングリッシュセンター）の続き、英語教育機関として見ていた向きからすると度肝を抜かれる仕業である。私自身も驚き、かつ魅了され、一時期毎日この教材を聴いていた覚えがある。単なる英語教育などといった範疇に収まらず、全人的教育を志向したその動きこそが、特異な教育機関であるラボ教育センターの真骨頂であったのではないかと思えてならないのである（一方でこのような「逸脱」についていけない会員の方が多数であったとも思われ、経営方針としては問題があったのではないかとも今になると思われる。私個人としては大好きなのだが……）。

そして、人材発掘者としての谷川雁がラボ教育センターにもたらしたもの、もしくは日本という国にもたらしたものが惜しくも先頃亡くなられたＣ・Ｗ ニコル氏である。世界中を冒険していたニコル氏が日本滞在中にアルバイト的にテックに来た、その節に氏の才能を見抜き、教材制作を任せてしまう、その眼力。そこから生み出されたニコル氏オリジナルの教材の数々、特にその白眉と言える『ＴＡＮＵＫＩ』「日時計」――これらはラボ教育センターの教材のみに留めておくのは惜しい逸品だ。

さて、ラボ・ライブラリー作品はＳＫ（Sounds in Kiddyland）

シリーズ、GT（Get on Target）シリーズの二つでラインナップされている。この二つのシリーズ分けは、私にはさほどの差異・意味は感じ取れないが、敢えて見てみれば、GTシリーズの方には歌作品があること、世界の名作から大作が採られていること（ピーター・パン、ロミオとジュリエット、トム・ソーヤ、ドゥリトル先生）といったあたりだろうか。それでは以下、谷川雁在籍期間におけるラボ・ライブラリー作品それぞれについて見てみよう。

SKシリーズ

SK1　かみなりこぞう……「たろうのおでかけ」「ぐるんぱのようちえん」「ぐりとぐらのおきゃくさま」「へそもち」という福音館書店の絵本四作を元に制作されたもの。音楽：林光ら。吹込：野村万作（狂言）、江守徹、大山のぶ代ら。狂言師は当時社会的位置が低かったというが、瀬田貞二のアドヴァイスがあったおかげでの起用であり、またそれを「なるほど」と受け入れた谷川雁もさすが（『感動の体系』所収の「狂言とは『笑いの文学』であり『朝の文学』である――ラボ・テープになぜ狂言か」）。「へそもち」における野村万作の語りは絶品だ。これは単なる英語教育の範疇の教材ではない。ライブラリーの初っぱなからこうだ。すばらしい。

SK2　だるまちゃんとかみなりちゃん……「だるまちゃんとかみなりちゃん」「てじなしとこねこ」「はるかぜとぷう」「ゆきむすめ」と、これも前作に引き続き福音館書店の四冊の絵本から制作されたもの。音楽：林光。吹込：落語家の金原亭桂太ら。「てじなしとこねこ」の原作・絵の双方をものしたクロード岡本は当時十代だったというが本当だろうか。昭和二十～三十年代に天才少年画家として一世を風靡した人物とのこと。これも音楽や吹込なども相俟《あいま》って大変な傑作。また「ゆきむすめ」をThe Snow Daughterとしたのは原作尊重でありそれ以外の訳はないだろうが、ほか三作を“It's a Funny Funny Day”, “Bravo, Kittens!”, “Spring Breezes Huff and Puff!”としたことも、直訳などで妥協せず、日本語・英語それぞれの言語世界を大事にしようとした谷川雁ら制作陣の姿勢を端的に表す例と言えよう。

SK3　はだかの王様……「ブレーメンの音楽隊」「幸福な王子」「ありときりぎりす」「はだかの王様」のヨーロッパ四作品を収録。再話・絵本の全てをオリジナル制作。英語担当者にC・Wニコルが加わる。音楽は林光。絵は井上洋介、小野かおる。吹込は野村万作（「はだかの王様」の王様役）、久米明、米倉斎加年ら。「幸福な王子」「ありときりぎりす」に見られる詩情が心に残る。

SK4　TANUKI（たぬき）……「たぬき、はらつづみを始める」「たぬき、女王様とお茶を飲む」「たぬきのだんな、サファリに加わる」「たぬき、騎馬警官隊に加わる」の四話。今年二〇二〇年に惜しくも亡くなったC・Wニコルによるオリジナル作品。音楽は林光、絵は梶山俊夫、語りは久米明。ラボが生み出した物語の金字塔の一つ。

SK5　オバケのQ太郎……「正ちゃんへのプレゼント」「Qちゃん鉄道」「スマートになろう」「ひとりぼっちのドロンパ」の四話。原作は藤子不二雄の漫画。英語：C・Wニコルら。音楽：フランク・W・ベッカー。吹込：中村メイコ。原作をきちんと尊重した上で、単なるドタバタ漫画にとどまらせず、少年たちとQちゃんの様々な感情の機微を浮き彫りにする制作、見事。

SK6　白雪姫……「みにくいあひるのこ」「ヘンゼルとグレーテル」「白雪姫」「ナイチンゲール」と、グリム童話とアンデルセンから二話ずつを収録。原典に忠実に制作。音楽：間宮芳生。吹込を久米明、江守徹のいわば「ラボ吹込の両巨頭」がこのライブラリー作品でも担当、惚れ惚れするいい声、いい語り。「ナイチンゲール」内に「皇帝が大はやりだったころ」という皮肉に満ちた諧謔がさりげなく置かれているあたりは谷川雁のセンスであろうと私は推察している。

SK7　そらいろのたね……「しょうぼうじどうしゃ　じぷた」「そらいろのたね」「うみのがくたい」「ふるやのもり」と、福音館書店の四冊の絵本から制作。音楽：間宮芳生、吹込：江守徹、久米明、アラン・ブースら。「うみのがくたい」が大傑作。多くの人が知る「そらいろのたね」も音楽・歌など全ての要素が絡み合ってすばらしいでき。日本の昔話「ふるやのもり」を一つ入れているのが、谷川雁ら制作陣の母国文化を大事にする姿勢を窺わせる。江守徹は本当にたくさんのラボ・ライブラリー作品に参加したラボの恩人と言える人物の一人であり、谷川雁が去ったあとも引き続きたくさんの作品に出演してくれた。そのうちの一作、宮沢賢治『注文の多い料理店』を制作する際、元ラボ会長の松本輝夫氏が江守徹さんから直接聞いたという言葉を紹介しよう――ラボ作品に参加するようになったとき、谷川雁に声をかけられたことがまず嬉しかった。自分がまだ知られてない役者だった頃に声を掛けてくれたことを忘れない。松本さん、私が一番好きなラボ作品はなんだかわかりますか？「じぷた」です。一本もらって、ある時期毎日聞いていました。「じぷた」に自分も励ましを受けたのです――

SK8　こつばめチュチュ……「こつばめチュチュ」「かいだんこぞう」「みるなのはなざしき」「ポアン・ホワンけのくもたち」の四話。らくだ・こぶに（谷川雁）のオリジナル作品は全体で五作を数えるが、このライブラリーで初めて登場し、しかもいきなり三作品。「みるなのはなざしき」以外の三つが谷川雁による創作である。一作品日本の昔話から「みるなのはなざしき」を入れているところも母国文化を重視する姿勢の継続と言えよう。音楽は間宮芳生。吹込は江守徹、野村万作、岸田今日子、アラン・ブースら。どの作品もすばらしいが、やはり白眉は「ポアン・ホワンけのくもたち」だろう。松本輝夫『谷川雁——永久工作者の言霊』において谷川雁の雲への偏愛とも言える愛着が指摘されているが、その雲への思い入れがあってか、全ての要素が完璧——詩人谷川雁の面目躍如と言えるすばらしい珠玉のようなことば、元永定正の絵、岸田今日子の語り、間宮芳生の音楽。

ＳＫ９　耳なし芳一……「耳なし芳一」「鏡の精」「鮫人のなみだ」と、ラフカディオ・ハーン原作の三作品を収録。音楽は間宮芳生、語りに能楽師観世栄夫を配するあたりが、さすがのこだわり。他に江守徹、岸田今日子ら。寝床でこれらの話を聞くときに感じたゾクゾクするような怖さと楽しさの混じり合った感覚が忘れがたい。

ＳＫ10　ジャックと豆の木……「３びきのコブタ」「クルリンぼうず」「猫の王」「ジャックと豆の木」と、イギリスの昔話による四作品。音楽はフランク・Ｗ・ベッカー。吹込は久米明ら。絵は井上洋介、梶山俊夫。有名二作品「コブタ」「ジャック」と並んで少しシニカルでブラックな味わいの「クルリンぼうず」「猫の王」を選んでいるあたりが、子どもを見くびらない谷川雁ら制作陣の姿勢を表していよう。

ＳＫ11　イギリス昔話集（現在は刊行されていない）……瀬田貞二監修による。三十六作品全編英語収録。ジョセフ・ジェイコブズの採集によるイギリス昔話集から。英語だけの収録であるのは、副読本「テーマ活動の友」の「はしがき」によれば、この作品が「総合システムによるラボ・パーティが始まる二年前の一九六七年春」に作られたからとのこと。その中から四作品が選ばれて日英化されＳＫ10が作られたということなのだろう。ＳＫ11として改めて公刊された経緯は寡聞にして不詳。

ＳＫ12　おばあさんが話した日本のむかしばなし37（現在は刊行されていない）……日本語だけ、しかも俳優や声優を使わず名語り部であるおばあさんの語りを方言そのままに収録。「あったてんがのぉ。むかぁし、むかぁし、あったてんがのぉ」—語り始めの決まり文句は数十年を経ても私の脳裏に甦る。日本のおばあさんの心地よい語りのリズム。これを体験しながら育つことができたことのありがたさを思う。このリズム感を知らずに育つ今の日本の子どもたちは、四十〜五十年前に育った私たちの世代とは、もう質的に全く違うことになっているのではないか……そんなことを考えさせられる。このような英語と全く関係ない作品を出したのは明らかに谷川雁の方針によるものだろう。感謝。

ＳＫ13　アリ・ババ……「長ぐつをはいたネコ」「グリー

シュ」「きてれつ六勇士」「アリ・ババと40人の盗賊」の四話。フランス、ドイツ、アイルランド、アラビアと地域は違うが、なぜだか同じ香りのする四作品の並べ方がすばらしい。副読本「テーマ活動の友」に寄せた明らかに谷川雁の筆と思われる文章も薫り高い（詳細は別途「グリーシュ」の項でとりあげる）。再話・英語：らくだ・こぶに（谷川雁）、アラン・ブース、C・Wニコル。音楽は佐藤允彦と間宮芳生。アラン・ブースは吹込も担当しており味わい深い。絵は中西夏之、高松次郎、赤瀬川原平と一九六〇年代前半に一世を風靡した前衛芸術グループ「ハイレッド・センター」の三人が揃い踏み、そしてパレスティナ人のウラディミール・タマリ。粒ぞろいで甲乙つけがたい珠玉の四作品！

SK14　ひとうちななつ……「かえると金のまり」「ひとうちななつ」「おおかみと七ひきのこやぎ」「ホッレおばさん」のグリム童話四作品。再話はらくだ・こぶに。音楽は間宮芳生、野平一郎ら。絵は野見山暁治。吹込は三国一朗、名古屋章、丹阿弥谷津子ら。前作のSK13、このSK14、最後の作品となるSK15と、谷川雁ら制作陣の絶頂期と言える質の高さ。この時期の後述GTシリーズ作品も合わせて。SK14収録の四作品はすべて大人が聞いても十二分に楽しめる「第八芸術」（第一章「人生におけるすべてのことは物語」参照）だ。

SK15　国生み……「国生み」「スサノオ」「オオクニヌシ」「わだつみのいろこのみや」。日本神話に真正面から取り組んだ金字塔。再話：らくだ・こぶに、英語：C・Wニコル、音楽：間宮芳生、絵：高松次郎――黄金の四重奏だ。贅言は無用。子どもから大人まで、全日本人に味わってほしい日本神話の再話作品。

GTシリーズ

GT1　宇宙旅行の用意はよいか（現在は刊行されていない）……「二〇とびで世界一周」「なくした鍵さがし」「オウムの船長」「宇宙飛行士のモーニング・ダンス」の四話からなる突飛な設定による楽しい作品。日本語を定村忠士、音楽は佐藤允彦ら。ジャズ・ピアニスト兼作曲家として名を馳せる佐藤は当時若干二十八歳。優秀な若手人材を積極活用する当時のTEC、ラボ、制作責任者である谷川雁の姿勢が見てとれる。

GT2　すてきなワフ家……「月よう、おうちをたてた」「火よう、そろってピクニック」「水よう、だれかさんのはながかわいたの」「木よう、こどもだけでドロボウつかまえたぞ」の四話。英語による原作：C・Wニコル。吹込：米倉斎加年ら。ニコル氏のオリジナル作品。犬の家族を擬人化した物語。四話の題名からも子ども向けと思われようが、実は人間を相対化したシニカルな眼差しなども含まれていてさすが。

副読本「テーマ活動の友」の「はしがき」も、谷川雁の筆によるかと思われるが「ワフ一家は人間に飼われているなどとは思っていません。自分たちのほうが人間の世話をしているつもりの誇り高い家族です」と。

GT3　ゴロヒゲ平左衛門・ノミの仇討ち……「ああ、ふるきよき時代」「日時計」「すれちがい」「ゴロヒゲ平左衛門・ノミの仇討ち」の四作品。戯曲形式、すなわち舞台劇として作られているC・W ニコルによるオリジナル作品。谷川雁がニコル氏に勧めて書かせたものだという。久米明、米倉斉加年らの味わい深い語り、井上洋介の温かくてかつ渋みのある絵が相俟って絶妙な趣の名作。もはや「大人向き」ではと思えるほどの一流の文学的な作品。それもそのはず、絵本の「はしがき」によれば「ラボ・パーティのこどもから、お父さんお母さんや社会人の間で熱心に支持されているこの劇活動」「おとなの鑑賞にも十二分に耐える題材を選びだすとともに、学習者が直接に劇化・上演することを初めから考えて作られた点に特色があるといえます」とある。「テーマ活動」という名前もまだ無かったころ、またTECによる大人の英語教育とラボ・パーティによる子どもたちの英語教育とを並行していたころの作品と言えるのだろう。「日時計」以外の三作品はブラックな味わいのスラップスティック・コメディー的な楽しいもの。そして「日時計」が打って変わって大変に詩情溢れる名作。人によってはニコル作品中この「日時計」をもっとも愛する向きもあるのでは。実は私もそうかもしれない。バーナード・リーチを思わせるバーノン・ロウというイギリスの陶芸家とその友人であった日本人の老人、ニコル自身を思わせるイギリス青年との日だまりのような、そして切ない短篇小説のような作品。のちに『バーナード・リーチの日時計〜青春の世界武者修行〜』として一九八二年に角川選書から刊行された本にも「バーナード・リーチの日時計」として収録され、その際はバーナード・リーチ、仲省吾と本名で記されている。のち『誇り高き日本人でいたい』（C・W ニコル　二〇〇四年　アートディズ）にも「バーナード・リーチの日時計〜仲省吾という日本人」として再録。ニコル氏自身にとっても自信作、愛着のある作品だったのであろう。

GT4　アメリカ初旅行 西部編（現在は刊行されていない）……GT5とともに別途詳述。

GT5　アメリカ初旅行 東部編（現在は刊行されていない）

GT6　C・W ニコルのフォークソング　流浪の詩……C・W ニコルの作・構成。英、米、カナダ、オーストラリアなどで歌われているフォークソングの名曲集。全曲楽譜付きのテキスト。編曲はフランク・W・ベッカー。次のGT7とともに音楽による表現世界に向かったもの。

GT7　歌のすきな小鳥になろう……「ソングバード」と

してラボ教育において「テーマ活動」と並んで根幹となる歌作品を多数収録。英語文化圏の伝統的な歌や民謡、手遊び歌などが多数収録。またオリジナル作品も少なくなく、ジャズ・ピアニストの山下洋輔作品がさりげなく一曲含まれていたりもする。

GT8　ピーター・パン……「ない・ない・ないの国」「人魚の海」「地下の家」「海賊船上の決闘」の四話。音楽はフランク・W・ベッカー。絵は高松次郎。吹込は粂文子、田島礼子、江守徹、アラン・ブースら。別途詳述。

GT9　ロミオとジュリエット……シェイクスピアの有名作を完全「ラボ・ライブラリー作品」化されたもの。谷川雁自身による解説が『感動の体系』に収録されている。是非参照いただきたい。音楽は間宮芳生。これだけの世界の名作に真正面から向き合って子どもたちの教材とする構えは、他の教育機関には見られないのではないだろうか。

GT10　三本柱……「山山もっこり」「うみがたずねてきた」「三本柱」「柿山伏」の四作品。ラボ・パーティ十周年記念作品として制作された。「山山もっこり」はラボっ子によるオリジナル作品。「うみがたずねてきた」は「山」に対置させて創られたらくだ・こぶにオリジナル作品。絵は元永定正、音楽は佐藤允彦。また狂言二番が本物の狂言師野村万蔵らによって演じられている。谷川雁が制作の責任者であったればこその狂言収録。そしてこの狂言作品は時を経て今のラボっ子たちにも大変楽しまれている。

GT11　わんぱく大将トム・ソーヤ……「へいぬり遊び」「おさげの天使」「帰ってきた海賊」「鍾乳洞のやみ」の四話。らくだ・こぶにによる再話。フランク・W・ベッカーの音楽。久米明らの吹込。本来抽象画家として知られる高松次郎が、ここでは具象に寄った絵を手がけている。言わずと知れたマーク・トウェインの名作を、四話それぞれに味わいがある、少年少女期の切ない恋心、友情などを十二分に描ききったラボ・ライブラリー作品に仕上げて見事。不朽の名作。

GT12　歌のすきな小鳥になろう2……ソングバード活動で使われる教材の第二弾として制作された。「英語の歌」「ハワイの歌」「日本のわらべ歌／日本の祭り歌／ラボっ子ばやし」「北極の夜と昼」「ブルガリアの舞曲」から成る意欲作。編曲に間宮芳生、フランク・W・ベッカーら。そしてなんといっても谷川雁構成、作曲・指揮間宮芳生による「ラボっ子ばやし」が収録されていることも特筆される。谷川雁によるであろう無署名の文章により「囃子は命を生やすためのもの」などと懇切な解説がなされている。またC・Wニコルの詩によって書かれた「北極の夜と昼」も新たな取り組み。谷川雁の手によると思われる無署名の解説によれば「劇表現活動とソングバードの中間にあって、両方をつなぐ共通の場」を企図したもの。「オーロラ——北極の夜」「あ・はら・りく——北極の昼」の二つから成る。

GT13　ドゥリトル先生　海をゆく……「目ざすはクモザル島」「ロング・アローを助け出す」「オウム平和憲章」「ジョング・シンカロット王の戴冠式」の四話。C・Wニコルによる再話。音楽は佐藤允彦。絵は現代美術の巨匠靉嘔（あいおう）。『ピーター・パン』『ロミオとジュリエット』『トム・ソーヤ』と、世界の名作に取り組んできたその集大成が、この『ドゥリトル先生』と言えるだろう。SKシリーズにおける『国生み』とともに谷川雁を中心とした制作陣の到達点となった。

以下、これらの作品のうち『グリーシュ』『ピーター・パン』『アメリカ初旅行』をとりあげて詳述したい。ラボにおける谷川雁最後の作品として良く名も知られ、評価も高い『国生み』については谷川雁自身の講演・対談などもあり、また松本輝夫氏の『谷川雁　永久工作者の言霊』など詳述されている先行著作もあるので、それらを参照いただきたい。ここでは私自身が個人的に愛好する作品を熱く記させていただく。

らくだ・こぶに、柔らかな谷川雁――『グリーシュ』研究を通じて

らくだ・こぶにによる「再話」作品中の佳品『グリーシュ』

らくだ・こぶに、すなわちラボ教育センター時代の谷川雁が制作の責任者であった時代に作られた珠玉のラボ・ライブラリーたち。その中でここではアイルランド民話（ケルト民話）『グリーシュ』を取り上げて研究してみたい。らくだ・こぶにには『ポアン・ホワンけのくもたち』『かいだんこぞう』などの極めて優れたオリジナル作品もある。そちらももちろん今後研究していきたい。ただ、私が今らくだ・こぶにに影響され続けた子供時代を振り返った時、最も驚きを感じるのは、らくだ・こぶに達による「再話」作品がいかに優れたものであったか、ということなのである。

「再話」の対象を大きく三つに分けると「神話」「民話」「近代作品」となろうか。

「神話の再話」には、何と言ってもラボにおける谷川雁最後の作品『国生み』がある。そのテーマは日本神話、というまさしく根源中の根源、「原点」中の「原点」である。らくだ・こぶにが満を持して放ったライブラリーと言えるものだ。

「近代作品の再話」としては『ピーター・パン』『わんぱく大将トム・ソーヤ』などやはりすばらしいものが沢山ある。これらについて研究しよう、書こうと思えばやはりいくらでも研究できる、あるいは書くことができそうだ。

しかし今回は『国生み』『ピーター・パン』『わんぱく大将トム・ソーヤ』などの「大作」を取り上げることはやめておこう。ここで私が言う「大作」とは一つのラボ・ライブラリー全てを四話構成で使い切ったものだ。

私は「民話の再話」部門から『グリーシュ』という小品・佳品を取り上げたい。一つのラボ・ライブラリーが四つのお話で構成されたうちの一話として収められている小さな物語。

なぜなら、私は『グリーシュ』や『ポアン・ホワンけのくもたち』など、小品にこそ、佳品にこそ「らくだ・こぶに」らしさがある、と思うのだ。谷川雁としての「難解」「工作者」「こわもて」なイメージ、大上段なイメージとは異なり、ラボ時代の谷川雁、即ちらくだ・こぶにはもっと優しい、柔らかな気持ちが溢れている。それは子供たちと直に触れあいながら、子供たちを「読者」「体験者」に想定して、思い描いて書いた、作ったからこそ、であろう。『グリーシュ』に

はそれがある。子供たちが世界に対するとき、接するときのやり方、柔らかな触れ方、そんな手触りがあるのだ。そして一方で、けして子供におもねったりしない、子供を馬鹿にして「わかりやすく」してしまったりせず最高のものを作って提供しようとしていることは、いつものらくだ・こぶにの通り。言うまでもない。

そして何より、私は『グリーシュ』が好きでならないのである。主人公の農民青年グリーシュ（Guleesh）が「お月さん、あなたはいいなぁ」とつぶやく、そこが聴きたくて何度ライブラリーを聴いただろう。このライブラリーを聴くたび、少年の私の心はアイルランドの荒れ野にいつも飛んでいた。

物語のあらすじ

前置きが長くなった。研究に入りたい。まずはラボ・ライブラリー版に沿って物語のあらすじを示す。

〈アイルランドのメイオ郡にグリーシュという農民青年がいた。彼は痩せ地を耕す毎日に倦み、ある晩、月に向かって別の暮らしがしたいものだとつぶやく。その途端、つむじ風とともに悪い妖精たちが現れる。つくづく今の暮らしが厭になっていたグリーシュは、悪い妖精たちに誘われるがままに一緒に空駆ける馬で飛び立つ。着いたところはフランスの王宮。丁度王女の結婚式が行われようとしている。王女の意に染まぬ結婚と知った悪い妖精たちが、どうせ意に染まぬなら自分たちが強奪してしまえ、と考えたのだ。悪い妖精たちとグリーシュは王女の強奪に成功し、元のメイオ郡に戻る。しかし美しい王女が醜い妖精の妻にならねばならないということに耐えられなくなったグリーシュは、メイオ郡に帰り着いたその場で、神の御名を口に出し王女を守ることを誓う。妖精たちは裏切ったグリーシュに怒り、王女に口がきけないよう呪いをかけてしまう。グリーシュは王女を知り合いの神父に預け、毎日そこを訪ねるのだった。そして一年が過ぎた夜、グリーシュは再度行われた妖精たちの集まりを物陰からそっと窺い、妖精たちが話す秘密を聞く。それによると近くに生えている不思議な薬草を飲ませれば王女の口がきけるようになるというのだ。グリーシュはまず、害が無いか確かめるために自分が試しに飲んでみる。そしてそれが確かめられたのち王女に飲ませてみたところ、王女は口がきけるようになった。そしてお互いを愛するようになっていた二人は結婚し、幸せに暮らした。〉

寄り道――類似の民話、そして『グリーシュ』の季節は

あらすじを改めて書いてみると、類似の民話として『禿山の一夜』『ワルプルギスの夜』が思い浮かぶ。

ムソルグスキーの交響詩で有名な『禿山の一夜』、これは「聖ヨハネ祭の前夜に不思議な出来事が起こる」というヨーロッパの伝承の一種で、聖ヨハネ祭の前夜に魔物たちが大騒ぎをするというロシアの民話によるものだ。ちなみに聖ヨハネ祭とは夏至、六月二十四日であり、シェークスピアの『真夏の夜の夢』もこれによる。

また、『ワルプルギスの夜』の方もヨーロッパ、特に中欧・東欧に広く見られる伝承であり、こちらは四月三十日か五月一日にあたる。各国で微妙に内容が変わってくるが、例えばドイツにおいては魔女たちがブロッケン山でお祭をするというもので、ゲーテ『ファウスト』でも有名だ。

さて『グリーシュ』はどうか。ラボ・ライブラリーでは丁度最初の強奪から一年が過ぎた時点を「夏が過ぎ、秋になった。その秋もおわりの月のみそかの晩」という台詞で表現している。これは原書でも同様にon the last day of the last month in autumnとある。ラボ・ライブラリーでは収録時間の制約があるため、完全逐語訳的にはならず、抜粋して再話することになるため、季節に関わる記述はそれくらいだが、原書にはもう少しそれがある。私訳で記すと以下の通りだ。まず妖精たちとグリーシュが風よりも速く走る場面、「前を行く冷たい冬の風をグリーシュと妖精は追い越した。そして風は追いつきゃしなかった」。それから強奪からおよそ一年経った時点のこと、「グリーシュは急に思い出した。あれは十一月の夜だったなあ」。そして「今日、また十一月の夜になる」という文が続く。即ち十月三十一日から十一月一日になる夜の出来事だ。

禿山の一夜、ワルプルギスの夜、そしてグリーシュ、それぞれ違う季節であることが判ったが、ともかく季節の変わり目に魔物や妖精が騒ぐ、という民話の一類型なのであろう。

研究のテーマ、参考文献概説

さて研究のテーマとしては「らくだ・こぶに達は原典に何を足したか、引いたか、変えたか」とした。そもそものケルト民話『グリーシュ』がそれほどに魅惑的な話なのか、それともらくだ・こぶにを中心としたラボの制作者達が足したもの、引いたもの、あるいは変えた部分が、子供たちを惹きつけるに至った理由なのか。そこを検証してみたい。

基本的には、ラボ・ライブラリーが当時ラボ・テープという独自の記録・再生媒体のために作られていたことから時間的制約を持っていたため、「引く」方向が強いことは確かだ。どの部分を引いたか、は大事なところになろう。そして制約がある中で「足した」もの、「変えた」ところがあればそれこそがらくだ・こぶに達の物語づくりの流儀を知るよすがとなるだろう。

さてまず、ラボ・ライブラリーとの比較研究をするために手元に用意した参考文献三つについて以下に概説する。

◎原典：Joseph Jacobs "Celtic Fairy Tales"　一八九二年

ケルト民話編纂の代表例がこのジェイコブズ（オーストラリア生まれ）のものとウィリアム・バトラー・イエーツ（ノーベル文学賞受賞者。アイルランド人）のものである。イエーツのものはケルト語、ゲール語をそのまま多く残していたりしてとっつきやすいものではなく大人向けに書かれている。ジェイコブズのものは子供向けに翻案したものである。ケルト語（ゲール語）は感嘆詞、名詞等に残しているがイエーツほどではない。ジェイコブズは現地で直接民話を採取したのではなく、大英博物館で文献を多数読み、様々な原典から語り口のよいものを切り貼りして作っている点に注意が必要である。ただし「英語を話す地域を避け、英語を知らないケルト農民から採取した」原典のみを採用している、とジェイコブズ自身が序文に書いている。これは本来民族・地域に語り継がれてきたオリジナルの味わいを残すようにし、別の民族や宗教の影響が入り込む前の状態を採るという意味では優れた態度であろう。ただ、この場合においてもオリジナルのゲール語から英語への翻訳に際しては翻訳者の力を得た、とジェイコブズは書いている。このあたりの「ゲール語自体の知識はあまりなく」「現地で採取せず文献からの二次利用」「子供向けに省略・つぎはぎ等をして再話」という事情から、専門家には評判が悪かったらしい。しかし、おとぎ話として非常に面白く仕上がっているこの本は、子供たちからは大歓迎された、ということだ。

しかも、物語を面白いものにしただけではなく、巻末にNOTES AND REFERENCESとしてきちんと出所・類話等を記している律儀さもあり、ストーリーテラーと研究者的資質の両方がきちんと共存した人物であったようだ。ドイツのグリム兄弟に触発され、ブリテン島（いわゆる「イギリス」）・アイルランド島（アイルランド）の物語を人々に判りやすい形に編纂した人物であり、グリム兄弟と並び評されておかしくない実績である。このCeltic Fairy Talesという労作ももちろんすばらしいが、その前に出したEnglish Fairy Tales（一八九〇年）では『ジャックと豆の木』『三匹の子豚』『トム・ティット・トット』などの決定版を世に出している。その他にMore English Fairy Tales（一八九四年）、More Celtic Fairy Tales（同年）など。

ラボ・ライブラリーも大きくその恩恵にあずかっている。まず一九六七年に英語のみにて発刊された意欲作English Fairy Talesがある。日本の児童文学界の大立者である瀬田貞二監修で三十六話所収のもの。そしてそこから四話選択し通常の日英によるライブラリーにした『ジャックと豆の木、そして三つのお話』が一九七四年に出ている。他三つのお話は『三びきのコブタ』『クルリンぼうず（Johney-Cake）』『猫の王』。絵も素晴らしく、ジャックと豆の木は井上洋介、そして梶山俊夫による三びきのコブタと豪華であった（現在は違う絵に変わっているようだ。またEnglish Fairy Talesから九編が追加されている）。そして一九七六年には本稿の対象『グリーシュ』が登場する。さらに雁が去った後も一九八九年にアラン・ブースによる英語再話、神宮輝夫らによる和訳により『トム・ティット・トット』『三人のおろかもの』がある。

さて話を戻そう。私の手元にあるCeltic Fairy Talesは二〇〇五年にアメリカの1st WORLD LIBRARY Literary Societyから出たソフトカバーの本。入手はインターネット通販で容易であった（本稿執筆の二〇〇九年当時）。ただし有名なジョン・D・バトンによる挿絵は無い（後に知ったがハードカバーも発売されていた。ハードカバーなら挿絵もあるだろうか）。

なお、原文には古英語的な言い回しも残っている。例えばI'll follow yeなど。

◎ケルト妖精物語Ⅰ（山本史郎訳　一九九九年　原書房）
ジェイコブズ本の訳。山本氏は東京大学教養学部教養学科卒。東京大学大学院総合文化研究科教授。専攻はイギリス一九世紀文学。いかにも学者らしい訳文で直訳的。生硬の感は否めない。しかしジェイコブズ本を完訳してくれた労は買いたい。また、直訳的で読みづらくはあるが、逆にそのおかげで原書にあたる助けになった。バトンによる挿絵あり。ただし、完訳という触れ込み（帯にもそうある）だが、NOTES AND REFERENCESを訳していないのは残念だ。また、帯の惹句は不正確である。「オリジナル・ゲール語からの完訳版」とあるが、これだとジェイコブズがゲール語で書いた本を山本氏が和訳した、という意に取れる。現実はそうではなく、ジェイコブズはゲール語と英語で書かれた原典から英語で編んだ本を作った。特にゲール語については翻訳者に英語に直して貰ってから翻案・再話した。その英語による本を山本氏が和訳しているものである。「オリジナル・ゲール語からの完訳版」は誇大・不正確であろう。ちなみに『ケルト妖精物語　Ⅱ』も刊行されており、そちらはMore Celtic Fairy Talesの訳である。

◎イギリスとアイルランドの昔話（石井桃子編・訳　一九八一年　福音館）
日本児童文学界において言わずと知れた石井桃子（『くまのプーさん』の翻訳、『ノンちゃん雲に乗る』の創作など）

による編・訳。複数の英書から石井が編集し翻訳したもの。『グリーシュ』の原典はジェイコブズのCeltic Fairy Talesと思われる（石井は「あとがき」にて各所収の物語の原典をジェイコブズ、イエーツなどきちんと記しているが、なぜか『グリーシュ』だけ示し忘れている）。しかし、ジェイコブズ本の挿絵であるバトンの挿絵が使われていることなどからも多分間違いないと思われる。福音館文庫でも気軽に手に入る。この本は一九五九年にあかね書房から出た『イギリス童話集』を元に訳に多少手を入れて出したもの。もちろん児童文学者だけあって山本訳に比べると生硬さは少ないが、日本語としてこなれきっていない点も存外にある。また、恣意的に過ぎると思われる付け足しがある点にも難（詳細後述）。

ラボ・ライブラリー『グリーシュ』紹介、らくだ・こぶにのライブラリー作りについて

次にラボ・ライブラリー『グリーシュ』について概説し、続いてらくだ・こぶにのライブラリー作りに関する精神・姿勢を紹介する。

◎グリーシュ（再話＝アラン・ブース　一九七六年　ラボ教育センター本部制作室）

ラボ・ライブラリーAli Baba and Three Other Storiesの第二話。他の収録は『長ぐつをはいたネコ』『きてれつ六勇士』『アリ・ババと40人の盗賊』。つまりペロー、アイルランド民話（ケルト民話）、グリム兄弟、千夜一夜物語（アラビアン・ナイト）を並べたものだ。再話のクレジットはアラン・ブースとなっているがブースは日本語による文章を書けなかったはず（日本で出版されていた書籍も柴田京子さんによる翻訳）。日本語の台詞については、ブースが英語で再話したものをブース以外の誰か、恐らくらくだ・こぶにを含むラボ教育センター本部制作室が和訳したものだろう。

なお、ブースは才能発掘者である谷川雁がラボに引き込み、酒を酌み交わしたうちの一人である（もちろんC・Wニコルもその一人）。ブースについて彼の著書『西郷隆盛の道——失われゆく風景を探して——』（一九九三年　新潮社）の著者紹介から以下抜粋する。一九四六年にロンドンの下町で生まれる。バーミンガム大学で演劇と英文学を専攻。一九七〇年に来日し以後ほとんど日本に滞在。無類の旅好きで津軽、四国、九州など日本各地を歩き回る。一九九二年三月永住権を取得。一九九三年一月、四十六歳で逝去。主な著作に『ニッポン縦断日記』（一九八八年　東京書籍）、『津軽——失われゆく風景を探して——』（一九九二年　新潮社）。

『グリーシュ』の音楽は間宮芳生、絵は高松次郎。ともに『国生み』でもコンビを組む、らくだ・こぶにのお気に入り、あ

るいは切り札と言える組み合わせだ。ジェイコブズ本による再話である。

なお、該当ライブラリー収録の四話について再話のクレジットとしては『長ぐつ』＝ブース、『グリーシュ』＝ブース、『六勇士』＝C・Wニコル、『アリ・ババ』＝らくだ・こぶに、となっている（もちろん統括責任者はらくだ・こぶにであり、四編全てにらくだ・こぶにの示唆と助言を含めた全面的監修があったことは間違いない）。

四つはバラバラな土地の民話ではあるが、この四つをらくだ・こぶに達制作者はどのように扱っているか。ライブラリー付属の副読本『テーマ活動の友』における『はしがき』を見てみよう。「ラボ教育センター本部制作室」名義の短い文である。

《(前略）ひとつのラボのお話も、ひとつの皿にのった料理と思えばよいのです。四つの物語でできているものでも、何となくひとつの料理に思えるように工夫してあります》

《さあ、では今度のお話（中略）はどんなごちそうでしょう。コックさんに味を聞いたりするもんじゃありませんよ。自分の舌で味わいましょうね。でも、ひとつだけ種明かしをすると、この四つの物語には、どれにもお酒の香りが、あまり気にならない程度にほんのり染ませてあります。もちろん、物語が生まれた国の酒、ワインやウィスキーやビールや、私もよく知らないアラビアの酒などです。鼻を近づけて、そうっと嗅いでごらんなさい。匂いますか》

ここで出てくる「私」とは誰であろう。「基本的に子供向け」の教材に酒の香りをまぶした「私」、これはらくだ・こぶに以外の何者でもないと思われる。この四話の再話者がらくだ・こぶに、彼に見いだされ共に杯を重ねたアラン・ブース、C・Wニコルであることと、「酒の香りをまぶした」ことは偶然ではあるまい。

余談になるが、このライブラリーが「男の子向け」と感じるのは私だけだろうか。もしそれが当たっているとすると、それは再話者が「男くさい」三人である、ことと無縁ではあるまい。四つの話はバラバラのようであるが、「男の子向け」ということで共通していると私は思う。最初の『長ぐつをはいたネコ』は農家の三男坊がネコの力を借りてお姫様と結婚する話。次の『グリーシュ』も農家の青年が妖精（と言っても醜い小鬼的な妖精である。バトンの挿絵を見てもそう。悪さを働く妖精）が強奪したお姫様を救って結婚する話。三番目の『きてれつ六勇士』も六人の「野郎ども」が大活躍、という話。最後を飾るタイトルロールであり、しかもこれだけ再話のクレジットをらくだ・こぶにとしている『アリ・ババと40人の盗賊』は主役がアリ・ババという男ではあるが、実はこのライブラリーにおける『アリ・ババ』の主役はアリ・

ババではなく、その養女のモージアナである。そしてこの娘は男の子にとっての理想像のような描かれ方と言えよう。気心知れた才能溢れる連中と実に楽しそうにライブラリー作りに当たるらくだ・こぶに（谷川雁）が目に見えるようである。

閑話休題。元に戻ろう。元？　元は何だったたか。いつの間にからくだ・こぶにが作ったこのライブラリー全体の話に入り込んでしまっているようだ。しかし『グリーシュ』に焦点を絞るのはもう暫し先延ばしにして「はしがき」からもう少しらくだ・こぶに筆と思われる文章を見てみたい。『アリ・ババ』におけるモージアナ、について記しているところなど実に自由だ。

《（前略）『千夜一夜物語』（別名アラビアン・ナイト）です。（中略）「アリ・ババ」はその代表作のひとつで、バグダード地方を舞台にした、正直なきこりがどえらい宝物を手に入れる話です。それにモージアナという少女のはたらきがすばらしいでしょう。この話の題は、ほんとうは「モージアナ」としたいくらいです》

最後にもう一文。これはらくだ・こぶにの「再話」に関する方針を語っているもの。

《以上の四つの物語は、どれも原作をラボ・ライブラリーに合うように書き直したものです》

『グリーシュ』研究――まずは物語の成り立ちから

さて、まずは物語の成り立ちから研究してみたい。完訳をうたっている山本訳でも訳されていない原書のNOTES AND REFERENCESを読んでみる。まずその総論部分から『グリーシュ』の成り立ちが判る部分を紹介する。ジェイコブズによればケルト民話と一口に言っても、色々な地方に散在している。アイルランド、ウェールズ、スコットランド、マン島、コーンウォールなど。しかも二つの地域にまたがって伝承されていたり、混ざったり、色々な成り立ちがあるとのこと。民族としても混交などもあることだろう、様々な伝承パターンがあるとのこと。ジェイコブズは研究者らしくそれらをきちんと分類してくれている。『グリーシュ』はその中で民族的には「ゲール族オリジナルのもの」、地域的には「アイルランドのケルト人地域のみ」に分類されている。他の民族の文化と交わっていないケルト人、中でもゲール族のオリジナリティが色濃い物語と思ってよいようだ。

次に『グリーシュ』各論の部分に面白い記述があったので紹介する。主人公のグリーシュの名前はオリジナルではGuleesh na guss dhuすなわち「黒い足のグリーシュ」であったとのこと、そしてその由来は足をけして洗わないことから来ているとのこと。しかしジェイコブズは、本筋と何の関係もない、ということで名前を「グリーシュ」のみに縮めたということである。

妖精の種類についてはどうか。ケルト妖精と言っても色々あるが、『グリーシュ』において妖精達はまずfairyとして登場する。それからlittle man / man / *maneen*ともされている。このうち*maneen*は英語ではない。原書では*een*の部分だけをイタリックで表記している。manの語尾をゲール語的に変化させたものかと思われる。また一箇所だけnasty sheehogueという記述がある。このsheehogueは英語ではなくゲール語と思われ、何と訳すのが正解かは不明。判る範囲で総合すればこの妖精は「小さくてゾッとするイヤな感じの男の妖精」ということだろう。また言い回しだけ五つ変えて使っているともとれるが、そうではなく複数種の妖精が集まっているととってもよいかもしれない。

物語の舞台も重要だ。アイルランドと一口に言ってもやはり地域的特色がある。この物語の舞台であるメイオ郡（あるいはメイヨー州）はアイルランドの北西部にあたる。首都ダブリン（現在一〇〇万人都市）は東中央部にあるが、そこからは最も遠い地域の一つである。平地が多いアイルランド島だが、北部および西部は山岳が多い。農業に向いている土地ではなく、グリーシュは山間の痩せ地を耕していたことが判る。

再話・翻訳比較――物語自体の瑕疵への対応

ジェイコブズによる文は、実は瑕疵がところどころにみられる。主なものでは以下三つだ。

一、王女の名前の扱い

二、妖精の呼び名の不統一

三、王女を治す薬草の存在を知る場面の不自然さ

この三つについて順に一つずつジェイコブズの問題点を挙げ、それに対する再話・翻訳者（山本、石井、ラボの三者）の対応を比較してみたい。

まず一つ目、王女の名前の扱い。王女はまずthe king of France's daughter即ち「フランス王女」として登場する。そしてグリーシュ達もその名前までは知らない。そして話せなくなってしまった王女に対し、グリーシュと神父はメアリーという仮の名をつけて呼ぶ。そして王女はその新しい名前のままにその後のグリーシュとの新しい人生を生きるのだ。

しかし、原書の瑕疵として、王女がフランス王宮からさらわれる際にOro! Dear Mary!と書いている。Oro!は単なる感嘆詞だろうが、問題はここで既にメアリーという名前を使っているところだ。のちにグリーシュと神父によって名付けられる筈の名前をここで使っては物語が台無しだ。

この瑕疵に対する三者の対応は、というと。山本訳はやは

り直訳調で「おお、メアリーはどうしたの?・」としている。話の筋が通るかどうかは考えに無いようだ。

　石井編訳とラボ・ライブラリーではこの台詞は省略することでこの瑕疵に対応している。


　次に妖精の呼び名の不統一。ジェイコブズの文では先述したようにfairy/little man/man/man*een*/nasty sheehogueという五つの呼び名が登場する。

　これが意味を持った使い分けならよいのだがあまりそうとも思えない。nasty sheehogueは、さらわれた王女がいやらしい妖精と結婚しなければいけないのか……とグリーシュが慨嘆する部分であり当該妖精のいやらしさを強調したいためのものではあろう。しかしfairy/ little man/man/man*een*の方は余計な気がする。最初からlittle fairyなどと統一しておけば済むだろう。五つの呼び名が出てくることで読者が混乱する、あるいは本筋とは関係ない些事に気持ちが「ひっかかる」恐れがある。

　その点に対する三者の対応を比べてみる。石井編訳ではそれぞれに対し、「妖精」「小人」「小人」「小人」「いまわしい小人」としている。sheehogueを特段変わった翻訳にせず全体で「妖精」と「小人」しか使わないことで混乱を最小限に留める意志が見える。ラボ・ライブラリーにおけるアラン・ブースの英語ではnasty sheehogueをugly old fairyと変えている。日本語台詞ではそれぞれに対し、「妖精」「妖精」「妖精」「妖精」「あんな化け物」となっている。つまり当該妖精のいやらしさを強調したい部分では「あんな化け物」としているがその他部分は「妖精」で統一しているのだ。これにより単語不統一にひっかかりを感じずに物語の本筋にのみ集中できる効果を得ている。さて残った山本訳は「妖精」「小さな男」「男」「小さな矮人（こびと）妖精」「醜く、性悪の小妖精《レプラコーン》」となっている。あくまでこの人は直訳調だ。学者らしくsheehogueについてもケルト妖精の研究の成果かレプラコーンというルビを振ったりしている。しかしトリビアルなこだわりは物語の流れ・勢いを阻害するデメリットがある。


　最後に三つ目、王女を治す薬草の存在を知る場面の不自然さへの対応について。グリーシュと妖精が王女をさらってから約一年後、妖精達がまた現れた場面だ。この場面、原書ではまたも現れた妖精達の前になんとグリーシュが飛び出していくのだ。そしてそれを素直に訳した山本訳、石井編訳も同様になっている。そして妖精達は現れたグリーシュに毒づき馬鹿者とののしりながらも、グリーシュの家のそばに生えている不思議な薬草を煎じて飲ませれば王女が口をきけるようになると口走ってしまうのだ。流石にジェイコブズもこれは不自然だと思ったらしくグリーシュに独白させる。山本訳から引くと「そんなはずはないさ。(中略)だってそれが本当なら、あいつらがそんなことを僕に教えるなんておかしいじゃないか。でも、妖精のやつうっかりと口をすべらしてしまったのかもしれないな」という具合だ。この妖精からグリーシュへの不自然な情報開示と、それに続くグリーシュの逡巡は物語に何かを寄与しているとは思えない。この部分、ラボ・ライブラリー版ではグリーシュは物陰からそっと妖精達の哄笑しながらの会話を聞いていた、という描写にしている。この方が不自然さはなく、大団円に向けて物語は滑らかに流れていくと思う。

再話・翻訳比較——石井編訳の問題点を軸に三つの再話・翻訳を比較する

次に石井編訳の問題点を軸に三者の違いを見比べてみる。先にちょっと触れたとおり、石井編訳には恣意的に思われる付け足しがありそれが逆効果になっている。また誤訳もある。今となっては古くさくなってしまっている訳もある。

まず一つ目、グリーシュが物語冒頭において家の近くの土手で月を眺めながらぼやく、というところ。ここは原書でも特にその理由は書いていない。いつもその土手で物思いにふけるのがグリーシュのならい(habit)だったというだけなのであり、山本訳、ラボ・ライブラリーではそのままに取り扱っているのだが、石井編訳は「父親とはげしくあらそったすえ、かんかんに腹をたてて、家からとび出しました」と、グリーシュの家出にしてしまっている。これではグリーシュが日々の厳しい暮らしに倦んでいるのではなく一時の怒りに任せて妖精達の仲間入りをしてしまったということになってしまう。またさらってきた姫を妖精達から更に奪ったグリーシュが、父のいる家ではなく神父の元に預ける部分も意味が変わってしまう。元々は単に父親にはこの荒唐無稽な顛末を信じてもらえまい、近所の人もからかったりするのでは、という心配からそうしたまでのことなのだが、石井編訳のストーリーからすると、家出をしたから帰りづらいという要素が出てきてしまう。

さてこの部分、らくだ・こぶに達によるラボ・ライブラリーでは大胆にも父の存在自体をカットしている。これはライブラリーの時間制約によるものでもあろうが、話の幹、本筋に関係ない些末は大胆にカットすることにより、ストーリーの推進力を高め、聞き手の全意識を集中させる効果を狙ってもいるのだろう。実際原書を読んでも父が登場するのは王女をさらってきたあとに、父のいる家には連れて行きづらいな、という部分のみであり、そこ以外では登場しないのだ。伏線もなく必然性もなく一度だけ出てくる登場人物——これは民話の採集再話に起こりがちな問題で、つぎはぎしているゆえであろう。物語の本筋とは無関係な枝葉が残ってしまうのだ。もちろん、その部分にこそ民族・民俗の特徴が宿っていることもあるので、一律に切り棄てればよい、というものではない。しかし「物語」として形にし、子供を中心とした一般に供することを行う、学問のためではなく、という場合、どれが幹か、どれが必要な枝葉でどれが剪定すべき枝葉なのか、を吟味する目線と力量が大事になってくると思うのである。

二つ目、家の近くの土手についてthe finest rath a little way off from the gable of the house, and he was often in the habit of seating himself on the fine grass bank that was running round it. と原文では書いてある。このうち、finest rathについて三者の扱いが違う。研究社の新英和大辞典によればrathは『『考古』（アイルランド地方の）土砦《どさい》《族長の家を囲んだ円形の堅牢な土塀》（後略）』という単語だ。素直な山本訳は「族長の屋敷の土塀」としている。石井編訳はここを「あまり遠くないところに、アイルランドでもいちばんりっぱだといわれている、古い土のとりでがありました」としている。これは読む子供がイメージしやすいように、ということなのかとは思うが行き過ぎた付け足しである。あまり遠くないところに国で一番立派な砦がある……ではグリーシュのいるメイオ地方のうらぶれた感じ、苦しい暮らしがぼけてしまうではないか。さてラボ・ライブラリー版の行き方はこの点も前段と同じである。「族長の」「屋敷」などという本筋とは関係なく、しかも読者あるいは聞き手の意識がひっかかりを感じるような些末で余計な単語は避け、単に「外に出て」ということにしている。この点については山本訳に問題はなく、ラボ・ライブラリー版は「再話手法として許容される範囲」だと思うが石井編訳は勇み足、と言えよう。

三つ目、グリーシュの言葉遣い。石井編訳ではI am surelyを「いかにも」、Not a knowを「いや、わかりませんな」としている。山本訳では「もちろん」「ちっとも」である（ラボ・ライブラリーではアラン・ブースの英語再話時点でこの二つの台詞は変えられているので比較対象外）。これは山本訳に軍配を上げたい。石井編訳は片田舎の農夫らしさを意図したのかもしれないが、古くさく年長者っぽい感じになってしまっている。

四つ目、グリーシュと妖精達が王女をさらって魔法の馬に乗ってアイルランドに帰ってくるところ、and came down in Erinという部分だが、エリンはアイルランドの古名（雅名）である。単にアイルランドに帰ってきたと言っているところ。山本訳は「降りてきたら、そこはもうエリン［アイルランド］でした」と学者らしい訳し方だ。石井編訳はここを誤訳していて「アイルランドのエリンというところにおりました」となってしまっている。ちなみにラボ・ライブラリーでは「海を渡り、またもとのメイオに戻って」と、相変わらず些末は避ける姿勢に徹している。

五つ目、王女がグリーシュの煎じた薬草を飲んで昏々と眠ったあと目覚めた際の描写。原書ではShe rubbed her eyes and looked like a person who did not know where she was. She was like one astonished when she saw Guleesh and the priest in the same room with her, and she sat up doing her best to collect her thoughts. となっているところのShe was like…の部分、石井編訳は「おなじ部屋に、グリーシ（筆者注：石井編訳ではグリーシと表記している）と坊様という、ふたりの男がいるのを発見して、おどろいたようすでしたが（後略）」という具合。ちょっとひどい訳だ。「発見して」という、これていない日本語も問題だが、それ以上に「ふたりの男がいるのを発見しておどろいた」というのはなんだか痴漢を発見したかのような書きぶりだ。そもそもShe was like one astonishedのoneを全く無視した訳になってしまっている。ここは「驚かされた人のように」振る舞ったということだろう。対してまず山本訳だが、ここは珍しく省略をしている。「かの女は目をこすりました。いま自分はいったいどこにいるのだろうというような顔をしました。そうしてベッドに座って考えをまとめようとしました」という具合だ。山本氏は今更王女が二人を見て驚くとはどうしたことか？と困ったのか、She was like one astonished when she saw Guleesh and the priest in the same room with herをすっぽり省いたわけだ。しかしここが特に脈絡が無いとは私は思わない。薬草による深い眠りから覚めた王女は文字通り「夢から覚めた」ような状態になり、ここがどこか、近くにいるグリーシュと神父と自分の関係はどんなものだったか、ぼんやりした状態で思いだそう、一生懸命に考えをまとめようとしながら座っていた、のだろう。王宮をさらわれてから今に至るまでの自分が走馬燈のように頭の中を廻っていたのかもしれない。ラボ・ライブラリー版では時間的制約の問題からか、あるいは不要に聞き手を惑わすと考えたか、この部分は完全に省略しているので比較できない。

これらの点への対応を見ると、全般的に見て石井編訳には問題が多すぎると思われる。山本訳は無難。ラボ・ライブラリー版は物語の推進力重視、というところ。

物語が持つ不自然さに関するらくだ・こぶにの解釈

さて、ここで比較研究は一度お休みとし、らくだ・こぶに自身による『グリーシュ』解題の文を取り上げてみよう。『青の発見――「テーマ活動」ノォト一』における「王女のケルト語」という掌編だ。

フランス王女とゲール農夫が会話できること、そして文字でやりとりできないことの不自然さ、についてらくだ・こぶにはまず指摘し、その後その物語的意図について解釈している。抜粋してみよう。《農夫グリーシュの話すケルト語の一支流であることばを、フランス王女は最初から理解したことになっています。The princess blushed as she listened to Guleesh… グリーシュがフランスの宮廷会話を話せるはずもないので、ここはかなり不自然な気がしますが》《それよりもっとおどろかされるのは「ほんとの名前を知らないので、メアリーと呼ぶことにしていた」というところです。「手でいろいろなしぐさをしたり、うなずいたり」することはできても、字を書くことは無意味だったわけで》

　なるほど、フランス王宮の言葉とアイルランド北西部のゲール農夫の言葉は通じる筈もないのに、最初から王女がグリーシュの言葉を聞き取っていることは確かに不自然だ。また逆に、王女が字さえ書けばグリーシュはともかく神父は読めてもよい筈なのだ。少なくとも名前を聞かれて字で書くくらいのコミュニケーションは出来てもよい筈、確かにそうだ。しかしらくだ・こぶには《ともかく異様な組み合わせを肯定しなければ物語は進行しません》と先に進む。そしてさて、「グリーシュと、グリーシュの言葉は聞き取れるが自らは言葉を発せず文字も書けず手振り身振りでのみ意思を伝えられる王女」という設定の二人はどうなったか。ここをらくだ・こぶには実にロマンチックに書いている。

《このような場合の愛はゆっくり熟成されるよりほかはないでしょう。毎日会って、すこしずつ自分たちの通信体系を編み上げていく、その過程はそれだけでも充分にたのしく、若い男女なら愛しあうようにならないほうがむずかしいというものです》

　さて、それでは王女が口をきけなくなったということ、薬草によって回復した、ということをらくだ・こぶにがどう語っているか、更に引いてみる。《オシになったとはどういうことでしょう。平明に考えて、深窓の姫がとつぜん異様な方法で荒野につれてこられれば、精神の全領域が失語するのはあたりまえのことで、その現象が寓話的に表現されて、妖精の呪縛は深層でグリーシュとのことばなき交流によってしだいに解けていったが、なお一昼夜の眠りをさそう活力回復の霊草を必要とするだけの未解決部分をのこしていました》というわけだ。そして薬草についても卓見を述べている。続けて引く。《この草は「グリーシュが今まで見たことのない」草で、見なれてはいたが効き目を知らなかったというものではありません。平凡な日常の止まり木にいる『青い鳥』ではないのです。（中略）たくさんあるのではなく、一本しかありません。（中略）この草はいつから生えはじめたのか。もちろん妖精の呪いは、それを解く方法を内包しているので、呪いをかけると同時に種がまかれたのです。そしてグリーシュと姫の交感の進行につれて発芽し、枝をのばし、葉をつけ、七枚の枝に七枚の葉が出そろう頃にはようやく解決の汐が満ちていたと暗示されます》

そして大団円を、らくだ・こぶには、これまた実にロマンチックに描写している。《グリーシュが生命をかけて自分のためにジュースを飲みほしたと姫が知ったとき、救いは彼方からやってきました。自分もまたそれを飲みほす寸前に、もはや姫のオシはなおっていたというのが私の考えです。（中略）そして蚊の鳴くような声で言ったI would.（筆者注：グリーシュのプロポーズへの回答）はいうまでもなくメイオなまりのケルト語だったにちがいありませんが、それはフランス王女ではなく、いまや小娘メアリーとなったひとのこのうえもなく優雅な最初の発語であったと、この物語を知る人のすべてが信じられると思います》

これがらくだ・こぶにである。一九七九年十二月、すなわち『グリーシュ』発刊後三年半経過した時点での文章。翌年にはラボを去る、そんな時の文章。ここには難解で韜晦に満ちたような、人や事物に一文で斬りつけるような「谷川雁」はいない。私がこの文章の最初に書いた「もっと優しい、柔らかな気持ちが溢れている」らくだ・こぶにとしての谷川雁がいる、のだ。

ラボ・ライブラリー『グリーシュ』の残念な点

一方的に山本訳の学者臭さ・生硬さについて指摘し、石井編訳の誤訳・問題点を書いているのは、不公正というものだ。ラボ・ライブラリー版について残念な点を一点指摘しておきたい。

まさしく前節でらくだ・こぶに自身が大事な点として挙げている薬草についてだ。薬草をグリーシュが家のそばで見つけるところ、山本訳と石井編訳は原書にほぼ忠実に訳している。石井編訳で見ると《これは、ふしぎだ。おれは、いままで、この草に気がつかなかった。もし、ききめのある草というものがあるなら、このようなふしぎな草こそ、薬草だろう》となっている。この部分、ラボ・ライブラリー版では時間的制約ゆえではあろうが、省略してしまっている。単に《それは、グリーシュが今までに見たことのない、たいそうめずらしい草だった》というのみにとどめている。らくだ・こぶにが前段で述べているように妖精の呪いがそれを解く方法を内包しており、若い二人の交感の進行に沿ってそれが成長する、そういった不思議な草なのだと考えると、ここは原書通りの修飾がほしかった。この点は残念だ。

ラボ・ライブラリー『グリーシュ』における音楽と絵、吹き込み

さて、ここまでラボ・ライブラリー版の再話・翻訳と、石井編訳、山本訳を、原書と見比べてきた。しかしラボ・ライブラリーの特異なところは、単なる翻訳された文ではないということだ。ラボ・ライブラリーには音楽と絵が付されている。そしてラボ・ライブラリーは単に読まれることを目指しているのではない。子供たちがそれを何回も何回も繰り返し「聴き込む」ためのものなのだ。そしてまた、子供たちが演劇的表現活動をしながら英日の言葉を口にするためのものなのだ（黙読ではなく声に出して気持ちのよい「ことば」にする必要がある点もらくだ・こぶに達が気をつけた点だろう。そしてそれは詩人である谷川雁がもちろん得意としたところでもあろう）。

さてラボ・ライブラリー『グリーシュ』の音楽と絵、吹き込みの担当者について記しておこう。先述したとおり絵は高松次郎、音楽は間宮芳生である。前衛美術・現代美術家とされる高松による絵は線と図形、物体を配置し彩色したものであり、抽象的なものだ。けして判りやすい絵ではなく、このような絵を子供向けに提供するところもらくだ・こぶにがいた当時のラボでこそ為されたことであろう（高松は『ピーター・パン』『国生み』などでも変わらぬ自らの画風で描いている。そして谷川雁が去った後のラボ・ライブラリーには参加せず、雁の新しい団体である「ものがたり文化の会」の作品に絵を提供している）（正直に書くと私自身は子供時代から今に至るまで高松の絵をいいものだと思ったことはないのだが……）。

一方の間宮による音楽は手堅いものだ。特にケルトっぽい音楽になっているかというとそんなことは無いのだが、もの悲しいような透明感溢れる冒頭の音楽をはじめとして非常に明快で説明的なものになっている。物語の邪魔にならず、上手に伴走している音楽だ。

そして台詞の吹き込みは、英語を再話者のアラン・ブース本人が行っている。日本語は臼井正明による。二人の声は物語の雰囲気に合ったとても味のあるものである。

これら音楽、絵、語りによって物語は展開され、子供たちの心奥深くにしみこんでいく。

文学性、叙情性を比べて

比較研究の最後に、ラボ・ライブラリー版、石井編訳、山本訳の文学性、叙情性を対比してみたい。

これは言うまでもなく、圧倒的にらくだ・こぶに達によるラボ・ライブラリー版に軍配が上がろう。優れて叙情的な文章、台詞になっている。一つだけ例を挙げてみる。グリーシ

ュが月を見ながらひとりごつ、物語冒頭の部分。原文はこうだ　――My bitter grief that I am not gone away out of this place altogether. I'd sooner be any place in the world than here. "Och, it's well for you, white moon" says he, "that's turning round, turning round, as you please yourself, and no man can put you back. I wish I was the same as you."

石井編訳は「この土地と、ぜんぜんべつのところにいるのではないということが、かえすがえすも残念だ。こんなところにいるくらいなら、おれは、どんなところへでも、よろこんで行く。ああ、白い月よ、おまえはしあわせだなあ、そうしてまわってあるけて。だれも、おまえを呼びもどすことはできない。おれも、おまえのようになれたらなあ」という具合。実に直訳的で日本語としてこなれていない感（特に最初の一文）。

山本訳は「こんなところにいつまでもぐずぐずしていなきゃならないのは、とても残念だ。世界中のどこだっていいが、ここだけはもうまっ平だ。おお、白い月よ。君はいいなあ。いつも好きなようにぐるぐると回っていて、誰にも引き留められないじゃないか。君みたいになりたいなあ」となる。こちらの方が石井編訳よりすんなり流れる文になっている感がある。

ラボ・ライブラリー版はこうだ。「おれはもう、ここがいやになった。こんな暮らしはごめんだ。お月さん、あなたはいいなあ。この世の苦労も知らずに、そんな高いところですましておれるんだからなあ」

月に呼びかけるところ、前の二つが「白い月よ」としているのに対し、「お月さん」としている。このあたりのセンスが実にいい。

ただし、もちろん三者を同列に比べることはできない。ラボ・ライブラリー版は、物語を短く再話しなければならない必要性などから、英語自体をアラン・ブースが書き直しているからだ。しかし、三者における文学性、叙情性を比べてみればいずれが優れているかはこの一例のみからでも瞭然であろう。

ラボ・ライブラリー制作に関する要件、らくだ・こぶにの立ち位置

さて、前項最後に「ラボ・ライブラリー版は物語を短く再話しなければならない必要性などから」と書いた。「など」と書いた部分は他に何があるだろう。それは前々項に書いたようにラボ・ライブラリーは文字だけで成っているものではなく、「音楽・絵・演劇的台詞の吹き込み、が融合した表現」であるため、その表現形式に合わせる、ということもあろう。その点についてらくだ・こぶにの明快な文章があるので紹介したい。『青の発見――「テーマ活動」ノォト一』のうち「固有純粋を排す」という掌編、昭和五十五年九月の文章だ。《苦

心してたたいたけれども曲ってしまった。翻訳にはそういうことが多いので、私みたいに我の強く、癖のある人間にはあきらかに不適な分野です。ただし耳できいたとき、物語の顔がぱっと浮ぶようなことばの演出が必要な場合があり、あまのじゃくがいないとそこがスティンレスのほうちょうになってしまう。つとめてその箇所を担当するようにしてきました》

谷川雁研究の一分野としてらくだ・こぶにが携わったラボ・ライブラリーの研究をしようとしたとき、最も悩ましいのが「どこまでがらくだ・こぶに（谷川雁）の仕事なのか不分明」という点だ。もちろん「再話：らくだ・こぶに」あるいは「文：らくだ・こぶに」としているものは、実際に楽しみながらあるいはうんうん唸りながら、その実作業に当たったのだろう。問題はクレジットが無いものにおいて制作総責任者として何をしたか、ということだ。

　ラボ・ライブラリー制作に関してほぼ絶対的な権限を持っていたことは間違いないようだ。しかし、実際に谷川雁が書いた文章はどれなのか、手を入れた箇所はどこなのか、どういった示唆・助言などを担当者に与えたのか、クレジットとしては別人を挙げていてもほとんどらくだ・こぶにの仕事であるというような場合がないのか（実際そういった例もあるらしい）、等々、今となっては調査のしようがないという壁に当たる。文章の内容からの推理推察を積み重ねるか、往事を知る関係者から話を聞くか、迂遠なやり方しかない、ということになる。

　そういった悩みは尽きることは無いが、先ほど引いたらくだ・こぶにの文にはヒントがありそうだ。英語そのものに手はあまり出していないだろう（ただしブースやニコルに対し貴重な示唆等を与えたことは随所に窺えるが）。英語の和訳、も基本的には部下に任せたのだろう。しかし「ことば」がスッと魂の奥底にまで届いていくように最後の息吹を「ことば」に与える仕事、ちょっとした手を入れただけで「ことば」が活き活きとしてくるような仕事、をしたのだろう。そして何かの拍子に物語の波動と自分の詩心とに同調が生じた際にはほとんど自分が書いてしまう、ということもあったのではないだろうか。だいぶ想像をふくらませすぎただろうか……。

結びに

翻訳・再話の三者比較研究、その結論としては、やはりらくだ・こぶにが統括したアラン・ブース達によるラボ・ライブラリー版がもっとも「物語」としてよくできていると思う。谷川雁研究、という本稿の性格からして予定調和と思われる恐れがあろうが、実際原書と三つの翻訳を読み比べて比較研究してみた正直な感想である。

さてところでラボは、そしてらくだ・こぶに達は何故グリーシュを取り上げたのだろう。やはりらくだ・こぶにの周りにアラン・ブース、C・Wニコル達、ブリテン島生まれの人々がいたこと、その影響によるものだと推察する。C・Wニコルは「私はウェールズのケルト人である」と『誇り高き日本人でいたい』で書いている。アラン・ブースの方については詳らかではない。ただ、ロンドンの下町生まれというブースだが、無類の旅好きとして日本中を旅した彼のことだ、ブリテン島に居たときもイングランドにとどまってはおらず、色々なところ、ケルトの香りがするところも廻り、そしてその民話も楽しんでいただろう。これらのことからこの時期、ラボ・ライブラリーに『グリーシュ』のみならずジェイコブズの本を元にしたたくさんの民話がとり上げられたのだと推測する。そしてもちろんらくだ・こぶに＝谷川雁の思考が人間の根源、「原点」に向かっているものであったことから、「物語」の「原点」である民話を盛んに取り上げた、ということもあるだろう。

さてこの「研究」を終わるにあたって最初に置いた設問に答を出したい。私は設問として「そもそものケルト民話『グリーシュ』がそれほどに魅惑的な話なのか、それともらくだ・こぶにを中心としたラボの制作者達が足したもの、引いたもの、あるいは変えた部分が、子供たちを惹きつけるに至った理由なのか。そこを検証してみたい」と書いた。まずケルト民話『グリーシュ』の骨格が魅惑的なものであることは確かだろう。そしてジェイコブズが、たくさんの類話をとりまとめ、つぎはぎして物語の形にした、その功績も大だ。そこでのジェイコブズは、例えばグリーシュの名前も余計な枝葉として剪定するような作業もしている。素朴な民話が物語として形を取り始めている。そしてラボ・ライブラリー版が加えて剪定を進めたことにより獲得できた物語としての背骨、推進力、言葉の躍動感、物語のリズム感。民話『グリーシュ』はジェイコブズにより形を整えられ、ラボ・ライブラリー版によって成った、と私は思う。

ラボ・ライブラリー制作という作業は映画の字幕作成作業に似ていよう。少ない文字で、言葉で、表現しなければならないという制約。その中でいかにその本質を、エッセンスを余すところなく伝えるか。この難問に挑戦し、鮮やかに解決した、それが出来たのはらくだ・こぶに、そして彼が集めた人材達によってこそ、と言えよう。感謝したい。

【参考文献】

・らくだ・こぶに『青の発見――「テーマ活動」ノォト一』一九八一年　物語テープ出版
・C・Wニコル『誇り高き日本人でいたい』二〇〇四年　アートデイズ

『ピーター・パン』――谷川雁が最も慈しんだ物語

ラボ・ライブラリー作品研究の第二弾として『ピーター・パン』について書いてみたい。谷川雁が幼年期から愛した物語、ライブラリー制作者として相当に周到な準備をして臨み、生み出した大傑作ライブラリー作品だ。

原作者バリの偉大さ

当初は、前回『グリーシュ』を分析した際と同様に、原作とライブラリー作品を比較して、らくだ・こぶに（谷川雁たち）が原作に足したもの、引いたもの、を書いてみようか、と考えた。原作（小説『ピーター・パンとウェンディ』）は遠い昔に読んだ記憶がある程度であったその時点では。

しかし、改めて原作に当たってみて喫驚した。とても『グリーシュ』の時と同様な比較評価のような書き方はできない……ほとんど全ての大事な要素は原作に既にある！　妖精ティンカー・ベルが死にかかった際にピーター・パンが観客に向かい「手を打つことで妖精を信じることを表してほしい」と願うこと、登場するロスト・ボーイズ（親とはぐれた迷子たち）の名前、ピーター・パンの決め台詞、その他もろもろ大事なものがほとんど全てあるのだ。

今回、原作と言えるもののうち、完全邦訳が入手できなかった戯曲版『ピーター・パン』を除いて、小説『ピーター・パンとウェンディ』『ケンジントン公園のピーター・パン』『小さな白い鳥』を読んだ。ピーター・パン研究書も複数読んだ。結局判ったのは原作者ジェームズ・マシュー・バリ（一八六〇～一九三七年）が如何に偉大な作家兼戯曲家であったか、ということだった[1]。

ということで、ちょっと目論見が狂ってしまった。谷川雁研究の一環として書き始めたが、物語『ピーター・パン』そのものにだいぶ傾いた文になる予感がする。その点は予めご容赦のほどを願っておきたい。

バリの『ピーター・パン』諸相

さて、ピーター・パンがバリによってこの世に最初に生み出されたのは、一九〇二年に出版した小説『小さな白い鳥』によってである。私小説風の風変わりなこの小説は全二十六章から成る。そのうちの第十三章の終わり近くでピーター・

パンが突然登場し、第十八章までで出番を終える。全編の主人公ではなく、五分の一程度の部分のみにおける主人公、である。

　ここにはネバーランドも出てこなければウェンディもロスト・ボーイズも、ティンカー・ベルも出てこない。

　そしてここに出てくるピーター・パンは我々がよく知るピーター・パンとはだいぶ違う。しかしその原型であることは読めばすぐに判る。ピーター・パンは生後一週間。人間と鳥の中間、中途半端な状態、である。このピーター・パンはこのピーター・パンで非常に興味深い。[2] これを読むと色々な想念が浮かんでくる——ピーター・パンが何でもすぐに忘れてしまうのは、半分鳥だから？　空を飛べるのも半分鳥だから？　勝利の雄叫びを「コケコッコー」としているのもここから来ていると思われる。さらにはジェームズ・フック船長にとどめを刺す決め台詞「ぼくは、若さと喜びのかたまりだ。かえったばかりのヒヨっ子なのさ」も半分鳥であることを意識していようか——。

　しかし、半分人間半分鳥、の意味についてここで長々と記すのは場違いも甚だしくなってしまうのでやめておきたい。興味のある方には『小さな白い鳥』あるいは『ケンジントン公園のピーター・パン』[3]を一読することをお勧めする。ここではコウノトリが赤ちゃんを運ぶという西洋の伝説が思い浮かばれること、ピーター・パンの「パン」がギリシャ神話の半獣神（牧羊神）から採っているだろうということ—これは第十八章でピーター・パンが山羊に乗ることとも関係してくること、を谷川雁が指摘していることのみ記しておく。[4]

　次いで、演劇『ピーター・パン』が一九〇四年に初演される（全三幕）。正確にはPETER PAN OR THE BOY WHO WOULDN'T GROWN UP.というタイトルを持つ。訳せば『ピーター・パン　または　大きくなりたがらない少年』となろうか。これが初演から大当たりを取ったことが、世界中にピーター・パンが膾炙していく始まりだ。これこそ我々がよく知るピーター・パンである。「乳歯が全部はえそろっている」ということなので五歳くらいかと思われるピーター・パン。そしてここにはネバーランドがあり、ウェンディたち、ティンカー・ベルがいる。

　一九〇六年には小説『ケンジントン公園のピーター・パン』が出版される。これは舞台の大成功に当て込んだ『小さな白い鳥』の出版社の手により、ピーター・パンが登場する六章だけを抜粋してほとんどそのままで（人称を手直ししたくらいで）売り出したものである。実際にこれを読んでも語り手の「私」が誰なのかもよく判らず、登場人物のディヴィッドが誰なのかも判らない。こんな抜粋が有っていいものか、と思うがそれでも惹きこまれてあっという間に面白く読めてしまう。これはバリの文章の持つ力と思う。例を一つだけ挙げよう。飛ぶ力、について述べているところだ。自分がもう鳥ではなく人間の姿になってしまっていることに気づいていないピーター・パンに関する文。

「それに気づかなかったのは幸せでした。なぜなら、気づいたら最後、飛ぶ力を持っているという自信を失い、飛ぶことができるかどうかしらと思ったら最後、もう永遠にそれができなくなりますから。私たちが飛べないのに、鳥が飛べるのは、ただ鳥が飛べるという完全な自信を持っているからにすぎません。なぜなら、自信を持つことは、翼を持つことになりますから」

一九一一年には小説『ピーターとウェンディ』Peter and Wendyが出版される。一九二一年には改題され『ピーター・パンとウェンディ』Peter Pan and Wendyとなる。これは舞台『ピーター・パン』を小説化したもの。ただし小説の最後の章に舞台にはなかった「ウェンディが大きくなって」が置かれている。小説ならではの情趣が生じ、成功していると思う(5)。

一九二八年には戯曲『ピーター・パン』Peter Pan, or The Boy Who Would Not Grow Upが出版される。これは初演以来書き直しを重ねた結果全五幕になっている。台本というより読まれるための戯曲となっている。

ラボ・ライブラリーに占める『ピーター・パン』の特異な位置

現時点から、谷川雁が中心となって制作された時期のラボ・ライブラリー作品群を振り返ってみる。すると、その聳えたつ傑作山脈の在りように圧倒されてしまい、制作者達は自信と確信を持って最初から仕事に取り組んだと思ってしまいがちだ。

しかし、谷川雁が残した文章を読むと、谷川雁や制作者達が、手探りで実に慎重に制作を進めていったこと、そして制作をしながら成長していったこと、が判り、感に堪えない。

この点を明らかにするエピソードを二つ、記す。

(一)「夜」を取り上げるに当たっての慎重さ

谷川雁は「物語」が「夜」と不可分なものであると考えていた(6)。そして、子どもたちに夜の物語を与えたいと当初から企図していた。しかしそこに至るまでも実に慎重にことを進めている。小出しに物語の中に夜を滑り込ませていった。まずは『てじなしとこねこ』で小手試し、夜の民話『ふるやのもり』、影を扱った『かいだんこぞう』、怪談『耳なし芳一』……という具合だ。

そしていよいよ『ピーター・パン』。満を持して放つ全四話「夜の物語」だ。谷川雁自身が「この物語の主な場面はほとんど夜または薄明の時に起こる。これは内容がいきいきしているために見のがされやすいけれども、この物語の大きな特色だ」と記している。

(二)念願だった『ピーター・パン』、そこに至る慎重さ

らくだ・こぶに（谷川雁たち）は急に思いついてこの物語を取り上げたわけではなかった。谷川雁は書いている――ぼくは無性に『ピーター・パン』をテープにしたくなった。（中略）だが急げば失敗すると考えた。ドラマにもなっているとはいえ、この物語の最良の味は作者の語り口から幼児の空想がばらまかれるところにあるので、それを各話十五分の四話にしぼることは至難のわざである。制作グループは「いつの日かピーター・パンを」と語り合いながら、十五分で完結する物語のシリーズで経験を積んでいった。

このように、谷川雁を含む制作者達にとって『ピーター・パン』は、そこまでの一歩一歩の歩みを礎としてようやく作ることができた大作、記念すべき大作なのだ。

この作品がそれ以前とそれ以後を画期するものであった、ということは制作者側のみならず、受け取り手側であるラボ・テューター、ラボっ子にとっても同様であったらしい（私自身は発表当時の一九七四年といえばラボに入る直前であり、受け取り手側の発表当時における熱気を語ることはできない。勿論私がラボに入った翌一九七五年以降においても『ピーター・パン』はとても大事なレパートリーであり、繰り返し取り上げられた作品であることも確かである）。

そのことは、谷川雁とともにラボを離れることを考えたテューター達が中心となったテーマ活動文庫刊行会が、第一弾として『物語としての日本神話』を一九八〇年十二月に刊行したのち（これは前年に刊行されたライブラリー『国生み』をテーマとした本であり極めて自然）、第二弾として七年前の一九七四年に刊行された『ピーター・パン』を選び、一九八一年十一月に『ピーター・パンの世界』として刊行していることからも推測できる。

抜粋の妙、そしてイヴニング・スターなど独自の工夫

原作に負うところが非常に多いと云えるラボ・ライブラリー作品『ピーター・パン』だが、では原作に全く忠実で改変した点は全く無いかというと、もちろんそんなことはない。ラボ・ライブラリー作品という特性に沿って、複数の改変がなされている。

まずはラボ・ライブラリー作品が持つ宿命である時間的制

約による抜粋化だ。谷川雁が、水俣で過ごした少年時代に偏愛した物語だけに、どこも切りたくはないだろうに涙を呑んで削らねばならない。大量に削っているが実に見事な削り方だ。小説の最初の部分、ウェンディの両親と乳母に関する部分は全てばっさり削っている。いきなりTHE NEVER LANDに向かって飛んでいるピーター・パンとウェンディたちから話を始める、という見事さ！

そして物語をナレーションで進行させるナレーターにイヴニング・スター＝宵の明星という名前を付けた独創も実にすばらしい。そもそも近代演劇が捨ててしまったナレーター、ナレーションをテーマ活動において復活させたのも谷川雁の慧眼である。この意味については、ラボにおけるライブラリー、テーマ活動全般にかかる問題だけに、谷川雁自身が方々で語り、書いているのでそちらを参照してほしいと思う(7)。この物語では単にナレーターがいるだけではなく、それにイヴニング・スター＝宵の明星という名前を付けている。ナレーターに夜の物語を照らし続ける星をあてたこのセンスは、このラボ・ライブラリー作品に独自の光芒を与えている。

そしてもう一つ、他のライブラリーではしていない独自の工夫を施している。全四話それぞれの冒頭に「Peter Pan! Peter Pan! Peter Pan!」という声を入れていること——特に意味を押しつけずに解釈は聞き手にゆだねて。この工夫も実に効果的と思う。この三連呼、そして続くフランク・ベッカーによる心躍る主題曲、実に見事な導入部だ。

「ない・ない・ないの国」

一九〇四年十二月二十七日、初演時のプログラムを見ると第二幕のタイトルが「THE NEVER, NEVER, NEVER LAND.」となっている。演劇『ピーター・パン』は初演の一九〇四年以降、第二次世界大戦開戦の年である一九四〇年を除いて欠かすことなくクリスマスシーズンに上演されてきたとのこと（一九八一年時点の情報。現在まで続いているかは不明）。バリは存命中、どんどんと演劇『ピーター・パン』を改良していっている（例えば「人魚の場」は初演当時には無い）。その改良時に当初のTHE NEVER, NEVER, NEVER LAND.がTHE NEVER NEVER LANDになり、THE NEVER LANDになっていったものだ。

一九〇四年の演劇『ピーター・パン』初演当時にはTHE NEVER, NEVER, NEVER LANDだったものが、一九一一年の小説『ピーターとウェンディ』の挿絵（ケンジントン生まれの画家、フランシス・ドンキン・ベッドフォードによる）では既にTHE NEVER NEVER LANDに短縮されている。そして一九二八年に出版された戯曲『ピーター・パン』ではTHE NEVER LANDとなった。

さて、このNever landを日本語にどう訳すか、各訳者は頭を悩ますところだ。例えば石井桃子による福音館文庫版では最初に登場する際に「ネヴァーランド（どこにもない国）」とし、その後は「ネヴァーランド」のみで統一している。高杉一郎による講談社文庫版もほぼ同様。最初に登場する際が「ネバーランド（どこにもない国）」で、その後は「ネバーランド」で統一。ジョニー・デップ主演の映画（バリとディヴィズ家の五少年との交流から『ピーター・パン』が生まれた、という実話に基づくフィクション映画）のタイトルも「ネバーランド」。皆、訳すのを放棄しているに等しい。

しかし、詩人・谷川雁はこれを「ない・ない・ないの国」と訳した。これは実に傑作だ。(8) これを考えつくときに最終形である THE NEVER LAND だけではなく元々の THE NEVER, NEVER, NEVER LAND も頭にあっただろうとは思う。ラボ・ライブラリー制作者たちが極めて綿密に下調べをしていたことは今回研究していて実によくわかった。谷川雁は元の形 THE NEVER, NEVER, NEVER LAND を知っていただろう。しかしそれを知っていたとして、そこから「ない・ない・ないの国」までが近いか。いやまだまだ遠い。この訳語に「ない・ない・ないの国」を当てたのは彼にしかできなかった仕事と云えよう。この訳語を当てることに谷川雁が抱いていた思い、そしてそれを思いつくまでの苦労について雁自身がこう書いている。

さて、ぼくの方で最初の難関と考えていたのは、ネヴァランドを何と訳すかということだった。英語の物語だから、まず英語の原稿を作ることになるので、日本語はあとでよいのだが、どこにもない島、ありえない国というこの主要舞台をつまらない日本語で呼ぶようでは論外である。そう考えると、これが決まらないうちは英語であれ何であれ、構成を考える気にもなれない。数週間、ぬれた靴下をはいている思いだったが、ある朝「ない・ない・ないの国」ということばがふっと口をついて出て、「これでいこう」と決めた。そうなるともう、ためらうことなく制作に突進すればよい気持になったのだった。

谷川雁の思い入れ

『ピーター・パンの世界』所収の「さまざまな時計を聞きながら――『妖精学』のための雑記帳――」（谷川雁名義）第一章「五十年前の田舎のピーター」にて、四歳数ヵ月の時に初めて『ピーター・パン』をルビ付き全訳で読んだこと、それから小学校に上がるまでの数年間、『ピーター・パン』を大変愛したことを吐露している谷川雁。やはりその思い入れは深かったのだろう、一九八九年になって高野睦との共訳という形で第三文明社から『ピーター・パン』を出している。[9]これは『ピーターとウェンディ』の抄訳である。こんなことは他のラボ・ライブラリー作品に関しては行っていない。特別の思い入れゆえだろう。

あるいは、ラボ・ライブラリーにてやり残したことをした、と、とることもできるかもしれない。同じ「さまざまな時計を聞きながら――『妖精学』のための雑記帳――」第五章「ティンクの憎しみのかたち」において谷川雁は以下のように書いている。

> 妖精のつとめて美しい面を見たいと思うぼくたちにはいささか当惑させられるような悪女ぶりだが、しかし、原作をたどると、自分の小部屋の寝台に横たわり、光もかすかになりゆくティンクを見つめて、ピーターは涙をたたえる。ティンクは手をさしのべ、自分の指をつたってピーターの涙がこぼれるようにする。そういう美しさを引き立たせるために、これまでの悪女ぶりの一切はあったのだとなっとくしよう。この所作をはっきりテープに入れなかったのは、いまだに後悔している。

この「後悔」を晴らすためにしたことか、第三文明社の抄訳『ピーター・パン』ではティンクが手をさしのべる所作が原作通り入っている。

思い入れがある作品だけにウェンディ姉弟と、ロスト・ボーイズとの間にある違い、についても深い考察がある。ここも逃さず引いておきたい。

> だぁれも知らない子たちとウェンディ姉弟との間にある大きな差が浮びあがる。だぁれも知らない子たちは、あまり偏差値が高そうにも思えないが、すくなくともティンクのことば、つまり妖精語を理解することができた。しかし姉弟は、ネヴァランドを去るまで、ついに妖精語についてはちんぷんかんぷんだった。妖精語がわからずに、どうしてネヴァランドを理解できよう。ピーターを理解できよう。それは通常の外国語などとはちがって、人間の心を小さな小さな生き物にすることができればわかることだったのに――。
>
> ティンクのウェンディにたいする怒りは、そこに向けられていたのだ。ぼくはティンクを、男につくすことはできるが、競争相手をおとしいれることも平気なヒステリィ女の象徴とは考えたくない。

この物語に触れた誰もが何となく感じるであろうウェンディへの違和感、ティンカー・ベルへの共感をここまではっきりと言い尽くした文章は他にないのではないだろうか。

真摯に作品を作り、ラボ教育活動に臨んでいた谷川雁

捕らえられて海賊船のマストに括りつけられたウェンディに、海賊フックは、同じく捕らえられ殺されようとしているロスト・ボーイズに対する最後の挨拶を許す。ここでウェンディが言う言葉は「I hope my boys will die like English gentlemen」だ。冒険物語のさなかではなんとなく通り過ぎてしまいかねないこの言葉に、谷川雁は実に敏感に反応して、こう書いている。

> ちょっと、ここは大変なところですよ。（中略）涙一滴こぼさずに（中略）言うわけだ。これでいいのだろうか？　戦争中の日本の「軍国の母」たち（中略）とウェンディは重なり合っているね。（中略）あまり気持のよくないところです。（中略）テーマ活動をどうこうするということからは少し離れるような感じがするかもしれないが、ぼくは、とくに君たちの世代で考えておいてほしいと思うのが、この場面です。

別の部分でロスト・ボーイズの一人カーリーが叫ぶ「Rule Britannia!」＝イギリス帝国バンザーイ！　の台詞についてもこう書いている。

> カーリーの「Rule Britannia!」というセリフも、これはテープに入れるかどうか、ずいぶん思案したんだよ。国家とか帝国とかが母親の上に大きく覆いかぶさってきたときには、こどもも思いの母親ということだけで貫けるものじゃないという問題を出しておきたかったので、あえてテープに残したわけです。

谷川雁はここまで真摯に考えながらラボ・ライブラリー作品を作り、ラボ教育活動に臨んでいたのか、と思うと、ありがたいと思うと同時に、襟を正さざるをえない厳粛な思いにかられる。

高松次郎の絵

絵を担当したのは高松次郎だ。この『ピーター・パン』がラボ・ライブラリーのための初仕事となる。この後は谷川雁の盟友といえる存在となり、『わんぱく大将トム・ソーヤ』『グリーシュ』『国生み』などを担当することになる。

『ピーター・パン』を高松次郎に描いてもらうことについて谷川雁はこう書いている。

> 高松次郎氏にこの物語の絵を描いてもらいたいというのは、また、ぼくの前からの念願だった。針生一郎氏の斡旋で承諾を得たとき、
> 　ぼくは「もう三分の一はできたぞ」と、こおどりし、世界のどこにも例を見ない新しい絵本のまぼろしを思い描いて昂奮したものだ。

『ピーター・パン』における高松次郎の絵は、全くの抽象画、というわけではない。☆がピーター・パンを表し、Oがウェンディを表していることは明白。抽象的絵画、といえようか。これについて高松次郎は『物語としての日本神話』[10]（一九八〇年　テーマ活動文庫）所収のインタビュー「見えないまぼろしを描く」においてこう語っている。

> 『ピーター・パン』にしろ『トム・ソーヤ』にしろ『グリーシュ』にしろ、今まではわりに、こども、ドラマ、ぼくの仕事、という三つのものを平等に考えていたけれども、今度の『国生み』の場合は、ともかく今ぼくがやっている仕事を、こどものことをまったく考えずに、ぼくが一番やりたいと思っていることを一度こどもにぶつけてみよう、そういうことで終始したんです。始める前に谷川さんも、今回はそれがいいんじゃないかと言われました。

　つまり、『ピーター・パン』『トム・ソーヤ』『グリーシュ』の時は完全にやりたいようにはやらず、子どものことを考えに入れた抽象的絵画、だったというわけだ。

　ここで高松次郎の絵について個人的な体験に少し触れさせていただきたい。『グリーシュ』の論考において私は、高松次郎の絵について「正直に書くと私自身は子供時代から今に至るまで高松の絵をいいものだと思ったことはないのだが……」と書いた。しかしその数ヵ月後、ラボっ子をしている長女が所属するパーティが『ピーター・パン』をとり上げた。当時六歳だった長女はロスト・ボーイズのうちの「双子その一」役を割り当てられ、楽しんで活動にいそしんでいた。そしてある日、我が家で『ピーター・パン』のCDを聴きながら、高松次郎による絵本を長女がめくっているところを私は見た。私が何気なく寄っていくと、長女は実に楽しそうにその絵を指しながら、「これがピーターで、これがウェンディだよ。ここでマイケルが〇〇しているんだ」と言った（〇〇の内容は覚えていない）。私は愕然としてしまった。そもそもその絵本は英語と高松次郎の抽象的絵画しかないものなのだ。それなのに英語も読めない長女が正しくCDで流れている部分のページを開いていた（英語からページを特定するこ

とはできないのだから、絵からそれができていたことになる）。そしてその絵を楽しんでいたのだ。私は自分の不明を恥じずにはいられなかった。高松次郎の抽象的絵画、それをラボ・ライブラリー作品に当てた谷川雁、恐るべし。

フランク・ベッカーの音楽

ラボ・ライブラリー作品『ピーター・パン』の音楽を担当したFrank W. Beckerは一九四四年アメリカ生まれ。アメリカ・オハイオ州のオバーリン音楽院を卒業後しばらくして日本に移住し十四年も暮らした、とのこと。現在も健在らしい。ラボ・ライブラリーのための仕事としては、一九七一年発刊のラボ・ライブラリー『オバケのQ太郎』の作曲、一九七二年発刊のラボ・ライブラリー『フォークソング名曲集』の編曲、同じ年の『アメリカ初旅行・西部編』の作曲を担当している。ついで一九七四年に『ピーター・パン』、『ジャックと豆の木』の作曲を担当。一九七七年には『わんぱく大将トム・ソーヤ』も担当している。最初期を支えた林光、『国生み』『ロミオとジュリエット』等の音楽を担当した間宮芳生と並んで谷川雁が製作指揮をしていた時代のラボ・ライブラリー作品群を支えた音楽家、といえる存在だ[11]。

　これだけ仕事を任せたのだから、谷川雁も高く評価していたのは間違いない。Beckerについてはこう書いている。

> 　作曲をひきうけたフランク・ベッカー氏は、そのあとまもなく新進作曲家としてフランスの賞をとった人で、その頃ようやく注目されはじめた新楽器シンセサイザーを駆使して、さっそうたる音楽をうみだしてくれた。とくに歌は、原作者バリもたぶん大いに気に入っただろうと思うような、しゃれた明るさをふんだんにふりまいて、鉱物質の光を物語にはめこむことになった。

再話・創作・吹込面で才能を発揮したC・Wニコルとアラン・ブース、そしてこのFrank W. Becker――こういった人材を登用できるところが、らくだ・こぶに（谷川雁たち）のすごみであると思う。

見事な日本語。見事な再構成！

あまりに原作が全てを備えているがゆえに、谷川雁たちがラボ・ライブラリーで成し遂げたこと、が多くないように見えてしまうことを最初に記した。しかし本当にそうだろうか。ここまで書いてくるとそうは思えなくなってくる。実に優れた日本語を谷川雁自身が書いている（翻訳は「ラボ教育センター」名義になっているが全面的に谷川雁によるものであることが判っている）。一つだけ他の訳と比較して例を挙げよう。

石井桃子訳：

「パン、なんじは、なんの、だれなのだ？」かすれた声で、かれはさけびました。

「ぼくは、若さだ。ぼくは、喜びだ。」ピーターが、出まかせに答えました。「ぼくは、タマゴのからをやぶって出た小さい鳥だ。」

高杉一郎訳：

「ピーター・パン、いったいおまえは、だれだ、なにものだ？」

しわがれた声で、ききました。

「ぼくは、わかさだ、よろこびだ」ピーターは、でまかせを答えました。「たまごからとびだしたばかりの小鳥さ」

ラボ・ライブラリー（谷川雁訳）：

「ぼくは、若さと喜びのかたまりだ。」

「かえったばかりのヒヨっ子なのさ」

そしてこのセリフのあと、ラボ・ライブラリーが持つ時間的制約から物語を削っていかなければならないことを逆手にとって、実に見事な再構成がなされている。原作ではこの言葉に衝撃を受けたフックがまだもう少しのあいだ悪あがきをすることになるのだが、ラボ・ライブラリーではこの溌剌たる言葉こそが海賊フックにとどめを刺す最後の一撃になっているのだ。この部分の見事さには、今回原作と見比べながら読んでみて実に舌を巻く思いだった。実に鮮やかな手腕だ。

谷川雁が最も慈しんだ作品

『グリーシュ』の時のように元が素朴な短い民話の場合、らくだ・こぶに（谷川雁たち）は様々な技術を（順番の入れ替え、辻褄が合わない部分の補修、叙情を物語にもたらすこと、など）駆使した。しかし『ピーター・パン』では技術を凝らしたという感じはしない。原作がそもそも既に優れたものであり、かつ長編であったために腕の振るいようがなかったか。それもあるかもしれない――しかし、それだけではない。谷川雁はこの物語を愛し、大事にしていた、そう、慈しんでいたのだ。実に丁寧に原作の大事な部分をほぼ全て残している。優れた日本語訳を自ら与えている。高松次郎の絵、アラン・ブース、江守徹たちの味のある吹込、初めての試みとなる「おおぜいのこどもたち」（ラボっ子が参加）による元気溢れる吹込、若きFrank W. Beckerによる優れた音楽、これら全ての配し方も心憎いばかりだ。原作に対する敬意がにじみ出ている作りだと言いたい[12]。

谷川雁がラボを去る前、最後に残した作品『国生み』こそが、らくだ・こぶに（谷川雁たち）が送り出した最高の作品と言えようし、雁もそれを愛していたにちがいない。しかしそれは創作の喜びと同時に非常な創作の苦しみも伴っていたであろう。実に緊密に微細な部分まで熱を吹き込まれた、凝縮され尽くした極限の作品だ。[13]

一方、『ピーター・パン』に関しては勿論創作の苦しみもあっただろうが、この物語をラボ・ライブラリーにできるという喜びの方が大きかったのではないか。その喜びが充溢しているからこそ、今も風雪に耐え、愛され続け、取り上げられ続けている作品となっているのだろう。勝手な主観ではあるが、谷川雁がもっとも楽しみながら制作にあたり、最も慈しんだ作品、それが『ピーター・パン』だと思えてならない。

注

（1）谷川雁もバリを非常に高く評価していた。『ピーター・パンの世界』（テーマ活動文庫　一九八一年）内で「同じ欠点でも明るい欠点、同じ非行でもあたたかい非行というものがあり、それがこの世をすばらしくする材料なのだということをなっとくさせる点で、バリはマーク・トウェインと肩をならべる作家なのだ」と書いている。また別の箇所では『ピーター・パン』という物語に対して――「時間」というものが「現在」という瞬間のところでひとつの歪みを見せることがあって、だんだん人間をスポイルしていくような時間に対して、その中で心が洗い清められるような時間があるのだ、というテーマを提起している点においてすばらしい物語だといえる――と評価している。

（2）小さな白い鳥（パロル舎　二〇〇三年）ジェイムズ・M・バリ著、鈴木重敏訳、東逸子挿画

（3）ピーター・パン（新潮文庫　一九五三年）ジェームズ・バリー著、本多顕彰訳　＊『ケンジントン公園のピーター・パン』の訳である。

（4）『ピーター・パンの世界』（テーマ活動文庫　一九八一年）にある。この本によって谷川雁と『ピーター・パン』との関わりを深く知ることができた。この小文においても多数の引用もさせて頂いた。この本を残して下さった発行者の皆様に深甚の感謝を表したい。

（5）邦訳（全訳）で気軽に入手できるものとしては以下二つがある。

　ピーター・パン（講談社文庫　一九八四年）J・M・バリ著、高杉一郎訳　＊『ピーター・パンとウェンディ』の全訳

　ピーター・パンとウェンディ（福音館文庫　二〇〇三年）J・M・バリー作、石井桃子訳

（6）『青の発見―「テーマ活動」ノォト一』らくだ・こぶに名義（物語テープ出版　一九八一年）所収の「夜をこどもに」は夜と物語に関する谷川雁の優れた文章だ。こんな文章がある。〝夜というものはこどもたちにとってある超越性、彼岸の感覚、したがって複数の論理と一箇のイメージの調和の可能性を手にとらせることのできるたいせつな、しかもどこにもある時間

だといいたいのです〟〝物語の「夜」、夜の場面に重点のある物語をやや用心深く取りあつかおうとしていたことを思いだします。こどもにとって夜は刺激的なもの、それだけに闇の乱用はさけねばなりません〟〝物語の母胎は夜であり、夜の核は物語であることをかみしめるならば、こどもたちの暗黒へのおそれを偉大なものへの崇敬に通底させるためのいとなみをおろそかにしたくないと思います〟

（7）例えば「神話ごっこ」の十五年（毎日新聞　一九八一・九・五夕刊）、『ピーター・パンの世界』（テーマ活動文庫　一九八一年）所収「テーマ活動を深めるために……谷川雁とこどもたちの対話」、『谷川雁さんからのバトン』（ものがたり文化の会　二〇〇八年）所収の「人体表現の交通地図」（一九八七年の文章）などが詳しい。

（8）この訳語「ない・ない・ないの国」のセンスにはラボ・ライブラリーに触れた誰もが痺れたと言っても過言ではないだろう。例えば少年時代にラボ会員（ラボっ子）であった宮沢和史が作詞（小沢元と共作）している一九八九年のバンド〝THE BOOM〟デビューアルバムの曲に「ないないないの国」というのがある。歌詞も「遊びに行こうよないないないの国」「ティンカーベルについてゆけ！」というものだ。当時彼らのライヴではアンコールにこの曲を演奏するのが定番化していたようで人気があった曲らしい。これは二〇〇九年に発売されたTHE BOOMのカバーアルバムでもおおはた雄一によってカバーされているなど、のちのちまで人気があるようだ。

（9）ピーター・パン（第三文明社　一九八九年）ジェームズ・バリ著、谷川雁・高野睦訳

（10）物語としての日本神話（テーマ活動文庫　一九八〇年）谷川雁、C・Wニコル、高松次郎、間宮芳生

（11）Frank W. Becker の公式ウェブ・サイトにて最近の作品を聴くことができる。https://frankbeckermusic.com。公式ウェブ・サイトの記事によると、日本在住中は武満徹、湯浅譲二、高橋アキ、一柳慧といった錚々たる現代音楽家達と実験的な音楽を作曲したり演奏したりしていた、とのこと。東芝ＥＭＩから六枚のレコードも出している。その中でも一九七八年にはヴィヴァルディの「四季」をシンセサイザーで演奏する、というアルバムを出している。元々ヴァイオリン協奏曲である「四季」のソロ・パートであるヴァイオリンは原曲通り生のヴァイオリンでヴァイオリニストが演奏、ベッカーはその他のパートをシンセサイザーで演奏するとともにＳＥ（サウンド・エフェクト）も加えている、というものらしい。「四季」なり、あるいは他のクラシック音楽なりを電子楽器で演奏する、という試みは今でこそ全く珍しくも何ともないが、一九七八年当時はまだ珍しく、またシンセサイザーという楽器自体もまだまだ黎明期をようやく脱しようかという時期であり、全曲を録音することも大変な時代であったと思われる。

　シンセサイザー音楽作家としては日本の冨田勲（一九三二年生まれ）、アメリカのワルター・カーロス（一九三九年生まれ）よりは後の世代だが、ヴァンゲリス（一九四四年、ギリシャ生まれ）、ジャン・ミッシェル・ジャール（一九四八年、フランス生まれ）と同世代と言える。

（12）谷川雁自身も手応えを感じていたことは『ピーター・パンの世界』（一九八一年　テーマ活動文庫）内の記述で判る。以下の通りだ。「多くの人の努力で、テープ物語『ピーター・パン』はごらんのようにていねいに仕上げられた。（中略）個人的感想にとらわれすぎてはいけないが、ぼくはまたとない記念像を共同制作というかたちで、自分の血の一滴をまじえて刻むことができたのである」

（13）『ピーター・パンの世界』（一九八一年　テーマ活動文庫）の中で取り上げられる谷川雁が講話した言葉として「――無駄なことは切り捨てる。何かをするより何をしないかをみつけるのが大事、つまり、一点をつきつめる凝縮力の大事さ――」というものがある。

［その他参考文献］

・ピーター・パン写真集　ネバーランドの少年たち（新書館　一九八九年）鈴木重敏著

・ロスト・ボーイズ――J・M・バリとピーター・パン誕生の物語（新書館　一九九一年）アンドリュー・バーキン著、鈴木重敏訳

『E.T.』――ピーター・パンへのオマージュ

［ラボ・ライブラリーとは無関係のエッセイ。本章の主旨からはズレるが、前稿での研究があってこそ気付きを得られた。番外編としてお楽しみいただければ幸いだ。］

娘が中学の吹奏楽部でジョン・ウィリアムズ・メドレーを演奏することになった。メドレー中の映画について、『スター・ウォーズ』など観たことのあるものが多いが『E.T.』は観たことが無いとのこと。それでは、とレンタルして家族で観た。二〇〇二年に改訂版が公開されているらしいが、それではなく一九八二年公開のオリジナル版での鑑賞。

私自身は公開時に映画館で観ており、それから約三十五年ぶりの鑑賞だ。懐かしいな。でも印象的なごくごく一部の場面と音楽しか覚えていない……。ほとんど初めての鑑賞と同じような状態。

さて、今回観てみて、まず画がとても綺麗なことが印象的。主人公の少年がE.T.と最初に遭遇する、庭にある物置のシーンなど一幅の絵画のよう。

そして、なかなかはっきりとE.T.を見せないようにして小出しにしていく手法は、スピルバーグの出世作『ジョーズ』を思わせてニヤニヤしてしまう。説明的なセリフは一切無く、それどころか最初の数分はほとんどセリフが無いと言ってもよく、モンタージュで登場人物たちや物語の背景などを全て明快に示してくれる。映画体験がまだまだ少ない小四の息子でも全く問題なく、E.T.一人を置いて宇宙船が去って行ってしまったところでは「置いてけぼりになっちゃった……」とつぶやいていた。サイレントからトーキーになってから数十年、セリフに頼るのが当たり前になって久しい時期に、これだけ「画の力」にこだわってモンタージュによるシークエンスを作っているスピルバーグ、さすがだ。映画ならではのおもしろさに満ちている。

序盤はカメラが低位置のみしか映さず、母親以外の大人（例えば先生、E.T.を探す人）の顔は一切出ず手や足しか映らないというのもいい。少年の目線を我々観客に体験させているわけだ。

そして後半になると普通の画にしている。少年の成長を意味しているのだろう。

劇中、母親が幼い妹に寝物語に読み聞かせるのはジェームズ・バリの『ピーター・パン』だ。少年が自転車で空を飛ぶシーンはピーター・パンへのオマージュか。後半、少年五人がやはり自転車で空を飛ぶのはネバーランドのロスト・ボーイズを模しているか。

更にいえば、瀕死のE.T.が、少年のI love you. という心からの叫びと涙に呼応して、胸に光を宿し蘇生するシーン、これは明らかに『ピーター・パン』でいうところの「観客の拍手」にあたるだろう。ジェームズ・バリの戯曲『ピーター・パン』の名シーン、瀕死のティンカー・ベルを救うのは子供たちが妖精を信じる気持ちであり、それを手を叩くことで示してほしい、とピーター・パンが客席の子供たちに呼びかける場面だ。先述した、母親が幼い娘に読み聞かせていた場面は、実にこの場面なのであった。

こう見てくると、この映画『E.T.』全体がスピルバーグによるピーター・パンへのオマージュなのではないかとも思えてきた次第。こんなこと、初めて観た十三歳の時には気付かなかったな……。

今回、こんなきっかけでもなければ再見することはなかったであろうE.T.を観ることができたことに感謝。実に素敵な映画だった。

＊＊＊

中一の冬に『E.T.』が封切られた際の映画館での鑑賞には、実は苦い思い出がある。私は映画大好き少年で、既に相当の数の映画を観ていたこともあり、いっぱしの映画通を気取っていた。好きな映画監督はジュリアン・デュヴィヴィエです、などと言っていた頃。そんな私に、父が映画を観に行こうと誘ってくれたのが『E.T.』だったのだ。古い白黒のフランス映画ばかり観ていたような当時の私は、観に行く前、多分ちょっと『E.T.』を甘く見ていたと思う。もちろんスピルバーグ自体は好きで、『激突!』『ジョーズ』などは大好きだったと言ってよいぐらい好きだった。でも『E.T.』は子供だましでは……とその時の私は思っていたようだ。

だが観終わった私はすっかり感動していた。連れて行ってくれた父に「すばらしかった」と感想を言ったようだ。ところが一晩寝て翌日ぐらいだったか冷静になってみると、どうも鑑賞直後とは違う感想を持ったようだ。もうよく覚えていないが、多分「少年とE.T.のシンクロの原理は?」とか「宇宙船を呼ぶアンテナをあり合わせの材料で作るってほんとか?」とかそんなことだったか。或いは単にE.T.に感動してしまった自分が幼いように感じてなんだか恥ずかしくなってしまったのか。多分後者かな……。父に前言撤回的なことを言ってしまったのだ。父は怒った。なんと言ってたかな、「一度言ったことをすぐに取り下げるなんてことはしちゃいかん」といったようなことだったか。もはや数十年を経て記憶は茫漠としているが。とにかく、折角映画に連れて行ってくれた父に申し訳ないことをしてしまったことだけは確かだ。

と言う次第で『E.T.』は、私にとって父との苦い思い出とリンクした映画だったのだ。それを娘たち・息子たちと今回観たことで、なんだか私は救われたような気がしている。彼女ら・彼らは『E.T.』に実に素直に感動していた。そして一晩経ってもその意見は変わらなかったのだった。

『アメリカ初旅行』――中二の夏、そしてヨセミテでの再会

ラボ・ライブラリー作品『アメリカ初旅行』概説

西部編全十二話、東部編全十二話の計二十四話から成る。各話のあとにはアメリカの曲が一曲収録されている。

主人公の「加藤さん」がアメリカを観光で訪れる話。飛行機、税関手続き、ホテル、チップの支払いなど様々な場面での英会話が物語に沿って自然な形で展開される。実際にこれを聴いた人がアメリカを旅する時に助かるだろうと思われる親切な作り。たとえば第一話を例にとれば、飛行機に搭乗するところから、食事、トイレなどに関する搭乗員とのやり取り、隣席の老人との会話、といった具合に様々なシチュエーションでの会話が織り込まれている。大人向けの英会話教育を行っていたTEC（東京イングリッシュセンター）のほうで作られたものであり、それを子どもに向けたラボ教育にも流用したもの。

そしてさすがのゴージャスな作り。江守徹が「加藤さん」役で一人称の語り。名優江守によって、柔らかで、かつ洗練された雰囲気が醸し出されている。アメリカに行くこと、海外旅行をすることが今よりも大きな事であった時代に初めてアメリカに行く主人公の浮き立つような気持ちが、全体のトーンを陽性にしている。江守以外の声優もみないい味。フランク・ベッカーによる背景の音楽も明るくてお洒落な曲ばかり。聴いていて明るい気分になれる作品だ。

ただし一九九〇年にラボ・ライブラリーをテープからCDに切り替える際に本作品はライブラリーから除かれている。大人が主人公の大人向けの内容ということと、時代の雰囲気が少し時代遅れとなってしまっているとの判断と聞き及んでいる。

●『アメリカ初旅行』〈西部編〉一覧

	題名	内容	巻末収録曲
一	いってらっしゃい	飛行機の搭乗からサンフランシスコ上空まで	星条旗よ永遠なれ
二	ようこそ、アメリカへ	着陸〜検疫〜入国手続き〜税関〜両替〜待合せ	キャンプタウンの草競馬
三	アメリカのホテルに泊まる	ホテルに到着〜お茶〜勘定〜モーニングコール依頼	ホキポキ
四	繁華街へ	モーニングコール〜ルームサービス〜外出〜昼食	時には母のない子のように
五	ケーブル・カーに乗って	チャイナタウン〜フィッシャーマンズワーフ〜迷子	あなたの瞳で私に乾杯を
六	どうぞお楽に	一泊ホームステイ〜金門公園〜夕食	戦争はもうごめんさ
七	フリーウェイを行く	バスでマーセドへ	優しく揺れよ天の馬車
八	美しきかな、アメリカ	ヨセミテ国立公園	聖者が行進してくる時にゃ
九	大当りといこう	ラスベガス	赤い河の谷間
十	スモッグの街へ	ロサンゼルスへ、レンタ・カーを借りる	おお、いとしのクレメンタイン
十一	レンタ・カーに乗って	ビバリーヒル〜ハリウッド〜モーテル泊〜農場見学	オールドスモーキー
十二	発車しまーす	夜行列車で東部へ	うちへ帰ろう（Going home）

このあと同様に東部編に続くわけだが、そちらの紹介は省略する。このようにアメリカ旅行でありそうな場面を網羅し、観光ガイドも兼ねている。そしてそれらを細切れに並べるのではなく、しっかりと楽しい物語として違和感なく成り立たせているところが物語重視のラボらしいところ。

以下、このラボ・ライブラリー作品へのオマージュとして、私の小文を掲げる。

アメリカ初旅行
――中二の夏、そしてヨセミテでの再会

三十五年ぶりのアメリカで
私の『アメリカ初旅行』を振り返る

M様、一九八三年の夏、あなたに引率いただいて渡航したあの時から三十五年ぶりのアメリカに来ています。私は当時中学二年生、そしてMさんはラボの事務局員として我々インディアナ州に行く子どもたちを引率してくれた大人たちの一人でらっしゃいましたね。

「ひとりだちへの旅」として一ヵ月のホームステイに参加する我々中高生たちは一人一人、自分が選んだラボ・ライブラリー作品を集中的に吸収して旅に臨み、アメリカの家族に対して発表したりするのでした。あの時私はマイナーなライブラリー作品『アメリカ初旅行』を選択、各巻巻末に収録されたアメリカの歌を全て覚えて参加、色んなところで披露しましたっけ。それをMさんがたいそう褒めてくださり嬉しかったことを今でも憶えています。

アメリカの方々にも好評いただいたなぁ、とも思い出します。ステイト・フェアという催しで、大勢の人々の前で我々は一人一人準備してきた出し物をしました。私は日本らしい歌として「さくらさくら」と、『アメリカ初旅行』から「赤い河の谷間（Red river valley）」「いとしのクレメンタイン（Oh My Darling Clementine）」を歌ったように記憶しています。「さくらさくら」は異国情緒として受けとってもらえたとして、ほか二曲のアメリカの歌を坊主頭の日本の少年が歌うのをどう受けとっていただけるか、少々不安もなかったわけではありませんが、皆さん大変喜んでくださいました。特にお爺さんお婆さんが涙ぐみながらとても嬉しそうに聴いてくださったのが印象に残っています。歌は国境を越える、というと決まり文句すぎるかな……。文化と文化が出会うとき、というと大げさすぎるでしょうか。ただ確かにあの場には「交流＝Exchange」があったな、と実感を伴って思い出すのです。

元来引っ込み思案な性格の私が、準備活動をしっかりやった自信がそうさせたのか、行くときから帰るときまでずっと「心の回路が全開状態」で一ヵ月間過ごせた、得難い、不思議な時間でした。同行のラボっ子たち、Mさんたち引率の方々、受入れ側団体4―Hクラブ側スタッフ、ホストファミリー、ホストの友だちたち、教会の牧師さん、会う人全てと仲良くなってしまう、そんな日々でした。

一方で、カウンティ・フェアに出かけたとき、知らない中高生年代の三人組に足をかけられて転び、「イエロージャップ、ゴーホーム」と言われた強烈な体験も忘れてはいません。そ

ういうことも含めてまるごと、日本にいたのでは体験できないことをロウ・ティーン、中学二年の時に実体験として得られた、それは自己形成において貴重な財産となったと思っています。そうそう、ラボでは「らくだ・こぶに」の筆名だった谷川雁も「十代、とくにロウ・ティーン、中学二年二学期を焦点とする時期」が大事だと言っていたそうですね。中学二年の夏休み、まさしく焦点に「ひとりだちへの旅」をさせてもらえたということ、感謝頻りなのです。

そうですよね……あれからも様々なお付き合いをさせていただいていますが、Mさんと出会ったのはインディアナ州へのあの旅だったのですよね……。しかしインディアナ州に決まったときはショックだったことも思い出しましたよ。なんせ先ほど挙げた歌二曲、「赤い河の谷間」「いとしのクレメンタイン」からもわかるように、私は西部（および南部）に憧れていたのですから。西部劇や、テレビドラマ『大草原の小さな家』のような、馬に乗って走り回るイメージこそが私のアメリカだったのです。ところがインディアナ州は東部。四角四面の住宅地が続き、どの家にも緑の芝生の庭があり、その庭には散水用のスプリンクラーが埋め込まれていて、プールがあって。全くイメージとは逆でしたから。でも、どんなときでもポジティヴに「自分の物語」にしてしまえる、そんな力をラボから貰っていましたから、それはそれで楽しみましたけれどね、もちろん。ホストファミリーは敬虔なキリスト教徒であるメソジストでしたから、毎週日曜日は教会に行きましたっけ。教会のキャンプが六日間もあり、ホストと一緒に行ったことも思い出します。小さな湖のほとりで、同年代のアメリカの子どもたちと楽しく遊んだ日々……。カヌーを漕いだり、水を掛け合ってはしゃいだり。向こうの女子は日本の子たちよりおませで、ちょっとドキドキしながら話したことも思い起こされます。

折角今アメリカに来て書いているのに三十五年前の思い出に浸りすぎました。今のことを書きますね。

今回、商用で二週間、テキサスとカリフォルニアに来ているわけですが、あいまのお休みには、カリフォルニアはヨセミテ近郊に在住の仁衡パーティ卒業生の家も訪ねます。旅のお供はスマートフォンに取り込んである『アメリカ初旅行』です。三十五年前、主人公の「加藤さん」はずっと年上だったけれど、今となっては加藤さんより私の方がずっと年上としてここにいるのです。Awesome!《おどろき！》

ラボ教育の根幹は「外国語・外国文化と触れることで、それらを学ぶとともに母語・自国文化も相対化でき、そして世界の多様さに触れ、世界全体を体得する」ということだと私は理解しています。実際、外国文化と触れるときに自国の文化がたくまずして出てくる、そんな体験を今回もしています。普段は俳句なんて詠んだりしない私なのに、なぜか五七五で自分の気持ちを表現したいという思いが湧き出てきたのでした。

初雪や　外つ国《とつくに》に独り勇み往《ゆ》く（成田空港にて）

雲低し　メキシコ湾に浜千鳥（テキサス、曇天の海辺で）

こんな句作などしながら今回の旅をしました。

アメリカは多様性に溢れていますね。ドイツ系アメリカ人については後ろに「テキサスのドイツ人」としてまとめましたが、そこで記した街、テキサスのサンアントニオに限った話ではないなと、のちにわかりました。テキサスから移動したカリフォルニアで、アナハイムという街に行きましたが、今や大谷翔平が所属するエンゼルスのホームタウンとして有名なそのアナハイムは、一八五七年にサンフランシスコから集団入植したドイツ系を中心に作られた街だそうです。アナは街を流れるサンタアナ川から、ハイムは家を意味するドイツ語Heimからだそうです。バウムクーヘンのユーハイムと同じですね、あちらは苗字らしいですが。アナハイムにはドイツ料理店もあり、店内にはドイツ民謡が流れ、おいしいドイツ料理を楽しみましたっけ。そうそう、アナハイムには国際展示会で行ったのですが、そこで仲良くなったドイツ人から謝られましたよ。I'm sorry. Mr. Trump is a German American.と。トランプ大統領はドイツ系アメリカ人なんですね。ドイツ系の苗字だそうです。

さて、Mさん。あなたと行った三十五年前は東部でしたが、今回二度目のアメリカは私にとって初南部、初西部、アメリカでの初レンタカー、初フリーウェイ、初メキシコ湾、初モーテル、初展示会出展と初物尽くしの旅となりました。もはや二度目の『アメリカ初旅行』、そう言ってもいいぐらいですね。二度目ではありましたが、中学二年時の「往復引率者あり＋ホームステイ」とは違って、一人の大人としての独り旅として、これはこれでやはり『アメリカ初旅行』、そんなみずみずしい感動があった旅なのです。仕事の話は置いておいて、夜や週末の様子をMさんにご報告したいゆえんです。「テキサスを行く」「テキサスのドイツ人」「カリフォルニアへ。ヨセミテで三十五年ぶりの再会」と題して書いてみます。ご笑覧ください。

テキサスを行く

テキサスに着いた日すぐにレンタカーを借り、ヒューストン宇宙センターを見て、さらにメキシコ湾に足を延ばした私。アメリカの車社会を実感した。なんといってもハイウェイ（フリーウェイ）が充実。初日は結局約一五〇マイル（約二五〇km）運転したが、無料の高速道路でどこまでも行けるのが嬉しい。道幅は広く、幹線道路は片側五車線とかある。これは土地の広さが違うから如何ともしがたいが。一方で警察も多い。パトロール中のところも、取締をしているところも結構見た。

カーラジオで周波数を変えていく。スペイン語放送が少なくない。メキシコが隣だしな。標識もスペイン語併記、例えばEXITの下にSALIDAと。

その夜はモーテルに泊まった。『アメリカ初旅行』で加藤さんもモーテルに泊まってたな。部屋がうるさいので変えてくれないか、なんてフロントの人と交渉したりして。そんなことを懐かしく思い出しながら、疲れ切っていた私はすぐに眠りについた。

さて翌二日目は次の街に移動だ。ところが時差ボケが如何ともし難く、モーテルのフロントからの電話で慌てて飛び起きた。加藤さんもモーニングコール頼んでたっけな……などとまだボーッとしながら考える。しかし私の方はモーニングコールではなく督促の電話、なんともう十一時のチェックアウト時限間際。午前中はヒューストン美術館に行こうと思っていたが断念。フロントで買ったチートスとドリトスを駐車場の車中で食べながら一人作戦会議。しかしなんだな、こっちのスナックは心なしか塩気が強いな……。

さて、ダウンタウンにフリーウェイで向かう。レンタカー店で車を返してから、バスステーションへスーツケースを引いて徒歩七分程度。レンタカー店あたりは綺麗な街並みだったが、バスステーション近くはちょっと要注意。ホームレスな方が何人も寝ている。金網にもたれている若者。何故かシャドウボクシングをしながら横断歩道をこちらに来る歩行者。いちいち緊張してしまう。バスステーション前では制服を着たセキュリティが油断なく通りを見ながら旅行者を受け入れている。あのセキュリティは、きっと上着の下に銃も持っていることだろう。

次のサンアントニオへはグレイハウンド《長距離バス》で行くことにしたのだ。所要時間約三時間半。チケットカウンターでは、飛行場のようにスーツケースを秤に載せた。料金に反映されているのかな？　料金二十四ドル、手数料二・五ドル。

チケットを持った人しか入っちゃいけない、と書いてあるゲートを通って待合所の椅子に座りいったんホッと一息。結構気を遣う。飛行機とシャトルバスの方が気は楽だけど、色々やってみたがりな性分で仕方ない。

とはいえ乗ってみたらどうということはない、ただのバスの旅ではあった。しかし前からしてみたかった「グレイハウンドに乗る」という体験を出来たのだから良しとしよう。三時間半のバス旅、休憩はないかなと思ったが一時間半のところで十五分休憩があった。バス後部にトイレもあるけれども。……あと気を遣うのは到着地サンアントニオでの移動だな。グレイハウンドの時間帯にあまり選択肢は無かったので、なんとか明るいうちに移動が終わるものを選んだのだがバスは十八時五分着予定。サンアントニオ本日の日没予想が十八時六分だ。うーん、ギリギリ。夜にスーツケースを引いて歩くのは危ないと思うが……。

サンアントニオの公共交通機関はバスらしい。VIA goMobileというアプリをダウンロード。二・五時間チケット一・四五ドルでも充分だったが念のため一日チケット二・七五ドルを購入。運転手にこの画面を見せればいいらしい。あとは時間通りに来ることを願うばかりだな……。あまり路傍でスーツケース持って立っていたくない。日も暮れるし……。

＊　＊　＊

グレイハウンドは三分ほど遅れて、薄暮の中をサンアントニオのバスステーションに到着。数分前に太陽は地平線の向こうに顔を隠したが、まだ明かりを少し残してくれている。市内バスのバス停への約四百mを私は急いだ。初めて来た街だが、バスの中で地図を見てイメージトレーニングはしておいた。迷わずに到着。ほどなくお目当てのバスが来た。バス乗り換え成功！

そして幸運なことに、バスを運転するお兄さんに話しかけてみたらとても親切だった。私が心細いと見たか、道のりの三分の二ほど来たときに「もうちょいだよ」と言ってくれたり。前のバスがバス停に詰まっていたとき、「僕のバスはここで十分待つから、前のバスに乗り換えた方がいいよ」と教えてくれたり。

無事ホテルに到着。スーツケースを置いて身も心も楽になった私、夕食は街に出た。フロントのお兄さんに相談をしたら教えてくれた近所のステーキ店に行ったのだが、そこでもみなとてもフレンドリー。南部のいい面が出ている気がする。よい街に来たぞ。ここから数日が楽しみだ。

さてバス旅を振り返っておこう。今日は快晴、景色も良かった。曇天だったメキシコ湾もこんな天気でも見たかったな。きっと気持ちのいい景色だろう。

ただ、車は既に自分で運転して体感もしているしグレイハウンドでなくアムトラック《長距離列車》に乗りたかったな……とも思ったが。アムトラックの方が高額、五時間以上かかる、深夜着、という三重苦で断念したのだった。

テキサスは来てみて印象が全く変わった。私が持っていた印象は映画『ジャイアンツ』やジョン・ウェイン映画。特に前者はたった三本しかないジェームズ・ディーン主演のうちの一本、名作だ。その映画から受けた「どこまで行っても砂漠」「油田」というイメージを持っていたのだが、実際は緑が多くあり、海もある。テキサスと言っても広く、幾つかの地域ごとに全く土地柄も違うということだから、今回の旅程部分での印象に過ぎないが。とにかく今回旅したテキサス南東部は大平原が続いている土地だった。草の丈が低いので大草原と言うよりは大平原といいたい。とにかく山は全く無い。

更に今日来たサンアントニオは「アメリカのヴェニス」と言われる水の都らしい。明日から楽しみだ。と言っても仕事に来たのだが。食事や散歩など楽しみたいと思う。

バスの車体にあしらわれたグレイハウンドのロゴもカッコよかったな。コーポレイトカラーもいいし。もしもう一つ会社を作ったらこの色にしよう、などと夢想。

車窓からは牛の牧場をよく目にした。トレーラーもよく見たな。この辺は今まで持っていた自分のイメージ通りだった。

それから、アメリカはそこらじゅうに充電ポイントがあるな。レストラン、飛行場、バスステーション。そして助かったのがバスの中。地図や経路検索などスマートフォンは結構命綱だが、充電が切れそうで困った……と思ったら窓際にあっさりコンセントが。助かった。

それにつけても日本の存在感低下は外国に来るたびに感じる。バスアプリの言語選択画面を見れば、スペイン語、英語、アラビア語、中国語、フランス語、ドイツ語、ヒンディー語、韓国語、パシュトゥ語、ウルドゥー語、ベトナム語。そして日本語は無い。移民の数の違い、日本人観光客が公共バスを利用しない、など様々な要因を推測は出来るが、しかしこれは寂しい。

さて、こうして到着したサンアントニオは一七一八年にスペインが布教のためにアラモ伝道所を建てたことから生まれた街。入植したスペイン人宣教師アントニオ・デ・オリバレス司教の名が街の名前になっており、前年に三百周年を祝ったフラッグが街のあちこちに残っていた。その後、スペイン領だったものが、一八一〇年のメキシコ独立によりメキシコ領となり、伝道所は砦に役割を変える。そして一八三六年にはテキサス独立戦争中の激戦「アラモの戦い」の舞台となるわけだ。デイヴィー・クロケットの活躍で有名な戦いであり、ジョン・ウェインの製作・監督・主演によって映画『アラモ』の舞台ともなった激戦の地。この街では昼には学会に参加、余暇にはワカモレ《Guacamole》などのメキシコ料理や、テックス・メックス《Tex-Mex》料理を川沿いのレストランで楽しんだのだった。

テキサスのドイツ人

テキサスを始めとしてアメリカ南部はスペイン語を話す人が多いとは聞いていた。実際道路標識や室内の表示等でも、英語と当たり前のように併記されている。グレイハウンド車内でもスペイン語は結構聞こえた。

しかしそんな中で、アレ？ と思ったのが、グレイハウンドが休憩に立ち寄った場所の名前。Schulenburg《シューレンブルク》 Weimar《ワイマール》と明らかにドイツ語。

さらに、サンアントニオを地図で見ていたら「ベートーヴェンホール」とドイツゆかりの表記があって気になった。色々調べてみたら、私が知らなかっただけで、テキサスには、そしてアメリカには結構ドイツからの移民が少なからずいたんだなと判明。実際アラモ砦に立て籠って死んだ人の中にもドイツ生まれの方がいたりした。

そして、ベートーヴェンホールについてもインターネットで調べてみると、そこを運営しているのはベートーヴェン男声合唱団。他にもベートーヴェン女声合唱団、ベートーヴェン児童合唱団、ベートーヴェン・バンドがあり、ドイツ語教室も開いていて、ドイツの音楽、歌、言葉を大事にするのが目的とのこと。ホールはホールでもビアホールらしい。料理とビールとドイツ音楽を楽しめるのかな？ 火曜夜に男声・女声合唱団のリハーサルがあるようだから見学してみようかな。――ということで火曜日の夜、Uber《ウーバー》に乗ってベートーヴェンホールを訪問。店内の壁に飾られた額装のポスターを見ると、コンコルド号でドイツ人がアメリカに移民したのが一六八三年だという。三百三十六年前だ。仲良くなったドイツ系アメリカ人によると、来年はメイフラワー号四百周年だともいう。新しい国だと思ってたが結構経ったなぁ。

ビールは一杯三ドル。約三百三十円か、安い！ 現金のみ。ドイツビールが各種揃っている。うまい。この店、ビールとワインしか出さず料理は無い！ それでもたくさんの人で店は満杯！ 平日なのにみんな楽しく飲んでいる。私は夕食兼ねてのつもりで行ったので誤算、空きっ腹にビールとなった。でも楽しかった！

しばらくすると、練習が始まるらしく、みなビールを持って部屋を移動。私も見学の許可を得て付いていく。練習は指揮者の演説から始まった。My kids forgot German. と苦笑している。だからみんなドイツ語で歌うんだな……。指揮者も合唱団員もビールを飲みながらの練習。途中でもみな自由にビールの追加を買いに行っては、戻って来て歌っている。トイレに行っている人の楽譜を「戻って来るまで歌ってな」と言って私に渡してくれるおじいちゃん。楽しく一緒に歌わせていただきました。戻ってきたおじさんに「はい、今ここですよ」と楽譜を渡してお礼を言われたりして。

練習の終わりには、「今日は遠くからのゲストが来てるよ」と紹介いただいたので、おいしいビールと楽しい歌、そして温かなホスピタリティに感謝を述べた。

ホール正面と歌本の表紙には二つの国の国旗がある

練習後はバーカウンターがあるスペースに戻り、みんなで改めて乾杯。丁度昨日がお誕生日だった方がいたらしく、みんなでお祝いの歌を歌った。私も怪しいドイツ語で参加。最後に周りの方々が私に「カンパイ!・」と声を掛けてくれた。「カンパイ」は結構知られているんだなということ、そして私に声を掛けてくれたお気持ちが、嬉しかった。

旅の前には思いもしなかったドイツ系の人々との交流、おもしろかったな。思い立ってきてみて本当に良かった。良い経験をした。そんなに上手いとは言えない合唱団だが、みなとにかく楽しんでいる。そしてなんらかの「思い」を持ち寄っている。多分その「思い」は彼らの「アイデンティティ」なのだろう。ここは「サンアントニオのドイツ系アメリカ人の公民館」的な場所、そして彼らの魂の拠り所と言えよう。おしゃべりは英語だし、壁掛けテレビに流れる地元のNBAチーム、サンアントニオ・スパーズの試合を観て応援する姿はまさにアメリカ人だ。でも誕生日の歌はハッピーバースデーからドイツ語の歌になだれ込むのだった。合唱団の練習場や歌本の表紙に二つの国旗が掲げられていたのが象徴するように、アメリカ人として生き、しかしルーツも忘れずにいたくて、ドイツ語で歌を歌うのだな。

愉しい時間はあっという間に過ぎる。さてもう二十一時過ぎだ。あまり遅くなりすぎる前に帰らなきゃ。皆さんに別れを告げて宿へ。

部屋に戻りひと息ついて、ベートーヴェンホールのＳＮＳを見てみたら、さっきの誕生祝い動画があがっていた。ああ、素敵な夜をありがとう。動画のコメント欄にお礼の気持ちを書き込んだ。

I was there tonight as an alien from Japan. Everybody was kind, every beer was tasty, and every music was so good! Thank you for the wonderful evening!

カリフォルニアへ。ヨセミテで三十五年ぶりの再会

テキサスでの学会から、カリフォルニアでの展示会へは国内便で移動する。週明けからの展示会まで、週末はカリフォルニアを楽しむぞ。カリフォルニアに着いたらまずヨセミテ近傍に住んでいる元ラボっ子仲間畑山妙恵さんに会いに行く約束をしていた。妙恵さんとは同じラボ・パーティでソングバードやテーマ活動を楽しんだ仲間。ラボの高校生留学制度でアメリカ留学し、その後アメリカの大学へ進学。デザイン会社にて勤務した。アメリカ人と結婚し、現在はヨセミテ渓谷近くで夫と農場経営。またデザイナーとしてもステキな仕事を続けている。

実は今回のアメリカでの営業向けのチラシ、バナースタンド、名刺のデザインもしてもらった。三十年以上会っていない青少年期の仲間と、海を越えて受発注できることの驚き。情報化社会は疲れることも多いけれど、こういうよい点もあるな。直前での依頼で特急作業になってしまったし、英語の言い回しまでご夫君のジェイムズさんと添削してもらってしまったのに、特急料金、翻訳・添削料金は入っていなかったと思う、その点申し訳ないのだが……。

それなのに出来上がったデザインは完璧、そこまでのやり取りもキビキビとプロフェッショナルの仕事。さすがアメリカで長年仕事をしてきた方だな、と感服。お願いしてよかった！

そんな次第でデザインの打合せなどでは先行してインターネットを介してやり取りしたわけだが、折角だからカリフォルニアで是非実際に会いましょう！ ということになった。しかも「良かったら家に泊まりに来てください。夫とともに歓迎したい」とのこと！ 大変有難いお申し出だった。サンフランシスコから車で三時間の山奥ですが、とのことだったがノープロブレム！ 是非とも伺います、と即答。

しかも地図を見ると妙恵さんのお宅はヨセミテの近く。最寄りのバス停はMercedだという。ヨセミテ！ マーセド！ ラボ・ライブラリー『アメリカ初旅行』で加藤さんが訪れた場所たち。繰り返し繰り返し聴いて、中学生のころに憧れていた地名……。楽しみが一つ増えてしまった。

＊＊＊

といった経緯があり、実際にテキサスでの仕事を終え、さあカリフォルニアへ。しかしなんとあいにく飛行機が機器故障で大幅遅延、夕方早くにお宅に到着予定が深夜到着になってしまった。非常識な時間で恐縮だが泣く子と飛行機の遅延《ディレイ》には勝てない。

　サンフランシスコ国際空港でこれまた憧れのマスタングを借り、発進。『アメリカ初旅行』を入れてきたiPhoneを車に繋ぐ。加藤さんがレンタカーでハイウェイを行く話を聴きながら私も運転だ。ああ、三十五年越しの憧れが叶ったような旅。空港を出て南下、サンフランシスコ湾をサンメテオ橋で渡る。州間高速道路五八〇号線を東へ。途中の分かれ道では妙恵さんが「クネクネ道が少ない」ということで予め知らせてくれた道ではなく、少しでも早く着かなければと焦り、ナビを見て所要時間表示が数分でも短いルートを採った。これが大失敗でそのあと大変な思いをするとも知らず……。

　山に差し掛かるとまず携帯電話の電波が届かなくなった。携帯電話のナビシステムは使えない。そんなこともあろうかと現地でGPS付きナビシステムを借りておいたのが正解、これを頼りにさらに進んだ。しかし、ついにこっちも案内が途切れるようになった。迷っているのではないか……心配になる。しかし電話もかけられない状態。街灯もない、山を登っていくクネクネ道をマスタングで走る。道幅は徐々に狭くなる、ガードレールも無くなった……、道を外れたら崖を真っ逆さまだ。緊張の深夜のドライヴ。しかし何とか目的地あたりに着いた。だがどの家だろう。こんな夜中に間違って他の人の家に行ったら大変な目に遭うかもしれないし……。行きつ戻りつしていると、遠くの方からカンテラの明かりが！　そして私を呼ぶ声が！　心配して見に来てくれた妙恵さんだった。ああ、鍾乳洞をさまよった末に日の光を遂に見たトム・ソーヤの気持ち、こんな感じかも！

　三十年ぶり以上あいだが空いての再会。茨城県、日立市の、山の上の小さな造成住宅地。そこで育った同士がこうして幾星霜ののちにアメリカの山中で再会出来る。人生は悪くない。

　深夜にもかかわらず、妙恵さんと、ご夫君ジェイムズさん、愛犬モジョに温かい歓迎を受けた。食事とおいしいお酒まで出してもらって恐縮。まだ緊張のドライヴの余波で興奮冷めやらぬ脳ではあったが、強行軍の疲れかベッドをお借りしたらすぐに寝入ったのだった。

　そして翌日はヨセミテ国立公園へ！　エルカピタン、ハーフドーム、雄大な滝、梢を走るリス……美しい自然を妙恵さん、ジェイムズさん、モジョとともに満喫した。時間が限られていたので『アメリカ初旅行』に出てくるセコイアの大木群生地までは行けなかったがとても楽しいひとときだった。

帰路、国立公園内のお店に立ち寄り三々五々に買い物へ。私は日本へのお土産にヨセミテの景観などがあしらわれたTシャツやキーホルダーなどを手早く購入、一足先に駐車場に戻り、空気を大きく吸い込みながら周りを見わたした。ああ、ヨセミテ！　少年期に憧れた地に今来ている。iPhone に入れてきた『アメリカ初旅行』のヨセミテを扱った第八話を再生する。タイトルが流れる――「America, the beautiful! 美しきかな、アメリカ」。三十五年前の少年期、このタイトルコールを聞いて夢膨らませていた自分がフラッシュバックする。なんだか目頭が熱くなりそうだ。戻ってきた妙恵さん、ジェイムズさんに悟られないよう、そっと袖で目を拭う私であった。

ラボっ子たちのフィンガーサイン、三本指で「ラボ！」

ヨセミテの滝を背景に、笑顔の私、妙恵さん、ジェイムズさん、モジョ

　このあとサンフランシスコに戻り、週末は暫しの独り旅を楽しんだ。思い出のライブラリー『アメリカ初旅行』の中でも一番多く聞いたのがヨセミテあたりと、もう一つサンフランシスコ！　金門橋やツウィンピークスなど、「加藤さん」の旅の追体験のような楽しみもあった。そして仕事との関わりからシリコンバレーも訪れたし、サンフランシスコの坂道をレンタカーで走るときは映画『ブリット』のスティーヴ・マックィーン気取りも楽しんだり。サウサリートでは折からの雨のおかげで、雨に煙るサンフランシスコを一望、金門橋と虹の取り合わせまで見ることができた。さらに、のちに移動したロスアンジェルスでのハリウッド大通りも『アメリカ初旅行』の追体験の一つともなった。

　しかしそんなサンフランシスコとロスアンジェルスでの週末も、あくまでも余録。やはり今回の三十五年ぶりの『アメリカ初旅行』、その最高の時間《ハイライト》はヨセミテでのラボ仲間との再会であった。深夜に着いて翌日一日ヨセミテでご案内いただいたが夕刻にはもうお別れ。一日に満たない時間だったけれど、しかしその暫しの再会は実に心温まるものだった。妙恵さんからも「私にとって恭子先生と琢磨さん、ラボの仲間は家族のような存在です。いつまで経ってもラボの経験は心の拠り所であり、貴重な糧です。今回琢磨さんと再会できてとても有り難いです。また次回お目にかかるのを楽しみにしています！」とのメッセージをいただいた。本当に嬉しい再会だった。あんな小さな造成住宅地から飛び出してアメリカで活躍し暮らしているラボの仲間と、三十有余年の時を越えて久闊を叙することができる歓び。再会の瞬間からあいだの数十年は吹き飛んで時空が巻き戻った不思議。すばらしい仲間との縁《えにし》をくれたラボ、仁衡恭子チューターに感謝。妙恵さん、ジェイムズさん、モジョに感謝！

＊＊＊

　Mさん、私の二度目の『アメリカ初旅行』記録、如何でしたでしょうか。三十五年前、最初の『アメリカ初旅行』でご一緒いただいたMさんに読んでもらうことも意識しながら書いたものです。少年期に私が熱中したラボの物語は、三十五年後の私にもみずみずしい気持ちと体験をくれました。そして「ことばがこどもの未来をつくる」とのことばどおり、私や妙恵さんは未来を拓くことができたのです！

第三部　谷川雁と、その同時代・前後の表現者を「遅れてきた青年」が読む

人間を「物語的存在」と定義した谷川雁の言葉に導かれ、「人生における全てのことは物語である」と感じるようになった私――すなわち全ての事物に物語性を感じ、それらの物語を愛し続ける人生を貫った私が、谷川雁のラボ以外の著作を読み、そこから谷川雁と同時代あるいは前後の表現者へと興味を広げていった中で書いた小文をこの第三部にまとめて掲載する。

二〇世紀後半生まれの私が、自分より約半世紀前に生まれた谷川雁に持った興味をどのように広げていったのか、先達の「物語」群をどのように受け止めたのか、を示すものとなろう。

高度経済成長期の幕引きのころ、そして第二次ベビーブームの始まるころに私は生まれた。日本がバブル景気からバブル崩壊にいたる時期に青年から成人となり、そして東日本大震災と原発事故、新型コロナウイルス禍に遭いながら子ども

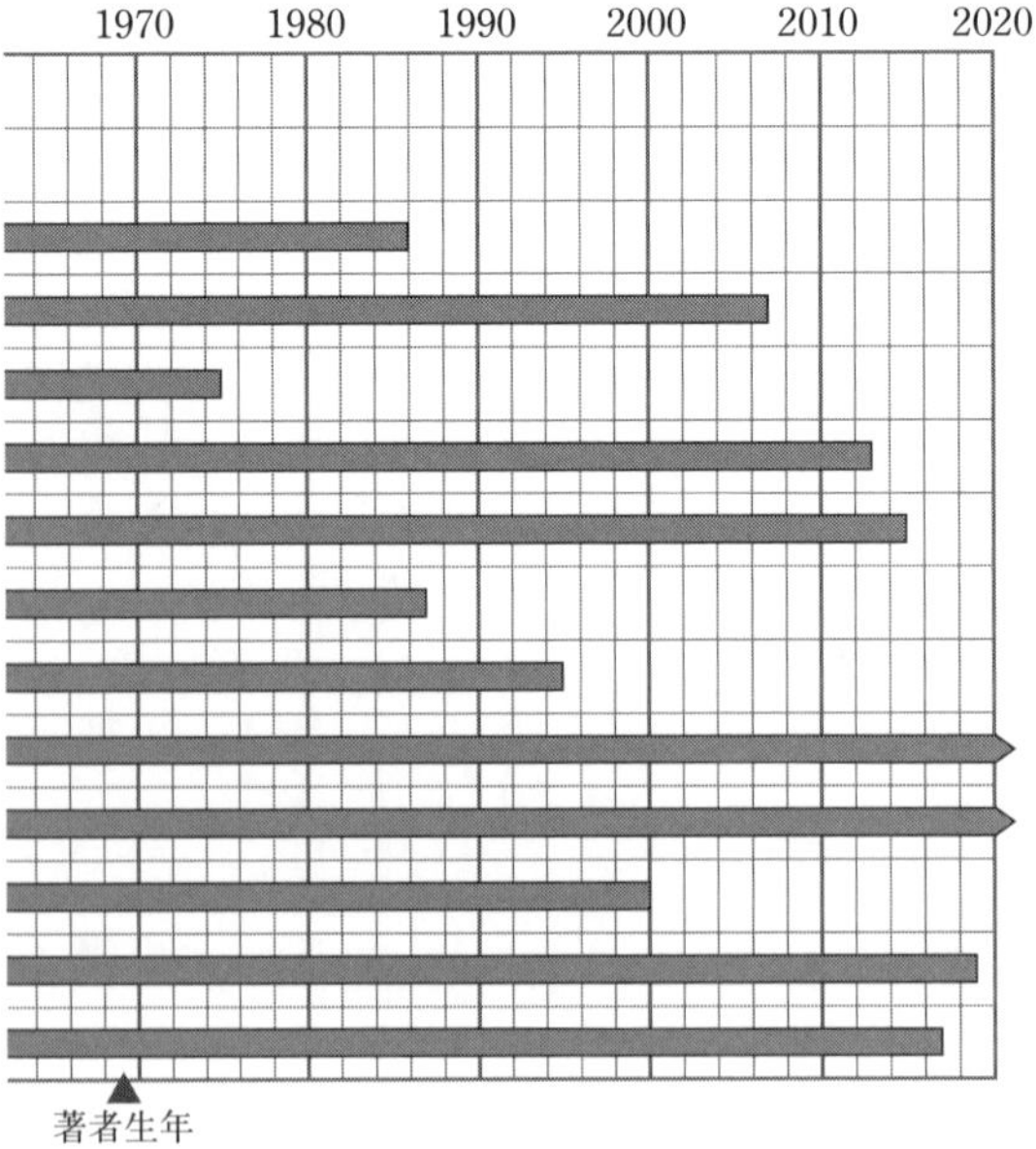

たちを育てている。そんな中で、雁や、その周りの人々、更には前後の表現者たちの文章をひもといた。約半世紀前の世代の人々の熱さは胸底に響くものであった。既に四十の声を聞かんとしていた時期から五十歳になった今に至るまでの時期に、貪るようにそれらの文章を読み、自らの考えを書き付けていたとき、私は実年齢とは無関係に「青年」であった。「遅れてきた青年」としてそれらの作品に向き合い、自分の人生、子どもたちの未来、社会と世界を考えていたのである。

　誤読もあるかもしれない。しかし次の世代が常に読み直していってこそ、作品は世に残り続けるのだと信じる。そして私自身が考え、綴ったことも、あとから来る「青年」の胸に何かしらを届けられればと願う。

第三部でとりあげる方々

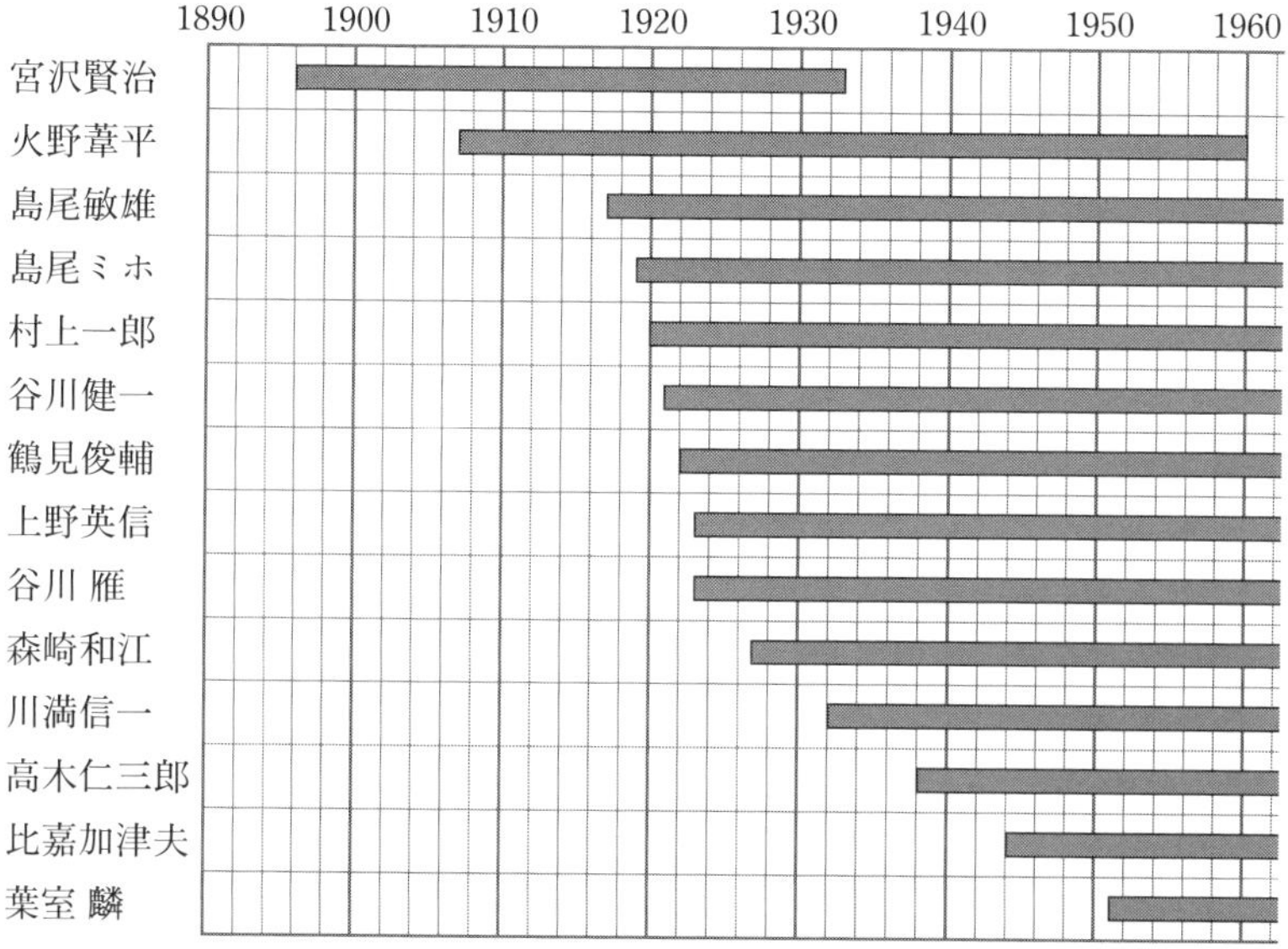

賢治、雁、仁三郎――村、農業、原発

震災、津波、原発事故後の世界をどう生きるか

日本に、地球に生きている我々一人一人が今突きつけられている課題「二〇一一年三月十一日以後の世界をどう生きるか」。本稿ではそれを私なりに考えてみたい。宮城・福島・岩手ほどではないにせよ、同じく被災した茨城に住む者として、幼子を育てる父として。

地震と津波。いや、大地震と大津波。これについては言葉を費やす必要もないだろう。繰り返し報道された、大地震により破壊された大地、大津波により一気に覆われ運ばれていく全てのもの、地獄の図としか思われない気仙沼の大火事……。言葉を費やす必要もないどころではなく、言葉も出ない、そんな災害だった。

そしてそんな自然の猛威とは対極にある、科学による災害がそのすぐ後にやってきた。[1] 原発事故――考えたくなかった災害。自然の災害は自然によって短中期的に癒されもしようが、放射性物質による汚染は極めて性質が悪く人体への影響は避けがたい。

それでも人は生きていく。生きていかねばならない。

三月十一日以後は、それ以前と、はっきり画されている。全く違う時代だ。

今は行動と思惟の両方が求められている時代である。深く考えよう。そして果断して行動しよう。声を上げよう。

考え、そして行動するためのヒントを、三人の日本人から得てみたい。宮沢賢治、谷川雁、高木仁三郎、だ。[2]

三陸地震大津波の年に生まれた宮沢賢治

賢治が生まれる約二ヵ月前、一八九六年六月十五日に明治三陸地震（マグニチュード八・二～八・五）が発生し、いわゆる明治三陸大津波が岩手を襲った。今から百年ちょっと前のことだ。地震自体は震源が沖であったこともあり震度三～四程度の揺れであったということだが、それによる大津波が北海道から宮城にかけて非常に大きな被害をもたらした。死者、行方不明者は合わせて約二万二千人と言われ、そのうちの約一万八千人が岩手県人であったという。周期的に日本を襲うと言われる大津波のうち、今回の直前の大津波ということで吉村昭の著作『三陸海岸大津波』とともに思い起こされ

たこの津波が起きたその年に、賢治は生まれたのである。

そして賢治が生まれて五日目には陸羽地震（マグニチュード七・二）が発生、二ヵ月前の明治三陸地震の誘発地震と言われるこの地震は東北地方最大規模の直下型地震と言われ、宮澤家が住む岩手県内陸部にも甚大な被害をもたらした。

賢治が生まれ育ったのはこれら地震・津波の大きな被害を受けた岩手県、であった。地震、津波が多く、天候不順による周期的な不作、凶作にも苦しめられる土地柄だった。岩手の、そして東北の復興、振興を図るという国策により官立では日本最初の高等農林学校が盛岡に一九〇二年に設置される。賢治も東北の農業の振興に志を持ち、この学校に進み農芸化学を学ぶ。そして花巻農学校の教師となる。

父祖伝来の濃密な仏教信仰（浄土真宗）、自身の法華経への傾倒、といった宗教的な背景に併せて、この地震、津波による被害、不作凶作の土地柄も、賢治の精神と作風を形作ったと思える。作品においても天候、気温、火山、災害、などが多くとりあげられている。火山を扱った『グスコーブドリの伝記』『気のいい火山弾』がわかりやすい例。そして一九二三年賢治二十七歳時には関東大震災が発生し甚大な被害をもたらしており、翌年から賢治は人の死を扱った『銀河鉄道の夜』を書き始めることとなる。

そして、偶然の符合ではあるが、賢治が亡くなることになる一九三三（昭和八）年、死の半年前には三陸沖地震（マグニチュード八・一）が発生し、この時も津波が岩手県の海岸に襲来し、甚大な被害をもたらしている。

必然であった大地震、大津波――人災としての原発事故

こうして並べると、賢治が生きた短い生涯、三十七年間のうちにも、実に大きな地震（マグニチュード七〜八級）、そして大津波が東北を襲っていることが判る。

今回の大地震、大津波が「想定外」「予測不可能」であった筈がないのだ。たった百年ちょっと前に最大三八・二メートルの大津波が東北を襲ったのだから。

そしてこの地震、津波による原発被害を早くから予告して警鐘を鳴らし続けていたのが「市民科学者」であった高木仁三郎である。仁三郎は東京大学を出て、日本原子力事業勤務、東京大学原子核研究所助手、東京都立大学助教授、と進みながら三十五歳の若さで大学を離れ、市民の立場から原発の危険性（特にプルトニウムの危険性）などの問題について警告し続けた物理学者である。仁三郎は原子力を深く知る物理学者であったからこそ、原発反対を唱え続けたのであるが、地震・津波による被害に早い段階で気づいたのはもしかすると、仁三郎が賢治をこよなく愛した人であったことも関係しているかもしれない。仁三郎には「宮澤賢治をめぐる冒険」とい

う講演録があり、[3]自然と深いところで交感している賢治の生きかたに対する心からの讃辞が縷々《るる》述べられている。いくつか引用してみる。

「宮澤賢治は、自然をこよなく愛した人であり、自然をすばらしく謳い上げた人です。人間と自然の交感というか、往来についてこれほど深いところで一つの世界を実現した人は、他にいないと私は思いますが、それは作品の上でだけではないんです。彼は生きかたそのものの中で、非常に深いところで自然と交わっていて、それが作品に反映しているといえましょう。自然との関係に限らず宮澤賢治の作品というのはそもそもそういうものだと思うのです。桝目に向かって文字を埋めることは、彼にとっては本当に小さなことであって、実は彼の生きかたそのものが、いわば作品になっているような生きかた、そこから彼はものを書いていったわけです」「環境問題という言葉があります。(中略)私は本当は環境問題という言葉は使いたくありません。環境というのは人間の周りの環境ということで、もともと英語のenvironment、これは周りという意味ですね。(中略)あくまでもこれは、西欧から来ている考え方で、いわば人間がいて、人間の周りに環境というのがあって(中略)根源的にはそういうふうに考えてはいけない。そうではなくて、自然の大きな全体というのがあって、人間はそれに取り巻かれた一員でしかないんです。人間があって環境があるのではない。全体があって、その一部に、点のような存在として人間がある、そういう全体というのが、賢治の書きたかった自然であると思います」

このような、言ってみれば「賢治的視座」を獲得した「物理学者」、という稀有の存在、それが仁三郎の活動をあらしめたものと言えるだろう。

仁三郎は一九九五年に「核施設と非常事態――地震対策の検証を中心に[4]――」を日本物理学会誌に寄稿している。阪神大震災を受けて、原発の耐震設計および地震対策の問題点、特に老朽化した原発が地震を受けた場合の問題、非常事態を述べている。一部引用する。

「仮に、原子炉容器や一次冷却剤の主配管を直撃するような破損が生じなくても、給水配管の破断と緊急炉心冷却系の破壊、非常用ディーゼル発電機の起動失敗といった故障が重なれば、メルトダウンから大量の放射能放出に至るだろう」

「考えられる事態とは、たとえば、(中略)地震とともに津波に襲われたとき」

——まさしく福島第一原発の事故を予言していたと言える警告だ。もう一つ引こう。


「さらに、原発サイトには使用済み燃料も貯蔵され、また他の核施設も含め日本では少数地点への集中立地が目立つ（福島県浜通り、福井県若狭、新潟県柏崎、青森県六ヶ所など）が、このような集中立地点を大きな地震が直撃した場合など、どう対処したらよいのか、想像を絶するところがある。しかし、もちろん『想像を絶する』などとは言っていられず、ここから先をこれから徹底して議論し、非常時対策を考えていくべきであろう。この論文は主に原発と地震に関して問題点を指摘し、今後の議論への材料とすることを目的としているが、若干の提案をしておけば、まず一番気になる老朽化原発（東海、敦賀一、美浜一、福島一が運転開始二十五年以上になる）に関して、どのような原則で、いつ廃炉にしていくかについて、具体的に議論すべき時が来ていると思う」

——今回事故を起こした福島第一原発はこの文中において集中立地点として、いの一番に取り上げられている福島県浜通りの原発だ。そして使用済み燃料が同じ場所に貯蔵されていることの問題点も指摘されているが、これは今回の事故において稼働していなかった四号機でも使用済み燃料の貯蔵プールから爆発が起きたことから何ら改善されていなかったことがわかる。そして「想像を絶する」などとは言っていられない、という言葉は「想定外」を馬鹿の一つ覚えのように繰り返した連中に聞かせてやりたい言葉だ。[5]更に老朽化原発として挙げられた中にしっかりと福島第一は含まれている。たった四ページの短い論文なのだが、今回の事態の全てが想定されていたことに驚きを禁じ得ない。もちろん、仁三郎はこの論文に限らず精力的に本を書き、講演をし、啓蒙活動、反原発運動を続けてきたのだ。その警告を無視してきた国、東京電力は一体なんのつもりだったのか。[6]過去の大地震、大津波を見れば、今回の大地震、大津波も必然だったのであり、そこに老朽化原発（建造から四十年！　世界の原発廃炉年数平均は二十二年）があるのだから、今回のような事態に陥ることは充分予見し得たのである。そして予見していた人は仁三郎を嚆矢に少なからず居て声をあげていたのに、それを国、東京電力、いわゆる原子力村の住民達は無視し続けた[7]——今回の原発事故が人災である証左が此処にある。

しかし、それに対して国や東電はこういう。「史上空前、未曾有の地震、津波であったから仕方がない」と。観測史上最大のマグニチュード九・〇だったのだから、と。

本当にそうだろうか？　広瀬隆は今回の地震において地震の規模を表すマグニチュードが訂正されたことに疑問を呈している。[8] 三月十一日の地震発生三分後に気象庁はM七・九と発表、午後四時にM八・四に修正、午後五時半にM八・八に修正、そして二日後の十三日にM九・〇に修正した。ここには「今回の地震は史上空前規模だから仕方ない」と思わせたい向きの圧力があったのではないか、という推測だ。穿った見方ではあるが、国からの発信状況の酷さを見ると、そういった恣意的な操作の末のマグニチュード修正、という見方も頷けて来てしまうのである。[9]

農民芸術概論綱要

宮沢賢治の生年が前回の大津波の年であった、というところからついつい一気に筆が進みすぎた。

改めて今回私がとりあげた三人の接点を記す。私が見た接点はたった一つだけ。雁、仁三郎が、賢治作品をこよなく愛した、ということだ。雁と仁三郎に接点があったかは寡聞にして知らない。であるから、私が設定した今回の三人の立ち位置は賢治を頂角に置いた二等辺三角形だ。[10]

賢治作品を愛した雁と仁三郎、特に二人が好んで取りあげた作品が「農民芸術概論綱要」だ。[11] 私自身、二十代に初めて出会い、それからずっと大事に思ってきた作品だ。

いや、正確に言うと「作品」ではなく「講義」になるのかもしれない。「農民芸術概論綱要」は賢治が農学校時代に書き、岩手国民高等学校の学生に講義していたものを、羅須地人協会での講義用にまとめたものらしい。

羅須知人協会とは、教員として勤務していた県立花巻農学校を退職した賢治が、宮澤家の別宅を改造して開いた私塾のことである。黒板に「下ノ畑ニ　オリマス」で有名だ。

この賢治の私塾に集まった若い農民達に語る「農民芸術」についての「芸術論」である。一般に賢治と言えばカタカナ名前の主人公が出てくるメルヘン童話の元祖的に捉えられるか、「雨ニモマケズ」の我慢強い朴訥な人、といったイメージにしか過ぎないことが多いと思う。[12] しかしここでは熱く「農民芸術」について語る賢治がいる。

「序論」から始まり「結論」に至るまでの十の節に分かれており、その節にはそれぞれ十ばかりの短い標語的あるいは宣言的な言葉が書かれている。全体を見ても百行余りというごく短いものだ。短いものなのだが、賢治が最も燃えていた時期の「論」であるだけに、珠玉のような言葉がたくさんそこにある。

最も有名なのはこれだろうか。

「世界がぜんたい幸福にならないうちは個人の幸福はあり得ない」

雁が、ものがたり文化の会を一九八二年に創立する際に書いた「ものがたり文化の会趣意書」(13)を読むと「農民芸術概論綱要」から二ヵ所もとって紹介している。雁がこの作品を愛していた証拠だろう。次の二つだ。

「誰人もみな芸術家たる感受をなせ　個性の優れる方面に於て各々止むなき表現をなせ　然《しか》もめいめいそのときどきの芸術家である」

「詞は詩であり　動作は舞踊　音は天楽　四方はかがやく風景画」

これに、私の「出会った」言葉も加えさせてもらおう。若き日に大阪国際児童文学館の遠藤純氏に教えていただいた部分、即ちこうだ。

「求道すでに道である」

――九文字で生きる姿勢を言い切っている力強さ。

このように「論」と銘打ってはいるものの極めて詩的な言葉が続く。短い一文で物事を言い切っているような言葉の繰り返し。まるでアジテーションだ(14)。アジテーションの達人である雁が愛してやまないのもよくわかる。そういえば雁と賢治との共通点は多い。アジテーションの名手であり、コンミューンを作ろうとした二人でもある。雁はサークル村、ラボ教育センター、ものがたり文化の会などで、賢治は羅須知人協会で。

雁による賢治初期童話考

雁には『賢治初期童話考』という作品がある（一九八五年潮出版社）。実に雁の賢治への思いに充ち満ちた一冊だ。装幀および装画は雁の畏友高松次郎、C・Wニコルによる賢治作品の英訳を付して英和対比させた原文も収録されている。

その序論である「村の敗滅と賢治初期童話――序説」、これが短くも実に多くのことを教えてくれる名文なわけだが、既に先行研究に多くとりあげられている文章であるから、ここでは措く。

初期童話考、としてとりあげられているのは六作品だ。「どんぐりと山猫」「狼森と笊森、盗森」「水仙月の四日」「月夜のでんしんばしら」「オツベルと象」「やまなし」。雁は、実に細かく精緻に賢治の初期童話を読み解いていく。その読み解きを読んでいると自分がこれまで読んでいたのは一体何だったのかと思わざるをえない。

私が最もうならされたのは「狼森と笊森、盗森考」だ。神隠しの民俗学的意味を教えてくれた。そして雁が「村」について如何に考え尽くしているかをも教えてくれる。雁によれば、この物語に出てくる入植者達は孤立した入植者ではなく

「本村（元村）」の支援を受けた「分村」としての入植である、というのだ。「二つの共同体はほうっておけば耕地が不足するようになるから、つねに分村を心がけなければならない」とも。そして村人の構成（夫、妻、独身の男、子どもたち）について細かく分析し、農具についても詳らかに解説し、作中の一つ一つの事件についても全てを解釈し尽くす。

一体雁とは何者なのか――眼科医の家の出であり、肺病により身体も強くはなく、鋤、鍬を自分で握ったこともないだろうに。この文には些《いささ》かも弛《ゆる》いところがなく、農について観念的すぎるというような嫌みの一つも言い得ない完璧さだ。雁は「私の住む西南九州、霧島を頂点とする火山灰地の斜面にひろがる広大な貧農地帯」と書いている(15)。そのような意味で「農」に触れる機会が多かったにせよ、何もかもを知り尽くしたようなこの文には驚かされた。

そしてもう一編取り上げるとすれば「月夜のでんしんばしら考」だ。「月夜のでんしんばしら」は、ぼんやり読んでいると、なんと言うこともないおとぎ話として読んでおしまいにしかねない話だが、雁の手にかかるとその何でもないような話が実に深い内容を含意していることに気づかされる。

まずこのお話がシベリア出兵のパロディであることが明かされる。この話を賢治が書いたのが一九二一年。その三年前である一九一八年から「十月革命の大波に蔽われているシベリアへ（中略）米英仏と談合して出兵した日本軍」が、「三国が二〇年一月に撤兵したあとも居すわりをつづけ」ていた時期に書かれた作品であるということを指摘し、更には「二本腕木の徒歩の日本軍」と「六本腕木の騎馬のヨーロッパ（米英仏）軍」、そして「まっ赤なエボレット（肩章）」を付けたのは赤色パルチザンを表すと解すのだ。

ここまでなら単なる「深読み好き」と言えるかもしれないが、こういった文章のあとに雁は、とてつもなく大きな箴言を発する。主人公の少年恭一が無意識に抱いている不満――学校だの鉄道だの電気だのはすべて似ている――どれもこれも近代文明の申し子だ――それに押し潰されそうな不器用な子である恭一を踏まえて雁は言い切る。

「文明は本質的に不正をはらんでいるのではないか」

――何という大きな言葉。この言葉だけで本稿を終わらせてもいいくらいだ。私がサブタイトルに置いた「村、農業、原発」、それらの現状全てに関する私自身の懐疑や不満にもこの一文は回答してくれている。

――本当にこのような言い切りに遭ってしまうと凡人はもう何も書く気がなくなるが……この作品についてはもう一つ触れねばならない登場人物がいる。「せいの低い顔の黄いろなぢいさん」だ。彼は「電気総長」なのである。あなたも電気の一種か、という恭一の問いに「電気の大将といふことだ」

と答えるこの老人、単なる童話の一人物として捉えれば何とも思わないが、電気に関わる大事故が発生している現在、何とも複雑な気持ちにさせる登場人物である。

この物語について雁は「当面の人間社会の状況を超越する電気の原理、自然の法則が説かれていると読んでほしい」と書いている。(16)

よくまぁ、あのお話からここまで読み取れるものだ……と驚いてしまう。雁は書いている。「このように賢治童話にはさまざまの謎がオリエンテーリングの指示書のように、さりげなく秘められている。これを探しだしながら、謎を解きつつ読みすすむのが、賢治を読むたのしみの一つである(17)」


雁に圧倒され、褒めてばかりも業腹だ。雁と賢治の影の相似も述べてみたい。農民に寄り添いたかったがどうしても同化まではしきれないことに悩んだ賢治と、労働者の側に立ったつもりがその労働者に刺しに来られた雁と。「小ブルジョア」あるいは「インテリ」が持つ共通の影が相似していることも指摘しておきたい。

仁三郎に衝撃を与えた賢治の言葉

さて一方の仁三郎にとっての賢治とは。

仁三郎が病床で綴り、死の前年に上梓した『市民科学者として生きる』（一九九九年　岩波書店）の第六章の表題は「三里塚と宮澤賢治」である。賢治が羅須知人協会での集会のために書いた「集会案内」に書いた言葉「われわれはどんな方法でわれわれに必要な科学をわれわれのものにできるか」——これが自分の学問のあり方について深く悩んでいた仁三郎に衝撃を与え、公職を去らせることになる。そして仁三郎は「市民科学者」になったのだ。賢治が教職を去り、私塾で農民に教えたように。(18)

この仁三郎に衝撃を与えた賢治の言葉は今を生きる我々にも衝撃を与えるものではないだろうか。


「われわれはどんな方法でわれわれに必要な科学をわれわれのものにできるか」


原子力発電という科学は、「われわれに必要な科学」なのだろうか——そう考えずにはいられない。

賢治がこの一文で三回も「われわれ」という言葉を使っていることにも注目したい。賢治ほどの人である、意識的に繰り返したのだ。実験の為の実験、科学の為の科学ではなく、ましてや経済の為の科学ではなく、「われわれのための科学」だけがあってしかるべきなのだ。

複合災害

地震、津波、原発――三つの要因による複合災害、それだけでも大変なことだ。しかしそれだけでは済まないもっと複合的な災害が今、被災地で、その周辺で起きていると思えてならない。村の衰亡、農業の崩壊、「風評被害」という言葉の使われ方の気味悪さ……。ここから数節にわたってこれらの問題について書いてみたい。

村の衰亡、農業の崩壊

「村」とは、そも、なんだろう。太古から続く住民共同体としての「村」。雁による定義としては「幻想の歴史的共有の最小形態」だ。[19]「サークル村」の「村」――「原子力村」の「村」――みな村だ。様々な場所で、様々な意味でこの言葉は使われている。

　そして若い世代では、「都会」の対義語としての「村」に実際に関わったことがない人たちも増えているのではないだろうか。都会で生まれ都会で育った若者達。それが大都会であれ小都会であれ。日本中が似た作りの似た顔の街になった現代――。

　「村」は一方でもちろんすばらしいことばかりではない。「村八分」という恐ろしい言葉もあるくらいで、負の面も併せ持つ。この点については、雁が「原点が存在する」を発表した丸山豊主宰の詩誌『母音』の同人であった高木護が同じく同人であった松永伍一に向けて書いた書簡（昭和三十一年三月二十日付）の言葉がぴったりだ。

〈村て《ママ》いやな所だ、その村を愛しているのだから呪いのような宿命でしよう《ママ》か[20]〉

　こういった愛憎半ばするが切ろうにも切れないものだった「村」と人――しかしそれから三十年後に雁は「村の敗滅と賢治初期童話――序説」で繰り返し「村の敗滅」「村の崩壊」を言うのだ。賢治の時点で既に村は「終わって」いた、と。

　雁曰く「村はいまや一つの形而上的抽象である」「たしかなのは村という抽象で代弁される、管理性の対極への渇きであり、しかも村という具象はどこまでも貧しく擬似的にしか復活しないという事実である」ということだ。これは或る意味雁による「村」の死亡宣告だ。

　その後も「貧しい擬似的復活」であったか「形而上的抽象」に過ぎなかったのかはともかく「村」は細々とあった。

　しかし、その辛うじて命脈を保ってきた「村」が、実際に今福島で、そしてその周辺で、崩壊していっている。原発事故によって村ごと避難し、選択肢として体育館などの避難所で暮らす人、身寄りを頼って別の土地に行った人、身寄りがあろうがなかろうができるだけ原発から遠くに身一つで逃げていった人。こうして散り散りになってしまう――それだけで充分に村の崩壊であるが、さらに恐ろしいのが「村」の負の面による内部からの崩壊だ。

フォトジャーナリズム月刊誌「DAYS JAPAN」二〇一一年七月号において福島の人々へのインタビューがなされている。それを読むと暗澹たる気持になる。

一人の女性の証言を引く――「私の知っている人は、高校で父兄に校庭の使用に関しての説明会があって、その時にある親が『本当に大丈夫ですか』って質問をしたんです。すると一人の父兄がその説明を遮って立ち上がって、そんなに心配だったら、学校をやめるべきだし、ここにいるからには、学校の方針を受け入れて、そんな質問すべきではないと言ったの。そしたら、わーって拍手が起きたんですって。怖いですよね。私に話してくれた友達は『恐ろしくてぞーっとした』って言ってました。ここに子どもを来させている限りは文句を言うなっていう空気があるんです」

これこそ高木護が言う「村ていやなところだ」の意味だろう。

この記事のキャプションにはこうある――「安全」という言葉で引き裂かれる人々。まさしくそう、これが現実なのだ。

原発事故さえなければ平和に暮らしていた村だったのだ、街だったのだ、家族だったのだ。それが引き裂かれていく――政府の無策あるいは確信犯的棄民のせいで、各々が判断しなければいけない、という現実の前に。

村、農業、食品

今、私たちみんなが村について、農業について、そして食品について考えることが必要なのだ。

今、福島（および隣県の茨城など）の農業は大変な目に遭っている。しかし「風評被害」というマスメディアが（或いはその陰にいる原子力村が？）ばらまいた言葉、あれは一体何だろう。この言葉によって「福島および隣県の野菜を買わない者、食べない者は非国民だ」といった風潮が作られている気がしてならない。大人はまだしも小さな子どもの身体への影響をどう考えているのだろう。菅総理や枝野官房長官、石原都知事は一回食べるパフォーマンスをすれば済む。しかし現地のわれわれは毎日の水、空気、食品、全てに気を病む。取り越し苦労かもしれない。しかしそうでないかもしれない。

風評による被害ではなく「放射性物質」による被害なのだ。この「風評被害」という言葉には問題のすり替え意図を感じざるをえない[22]。事前に予想され警告もされていたにも関わらずそれを無視して運転を続けてきたせいで原発事故が起き、放射性物質がばらまかれたことをもって「これは人災である」と私は本稿で言っている。このような状況下において「風評被害」とは一体どういう物言いか……福島および隣県の農家をバックアップしたい気持ち、もちろんそれはある。しかしそれは消費者が負うべきことだろうか。特に子の親が負うのはあまりに過酷すぎる……やはり少しでも安全なものを子には食べさせたい。[23]農家、そして漁業の被害についてはまず第一に東電が、そしてそれで足りなければ国が損害を補償すべきだ。個人の身体が、あるいは個人の志としての義援金がそれを賄うのは違うのではないか。

今回、大変な被害を受けている地域の中に飯舘村《いいたてむら》がある。原発から三〇km圏外ではあるが、放射性物質による汚染がひどい状態のため計画的避難区域に指定され、全村避難をせざるをえなくなった村だ。この村を知れば知るほど、原発事故が一瞬にして奪っていったたくさんのことを思い知らされる。

前を向いた努力を続けてきた村だ。「環境省・二一世紀環境共生型モデル住宅事業」にも採択されている。インターネットでも見ることができる飯舘村の「広報いいたて」第五六九号（平成二十三年三月号、二〇一一年三月五日発行〈地震の六日前〉）を見ると、そのモデル住宅で「半農半X（はんのうはんエックス）」なライフスタイルを発信していく、という気概が読み取れる。モデルハウスの名前は「までいな家」。「までい」とは「真手」と書く。この地方の方言で「手間をかけて」「丁寧に」「心をこめて」といった意味だそうだ。

米作中心だった村だが、未来を見据え、二十年以上をかけて「飯舘牛」というブランドも確立させたところだった。農山村の景観・文化を守ろうという自治体でつくる「日本で最も美しい村」連合のメンバーでもある。何も努力をせずにただ美しくあるわけではあるまい。営々と不断の選択を過《あやま》たずに続けてきたからこそ、美しい村として残っているのだろう。

平成の大合併と言われる政治主導で行われた市町村合併の時にも合併協議会から離脱し、自主自立の道をとった。そんな村だった。

これらの長年の努力が全て福島第一原発の事故、という人災によって失われる危機に瀕している。何という理不尽さだろう。[24]

前段で飯舘村について記したが、他の村、集落、街も同様の問題にさらされている。

三月二十四日には福島県須賀川市の野菜農家の男性（六十四歳）が自殺。有機農業にこだわり三十年以上かけて土壌改良などの努力を重ねてきた。それを今回の人災によって無にされ、死んでしまった。[25]

有機農業——普段は何となく通り過ぎるこの言葉だが、雁はきちんとそこにも立ち止まっている。羅須地人協会を訪れた際に便所を見て思惟している部分。引こう。[26]

「忘れてはならない感情と出会っている。人間の排泄物にたいする感情のふくらみ。有機農業をシステムの合理や産物の良質から説くその前に、かつて家々の厠《かわや》が固有のやさしいわだかまりを匂わせていたことを確認したい。施肥表の一つに彼は書いている。〈乾田ニハ反当、ダラ五荷ニ過燐酸二貫ヲ加ヘテ散布ス〉[27]

ダラは人糞である。賢治がそれを肥料設計の一要素に加えていたことを示す例にすぎないが、彼の博大な精神はかならずやじぶんの情緒系の一角に屎尿の占める位置をあたえていたにちがいない。

排泄物がせめて紙ほどに回収され再利用されるなら、生きるやましさがどれほど薄らぐことか。そこが都市というものを考えるときの起点であろう」

村の崩壊は都市の崩壊に繋がる

村を食い物にしてきたのが都市だ。そう言い切ってはいけないだろうか。

有機野菜を健康の為に食べる都会の金持ち——些《いささ》かステロタイプかもしれないが——、彼は「有機」の意味を考えたことがあるだろうか、果たして。

そこに命を懸けて、生涯を賭して取り組んでいた農民（今風に言えば生産者）がいたのだ。そして今もいるのだ。

都会人が屎尿を忘れて生きているのは上滑りな危険な態度だ。それは自然への傲慢さにも繋がる。そして「村」の冒瀆にも繋がる。村が崩壊すれば都市も崩壊するのだ。

ソフトバンクの孫社長が脱原発に私財を投じた。それは腰が重い他の経済人に比べてとても立派だ。しかしその私財を投じてやろうとしているのは「東日本ソーラーベルト地帯」だそうだ[28]。ちょっと待てよ、と思う。原発からソーラーパネルに変えるのは多分いいことではあろう。しかし、結局「東京を初めとした首都圏の電気を地方で生産する」という意味では構造的に何も変わらないのではないだろうか。廃炉に向けて何十年もかけてそのプロセスを進めて行く原子炉の隣にソーラーパネルがびっしりと並ぶ——そこから電気が高圧線で都会に送られる——そんな「村」はもう「村」ではない。

地方が都会に奉仕する、という構造を打破しなければ[29]。原子力発電を太陽光発電に変えればそれでいいというものではない。

今回の原発人災によって「農」と「村」が決定的に崩壊させられようとしている——しかし、私には次世代に残したい文化がある。都会一極集中ではなく「村社会」が持つ共同体の強さ・温かさ、そしてそれに伴う影や屎尿も含めて、父母から、その祖先から引き継いできた文化を次の世代に受け渡したいのだ。[30]

結語

死と再生。それは賢治のテーマの一つであった。よだかが死して星として再生したように、電気総長が田舎の汽車の停電修理のために身を賭したかに見せて消滅するはずもなく「どこか万里のかなたに再生復活した」ように。[31] そして雁も死と再生を其処《そこ》彼処《かしこ》で書いている――例えばイザナキの根の国への道行きで。

われわれも今、死と再生をくぐらねばならない。あの日、明らかに牧歌的な文明享受型の生活は死んだのだ。このまま死んだままとなるか、或いは文明享受型の生活のゾンビとなってしまうのか――もちろんそんなことには決してしてはならないのだ。

再生へ――最初の節に書いたことをもう一度書く。

今は行動と思惟の両方が求められている時代である。深く考えよう。そして果断して行動しよう。声を上げよう。

デモもいいだろう。言論に拠るもいいだろう。

ぬるま湯に浸かって生きてきた我々だが今こそそこから出て、行動するときだ。一人一人が己の頭で考え、自立し且つ連帯し、闘うべきものと闘わねばならない。

[本稿を書くために学恩をいただいた方々への謝辞]

遠藤純氏……二十年近く前、賢治の「農民芸術概論綱要」の良さを私に教えてくれた方。それ以来お会いしていないが、今でも氏が熱く「農民芸術概論綱要」を語っていた姿を思いだします。

粂康弘氏……我が岳父。雁の「賢治初期童話考」を私に下さいました。

松本輝夫氏……雁と賢治で書きたい、という構想に仁三郎を加える示唆をいただきました。

お三方に深くお礼申し上げます。

注

(1) 原子力、原子の力そのものは自然の力の一種であり、それを人間が取り出していると言う人もいるかもしれない。しかし例えば福島第一原発三号機の燃料に混ぜられているプルトニウムは天然には存在しない人工の元素だ。その放射線による人体への悪影響はウランの二〇万倍とされる。(参考:「ブラックアウトは何故起きたか」小出裕章『世界』二〇一一年六月号　岩波書店)

プルトニウムとは冥王(Pluto)にちなんだ名前だ。冥王、すなわち死者の世界の王、なんともふさわしい名前だ――。

(2) 本稿では便宜上それぞれ賢治、雁、仁三郎と略させていただく。

賢治は一八九六(明治二十九)年~一九三三(昭和八)年、雁は一九二三(大正十二)年~一九九五(平成七)年、仁三

郎は一九三八（昭和十三）年〜二〇〇〇（平成十二）年を生きた。

　なお、賢治の本名は宮澤賢治だが、作家としては「宮沢賢治」を名乗っており、雁も一貫して「宮沢」の方を用いている。本稿では「宮澤家」のように本名を使う方が適切な場合は「澤」を、作家としては「沢」を用いた。一方、仁三郎は「宮澤」で統一しているため、仁三郎の作品中ではそのまま用いた。
（3）『宮澤賢治をめぐる冒険――水や光や風のエコロジー――』（一九九五年 社会思想社）。
（4）インターネットサイトCiNiiで全文を読むことが出来る。
https://ci.nii.ac.jp/naid/110002066513
（5）音楽評論家・教育者・水戸芸術館館長であった吉田秀和の言葉を実業家の吉田光男氏が伝えている――原発事故のあと、館長は、日本人は駄目になった、としきりに言われた。どう駄目なのかをお尋きする折はなかったが、皆「想定外」ということを言って「私は見通しを過ちました」といさぎよい人が居ない。心意気が死に絶えたのを口惜しく思われたのだろう――（『水戸芸術館開館三十周年記念誌　ART TOWER MITO 1990-2020　吉田秀和初代館長の言葉とともに振り返る、水戸芸術館の軌跡』二〇二〇年　公益財団法人水戸市芸術振興財団）。同じく吉田光男氏の『精神の気』からも吉田秀和の言葉を引きたい――震災のあと、たまってゆく核のごみの話をしたら、秀和さんは、ひとこと「魔法使いの弟子！」といわれた。水の出る呪文は教わったが、止める方法は知らない。みごとな比喩だった――（二〇一三年十二月二十五日　日本経済新聞朝刊）。止める方法も知らずに原発を稼働させ続け、事が起きれば「想定外」といって心意気・いさぎよさなど微塵も無かった連中に聞かせてやりたい言葉だ。
（6）福島第一原発の現場で被曝しながら対応し続けている現場の作業員には頭が下がる思いだ（約二千五百人。東電社員が一割、あとは下請け〈孫請け、三次請け、四次請け……〉だという）。私が非難したいのは経営陣である。原発震災の可能性・危険性について高木仁三郎、広瀬隆、明石昇二郎らが警鐘を鳴らし続けていたのにそれを無視し続けた。世界一高い電気料金（注7参照）を徴収し続け、社長の退職金は五億円、顧問に就任すれば年間九千万円の報酬を受け取るという。一人を殺せば殺人者だが、百万人を殺せば英雄だ、とオランダの哲学者エラスムスは言った（後にこの言葉をチャップリンが映画『殺人狂時代』で主人公に語らせて人口に膾炙した）。飲食店が食中毒患者を一人出してしまった場合、過失傷害で逮捕あるいは家宅捜査される。野菜や魚、肉を広範囲に放射性物質によって汚染し、人間にも外部被曝、そして更に怖い内部被曝（食物連鎖の中で生物濃縮された食品を人間が食べることで大きな健康被害が起こる）を与えた東京電力は食中毒患者を出した飲食店同様に過失傷害で逮捕・家宅捜査されるべきなのではないか。（参考：【七不思議……どうして東電は「逮捕」されないの?-】COOP JOSO NEWS LETTER　二〇一一年七月四日号　常総生活協同組合発行）
（7）注一と同じ小出裕章の定義によれば「原子力村」とは、産官学が複合して出来上がっている、原子力から利益を得る共同体、のこと。

そもそも地域独占企業である電力会社が広告を打つ必要性は全く無いのに巨額の宣伝費をかけてテレビコマーシャルや新聞広告を出している、それを支えているのが実は広告を打つ度に三・五%の利益を取ることが許されるという「官」による法律なのだと田中優は「エネルギーについて知っておいてほしいこと」(『放射能から子どもを守る』二〇一一年 キラジェンヌ)で言う。これは電気事業法による総括原価方式(総支出額から電気料金を算出)について語っているものと思われる。田中によれば電力会社は銀行から借入をする際もできるだけ高利で借りるため(その方が利息の三・五%が利益となるため儲かる)、銀行も電力会社に頭が上がらないとのこと。そして、こうした仕組みになっている日本の電気料金は世界一高い(アメリカの約三倍程度)とのことである(『原発に頼らない社会へ』田中優 二〇一一年 武田ランダムハウスジャパン)。

こうして得た潤沢なカネを使って各種工作が行われた。

例えば反原発を唱える仁三郎に原子力村から三億円(当時。「現在だったら百億円に相当しようか」とは仁三郎本人の弁)の提供という誘惑が有ったことも有名な話だ。『市民科学者として生きる』(一九九九年 岩波新書)に書かれている。仁三郎は受け取らなかったということだが、この種のカネを受け取り、原子力推進の立場に転換した、あるいはその立場を強めた学者が多数いたことは確かだろう。

マスコミへの食い込みも甚だしい。単に広告費に有無を言わせて言論を圧殺する(例えば反原発デモに参加した俳優山本太郎が出演予定だったドラマを降板させられた)だけではない。まず読売新聞は「原子力の父」とも呼ばれる初代科学技術庁長官であった正力松太郎が社主だったわけであり、紙面でも原発推進の色が濃い。更に、フジ・メディアホールディングス(グループ会社にフジテレビ、扶桑社、産経新聞社など)の監査役は東京電力元社長の南直哉であり役員報酬は年に約三千万円という(フジテレビの監査役でもあるのでそちらでも役員報酬を受け取っているだろう)。二〇〇二年に発覚した東京電力の事故隠し時に引責辞任した南直哉を監査役に据えるのは広告費目当てと言われても仕方がないところだろう。二〇一一年六月二十八日に株主総会が行われ、株主からの厳しい意見も有ったようだが留任したそうだ(横田一「東京電力の正体」『週刊金曜日』二〇一一年七月八日号)。

また省庁から電力会社および関連会社への天下り、逆に原子炉製造会社から原子力安全・保安院への出向なども行われている。

政界への食い込みも相当行われている。加納時男という東京電力副社長から自民党参院議員になった政治家を例に挙げよう。一九八九年取締役原子力副本部長、一九九七年には副社長就任、同年辞任し、翌年自民党から参院選出馬し当選、議員二期を勤める中で原子力発電推進の立場からエネルギー政策基本法の成立に尽力した人物。この人物は二〇一一年五月二十日付けの朝日新聞「オピニオン」欄の「原子力村」特集で「私はあくまでも経済界全体の代表として立候補したのであり、『原子力村の使い走りとして国政をやってきた』などというのは、失礼千万です」と怒ってみせる。しかしインタビューに答えて語っている内容を見ると「二期目の出馬の際に開いた一万人集会では、当時の東電社長のほか東芝会長、日立製作所社長、三菱重工業社長もねじり鉢巻き姿で駆けつけてくれた。経済界を挙げての『草の根選挙』だったと思います」とこうだ。これを「草の根選挙」とは開いた口がふさがらない。更に「当時の私の秘書五人のうち一人は東電を退職した人で、残る四人は、交代で三年ずつ東電を休職して来てくれました。東電の社長に『いい人がいたら推薦してください』とお願いしたんです」と臆面もなく語っている。この状況は本人がいくら否定しても「原子力村の使い走りとして国政をやってきた」としか言えないと思う。この人は更に「専門家養成のため、原子力業界が大学に研究委託や研究費支援をするのも、『癒着』ではなく『協調』です」などとカネの力にものを言わせての学者への影響力行使についても話している。

また、原子力村による「村八分」については放射線防護学を専門とする安斎育朗立命館名誉教授（東京大学工学部原子力工学科一期生）が同じ二〇一一年五月二十日付けの朝日新聞「オピニオン」欄の「原子力村」特集で証言している。記事のタイトルは「『村八分』にされ助手のまま」である。反原発の立場に立った安斎は東大で研究者をやっていた十七年間のあいだ助手のままであり、助教授などの声がかかるたびに横槍が入った、と。東京電力から一時研修に来ていた人は、去り際に「安斎さんが原発で何をやろうとしているか、偵察する係でした」と告白しました、とも述べている。そして「私は『村八分』にあったからこそ、原子力村の存在を強く実感できたわけです。『私に自由に発言させないこの国の原子力が、安全であるはずはない』と、直感的に分かりました。」と述べている。

注1で参考にさせて頂いた小出裕章が一九七四年に京都大学原子炉実験所助手になってから三十七年間助教（助手）のままであることも同様の理由があるやに思われる。

学界における「村八分」などの圧力に話が流れたが、政界への影響に話を戻すと、前出の国政の例（加納元参院議員）だけではもちろんない。原発が立地する地方行政への影響力も根が深い。原発事故以後、検査停止原発の運転再開が難しい中、海江田万里経済産業相が再開第一号にできるだろうと目を付けた佐賀の玄海原発。それもそのはず、古川知事は父が元九電社員であり、九電の歴代の佐賀支店長や玄海原発所長らが、古川知事の政治団体に個人献金していたことも明らかになっている。「個人」献金、という体裁は取っているものの「歴代」支店長・所長が献金し続けている意味は言わずもがなだろう。また古川県政下において九電が県内の様々な事業に多額の寄付（古川知事の出身地である唐津市に建設された早稲田大学系列の早稲田佐賀中学・高校に二十億円、県の炭素線がん治療施設に三十九億七千万円、またまた唐津市に再開発ビル計画に五億円という具合）を行っているのも看過出来ない。更にいち早く運転再開に賛成した原発が立地する佐賀県玄海町の岸本町長だが、玄海町の隣にあたる唐津市にある建設会社「岸本組」の社長は岸本町長の実弟。この岸本組が、岸本町長就任の二〇〇六年八月以降の四年八ヵ月間で、電源交付金などの原発マネーを使った町発注工事と玄海原発関連の九電発注工事を少なくとも総額約十七億円分受注し、町長自身も株式の売却益や配当金など約一千万円を得ている。町長は一九九五年に県議に当選するまで同社の専務取締役を務め、現在も発行株式の約一二・五%を握っているとのこと（中日新聞　二〇一一年七月十二日記事）。

マスコミ、銀行、学界、政界、財界、全てに根を張った原子力村の実態――即ち東電（および電力会社各社）だけが問題なのではない。東電（および電力会社各社）が一番の問題だとしても、そのほかに国策による原子力発電、財界・政界・その他各界との醜い結びつき、それを看過してきた我々国民、それら全てを変えていかなければならない。

（8）DAYS JAPAN　二〇一一年五月号「福島原発で何が起きているのか」広瀬隆（二〇一一年　株式会社ディズジャパン）このマグニチュードの上方修正について広瀬は「四川大地震の時の中国でもそうでした。被害が大きくなるほどマグニチュードを大きくする。これはおかしいです」とも記している。

（9）地震学者である島村英紀も以下のように書いている。「今回の大地震（東北地方太平洋沖地震）で気象庁が発表したマグニチュード9というのは、気象庁がそもそも『マグニチュードのものさし』を勝手に変えてしまったから、こんな『前代未聞』の数字になったものだ。いままで気象庁が長年、採用してきていて、たとえば『来るべき東海地震の予想マグニチュードは8・4』といったときに使われてきた『気象庁マグニチュード』だと、いくら大きくても8・3か8・4どまり。それを私たち学者しか使っていなかった別のマグニチュード、『モーメント・マグニチュード』のスケールで『9・0』として発表したのである。すべてのことを『想定外』に持っていこうという企み（あるいは高級な心理作戦）の一環なのではないだろうか」（島村のホームページ http://shima3.fc2web.com/kyousei-atogaki.htm より）。

（10）雁が亡くなった一九九五年に、宮沢賢治学会イーハトーブセンター（岩手県花巻市）の第五回イーハトーブ賞を、高木仁三郎が「賢治科学思想の伝承と実践」で、雁が創設したものがたり文化の会が「人体交響劇による賢治文学・思想の普及活動」で、同時受賞している奇縁がある。

（11）インターネットの『青空文庫』https://www.aozora.gr.jp で全文を読むことが可能。

雁は「農民芸術概論綱要」について（これはいかにも詩人らしく稚拙でバランス悪く内容豊富な、したがって興味津々たる読み物です）と彼ならではの言い方で表現している。「ドーム感覚の造型へ――〝人体交響劇〟で賢治を表現する」（『ひと』太郎次郎社　一九九三年）

（12）雁も、「賢治アホウ、賢治バカは佃煮にしても持てあますぐらいいます」と「ドーム感覚の造型へ――〝人体交響劇〟で賢治を表現する」（『ひと』太郎次郎社　一九九三年）で書いている。

余談だが、賢治と言えば今般の大震災後、「雨ニモマケズ」

ばかりが取り上げられるが、どうも被災者・原発事故被害者に我慢を強いるために悪用されている感も無きにしもあらず、だ。セシウム一三七やヨウ素一三一、ストロンチウムやプルトニウムが、雨や風や雪や夏の暑さと同じな筈がないのだから。

余談ついでに言えば、寺田寅彦の警句「ものをこわがらな過ぎたり、こわがり過ぎたりするのはやさしいが、正当にこわがることはなかなかむつかしい」という言葉（「小爆発二件」一九三五年）も、その本来の言わんとするところを正確に捉えるのならよいが、最近はどうも「反原発の人たちは怖がりすぎだ」という趣旨に悪用されている嫌いがある。「ものをこわがらな過ぎたり」の方ももっとクローズアップすべきなのだが。

寺田寅彦では「天災と国防」（一九三八年）にも優れた警句がある。「文明が進むほど天災による損害の程度も累進する傾向があるという事実を充分に自覚して、そして平生からそれに対する防御策を講じなければならないはずであるのに、それがいっこうにできていないのはどういうわけであるか」――原発というものを考える上で非常に重要な言葉だと思う。

（13）　この趣意書で雁は賢治の作品について以下のように書いている。「日本にうまれたふしあわせもすくなからぬこどもたちにとって、宮沢賢治の作品を母国語として味わえることを、そのしあわせの最たるものに数えてよいと思います」

（14）　ただし雁は「ドーム感覚の造型へ――〝人体交響劇〟で賢治を表現する」（『ひと』太郎次郎社　一九九三年）の中で「賢治はこの手のアジテーション（筆者注：この作品が掲載された号の特集が『宮沢賢治をやっつけろ』だった。雁はそれを指している）に『なじまない』のではないでしょうかね」と書いている。確かに賢治全期を見渡すとそう言えるかもしれないが、こと「農民芸術概論綱要」に限ってはアジテーションの気味があると私は思う。

この点、仁三郎は「賢治詩はアジっている」のだ、と言ったことがあるそうだ。『高木仁三郎著作集第九巻　市民科学者として生きるⅢ』（二〇〇四年　七つ森書館）の巻末に解説として「高木仁三郎と宮澤賢治――二人の科学者」を書いた物理学者斎藤文一の証言である。

（15）「現代詩における近代主義と農民」一九五五年。

（16）「決定的瞬間・二十四歳」（『宮沢賢治漫画館1』所収　潮出版社　一九八五年）。

（17）「決定的瞬間・二十四歳」（『宮沢賢治漫画館1』所収　潮出版社 一九八五年）。

（18）　高木仁三郎は「市民科学者」になり、原子力資料情報室（認定ＮＰＯ法人）、高木学校を創設する。前者は市民の立場から反原発を貫いてきたシンクタンクであり、後者は「市民科学者」を生み出すための学校だ。仁三郎は言う、「原子力資料情報室はわが羅須地人協会なのです」と。『宮澤賢治をめぐる冒険――水や光や風のエコロジー――』（社会思想社　一九九五年）。

そして仁三郎は死に際して全財産二千万円（三千万円とも）を基金とし市民科学者育成・支援をしてほしいと遺言する。これにより設立されたのが高木仁三郎市民科学基金（認定ＮＰＯ法人）である。これも現在もしっかりと活動が続けられている。

これらの団体はみな非営利の団体であり、今も脈々とその活動は受け継がれている。

ちなみに高木学校の活動を財政的に支援する「高木学校サポートの会」の会員種類は三種類。高木学校通信購読会員、ブドリ会員、クーボー会員、とあるがブドリ、クーボーは賢治の「グスコーブドリの伝記」から採っている。

(19)「村の敗滅と賢治初期童話――序説」『賢治初期童話考』(潮出版社　一九八五年)。

(20)澤宮優『放浪と土と文学と～高木護／松永伍一／谷川雁』(現代書館　二〇〇五年)。

(21)常磐自動車道守谷サービスエリア(茨城県守谷市。千葉県との県境)において二〇一一年三月十五日に三マイクロシーベルト／時の放射線量が計測された。これは平常値約〇・〇五マイクロシーベルト／時の六〇倍にあたる。「『ＺＯＮＥ』の既視感」七沢潔(フォトガゼットVol.2　日本ビジュアル・ジャーナリスト協会　二〇一一年五月)。

(22)「風評」とは「噂」を意味する。しかし放射性物質がばらまかれたのは事実であり噂ではないのだ。今般言われている「風評被害」という言葉の意味は何か―冷静に考えてみたい。多分意味はこうだろう――国が示した「暫定基準値」を上回ってしまった食品は出荷しないのが前提であり、「暫定基準値」以下の食品は流通されるべきであり消費されるべきである。それを買い控えるのは日頃生産者のお世話になっている消費者としてしてはいけないことである。こういった買い控え等による被害を風評被害という――多分こういうことだと思う。しかしまず「暫定基準値」の正当性はどうなのか。国が決めた「暫定基準値」は二つの意味でおかしい。

一つ目、値が高すぎる。ＷＨＯが定めた水道水の放射線基準値はヨウ素一三一、セシウム一三七ともに一〇ベクレル／リットルだ。日本も震災前は別途基準を設けずにこれに沿っていた。しかし三月十七日に内閣府の食品安全委員会によって定められた暫定基準値は、ヨウ素一三一が三〇〇ベクレル／リットル、セシウム一三七が二〇〇ベクレル／リットルだ。他の食品や飲料についてもこの伝だ。

二つ目、四ヵ月が経過しても「暫定」のままだ。これは言い訳の為としか思えない。「暫定で急いで決めた基準値でしたので高すぎたかもしれませんが……」といった言い訳。そして一方でこの「暫定」という言葉の気味悪さも感じる。広島、長崎、スリーマイル、チェルノブイリ――まだ放射性物質による汚染のデータが充分に無いために「確定」的な基準値を設けられないのだ、という意味で「暫定」というのであれば、まさしく我々は今モルモットになっているのだ。

(23)茨城県鹿嶋市の教育委員会は子どもたちの安全を第一に考えたいという姿勢で、給食において当面は西日本産を中心に食材を発注する等の方針を発表し、実施していた。しかし読売新聞の二〇一一年五月二十九日の報道「鹿嶋市は、茨城県産の食材を給食に使わない。風評被害を助長する」を受け、「茨城県産を中心として安全が確認された食材を地産地消で調達するという方針」に変えざるをえなかった。(鹿嶋市ホームペ

ージ　二〇一一年六月十五日付け　広報「学校給食の食材の使用について」）

子どもを預かる教育委員会が子どもの健康を第一優先に考えたという至極まっとうな話なのに――経済の論理が子どもの健康より優先するおかしさ。長期間にわたる低線量被曝については未知なことが多い、恐れておくべきだ。特に内部被曝をこそ恐れなければならない。また、等価線量という絶対値で報道されることが多いが、実効線量という放射線感受性に基づいた値があり、子どもの方が高くなることももっと報道されるべきであり、考えられるべきだ。

(24)　しかし飯舘村はあくまで前を向く。村役場を福島市に移転した二〇一一年六月十一日、「飯舘村『未来への翼』プロジェクト」を発表。村内の中学生二〇人を夏休みにドイツに全額村負担により派遣し、南西部の環境首都フライブルクの民家に宿泊しながらバイオガス発電発熱などを視察させるとのこと。（二〇一一年六月二十二日　朝日新聞記事）

(25)　他にも飯舘村の一〇二歳男性が（四月）、南相馬市の九三歳女性が（六月）、村外避難を悲観して自殺（女性には「避難する家族の足手まといになって迷惑をかけたくない」との遺書有り）。それぞれ明治、大正から生き抜いてきた方々だ。こんな高齢者が自殺しなければならない世の中とは一体何なのだろうか……。

(26)　「魂の水飲み場をもとめて」（初出は一九八二年の『アサヒグラフ』。一九八三年『意識の海のものがたりへ』に所収　日本エディタースクール出版部）。

(27)　乾田は「水はけがよく、排水すればすぐ乾く田んぼ」、反当は「たんとう」と読み「反当たり」の意味。荷と貫は単位だ。即ちこの賢治の言葉は「水はけが良い田んぼには一反あたり、人糞五荷に過燐酸を二貫加えて散布する」の意味。

(28)　「東日本にソーラーベルト地帯を」孫正義『世界』二〇一一年六月号　岩波書店。

(29)　米軍基地を沖縄に押しつけている状況も同根だ。

(30)　地震・津波による被害、原発人災に対する民主党の対応もひどいが、中曾根以来原子力を強力に推進してきた自民党もひどい。先日、道端で自民党のポスターを見た。谷垣総裁の隣に書かれたキャッチフレーズは「地方が原点」。実に安い「原点」もあったものだ……。地方にバンバン原発を建ててきた政党が。二枚舌も甚だしい。

(31)　「月夜のでんしんばしら考」『賢治初期童話考』（潮出版社一九八五年）。

常世《とこよ》、みるく世《ゆ》をめぐる思索——歌垣《かがい》の地から毛遊《もうあし》びの地への手紙

お手紙をするのは初めてですね。それどころかまだお会いしたことも無いわけですが。沖縄のあなた、茨城県に住む私、ひょんなご縁から、細い糸で繋がったのでしたね。これまでの細い繋がりから踏み出して、初めてのお手紙をこうして書こうと思ったのにはわけがあります。このところ民俗学に関する本を集中して読んできたのです。中でも谷川健一の著作を多く。そうしましたら、日本ってなんだろう、沖縄ってなんだろう、アジアってなんだろう……と連想が止まらなくなってきました。そしてこのきな臭い時世の到来。沖縄と日本、を考えることが、これまで以上に待ったなしの状態だ、と思います。

　在野での学び、という点で繋がっている沖縄のあなたに、私が最近考えていることを聞いていただきたくなったのです。長くなりそうです。少しでも読みやすく読んでいただけるよう、小見出しなど付けながら、書いてみますね。

歌垣《かがい》と毛遊《もうあし》び

ご承知の通り、私は茨城県つくば市在住です。昔は常陸国と呼ばれた地域です。今これを書いている部屋の窓からもいつも筑波山が遠望されます。関東平野にポツンと在るその地形ゆえか、霧や靄が多い土地柄からか、日によって山の色が違って見える。特に紫に見えるサマが荘厳の感を抱かせ「紫峰」と雅称され親しまれている山です。そして古事記・日本書紀では日本武尊と御火焼《みひた》きの老人との掛け合いから連歌が発祥したと伝えられ、また、萬葉集ではもっとも数多く歌われた山でもあります。オマケで言えば十返舎一九の『東海道中膝栗毛』に次ぐヒット作に『方言《むだ》修行　金草鞋《かねわらじ》』というのがありますが、その中で「つくバ山」の部分に来るとやはり一九も歌（和歌、狂歌）をテーマにしていたりします。そのくらい、筑波と言えば歌、なんだなと思います。また、こういった文化性・歴史性から、深田久弥が編んだ「日本百名山」でも一千米未満で唯一選ばれた山、でもあるんですよ。双峰の山である筑波山、その二つの頂きはそれぞれ男体山、女体山と呼ばれ、伊邪那岐《イザナキ》、伊邪那美《イザナミ》が祀られています。そして男体山、女体山の間から湧き出し流れる男女川《みなのがわ》。百人一首にも陽成院の歌「筑波嶺の嶺より落つる男女川、恋ぞつもりて

淵となりぬる」が撰ばれていますよね。

そう、筑波山は男女が集い、歌い、踊り、酒を飲み、大らかな性的解放も伴った「歌垣《かがい》」の場所なのです。

もちろん歌垣は筑波の専売特許ではありません。肥前（佐賀県）の杵島《きしま》山などでも開かれていたということで、その杵島と鹿島（茨城県。鹿島神宮で有名）との関係性を谷川健一は『日本の地名』などで（大場盤雄の言を元にしたうえで）鮮やかに描いています。今から一三〇二年前、七一三年成立の『常陸国風土記』に出てくる「杵島唱曲《きしまぶり》」という歌、これは肥前から黒潮に乗って常陸にやってきた多《おう》（大生、意富）氏がもたらしたのだろう、カシマの地名もキシマから起こったのだろう、と。都からも遠く離れ、ましてや九州からは更に遠く、当時は蝦夷の支配地域との境、東の果てであった常陸、それが古代において海によって九州から人の移住があったというのは不勉強な私にとっては新鮮な驚きでした。『日本の地名』、地名から実にたくさんのことを読み取っていて、とても面白く、お勧めです。もし読んでいなかったら是非読んでみて下さいね。

谷川健一の学問の特徴は、①旅による現場主義、②多くの資料を駆使、③地名へのこだわり、④歌人（詩人）・作家の想像力（飛躍的に事物を結びつける力）、と言えるのではないかな、と思います。民俗学にとって①②は当然だとしても、③は非常に際立っていて、そして④が決定打になっている気がします。しかもその決定打④の飛躍・結び付けは、①②のしっかりした土台の上にあるがために、無理筋とはけっして感じません。

そして谷川が描く佐賀と茨城との古代における歌（杵島唱曲）での繋がりを読んでいた時、私はふと思ったのです。沖縄の毛遊びと、筑波の歌垣って似てるな、と。前からぼんやり思っていたことがはっきりとした形をして訪れた気がしました。更に考えました。これは柳田國男が『蝸牛考』で提唱した方言周圏論（方言が中心〈都〉から同心円状に伝播していき遠地にこそ古い形が共通して残っている）から敷衍して文化周圏論的に説明できるかもしれないし、そうではなくて黒潮の流れに沿って南方から常陸の方までやってきた文化だと説明できるかもしれないな、と。

どちらが正解かは判りません。しかし今まで何気なく前者しか意識していなかったのに対して、後者の可能性を手に入れた今、自分の思考の幅が、とてつもなく広がったような開放感を私が覚えたことだけは確かでした。

民俗学って面白い。そして九州や沖縄と、あずまびとの私たちとは意外と近いかもしれない、と感じたのでした。

金砂《かなさ》神社《じんじゃ》磯出《いそで》大祭礼《たいさいれい》

このように古代の習俗について考えておりましたら、不思議な習俗を私自身が観たことをふと思い出しました。金砂神社磯出大祭礼です。国選択無形民俗芸能にもなっているこの祭礼は茨城県北部の旧金砂郷町（現、常陸太田市）にある西金砂神社、旧水府村（現、常陸太田市）にある東金砂神社を中心に行われ、七十二年に一度しか開かれないという貴重なものです。直近では二〇〇三年に開かれており、それが第十七回でした。つまり第一回は八五一年という大昔、平安京になって五十年ちょっとという時期に開かれたことになります。お祭り、などと気軽に呼ぶのは憚られる、まさしく「祭礼」と呼ぶべき尊いものだと思います。

内容も単なるお祭りなどではなく、山里にある両神社から各々神輿が出され、日立市の水木浜（磯）に至り、海の中に入って神を迎え入れるという行事です。もちろん、神を迎え入れるところは決して見せては貰えません。

谷川健一を読んだ今の私にとって、まずそもそも金砂という地名が興味を惹きます。調べてみましたら砂鉄を意味する言葉のようです。きっと大昔から砂鉄が採れたのでしょう。それと、約十日もかけて、神輿を担いで山から海に行き神を迎え入れてまた戻るというその意味が、何と言っても興味深いところです。更にそれを七十二年に一回しかやらないというのがまたなんとも……引き継ぎをするのも大変な間隔で行われる行事が平安の昔から現代に至るまで続いているその不思議。（六年に一度「小祭礼」をすることで継承を担保する工夫がありますが、それでも「大祭礼」としては七十二年に一度しか実際にやらないのですから、記憶がある人は少ないはず。小祭礼も次の二〇二一年が第二百回目を数えます）

とにかく千年以上に亘り七十二年に一度、十七回も大事にこの祭礼が受け継がれてきたということは、祭礼が始まる契機となった出来事がよほど強烈な体験（神との出会い）だったのだと思います。どんな神だったのか、どんな強烈な体験だったのか、興味が尽きないところです。

さて二〇〇三年に私は実際にその大祭礼を観ましたが、その行列にはじつにたくさんの種類の人（？）がいました。特に行列の中心に天狗らしき鼻の高い面を付けた人がいたことが印象的で、その時はこのお迎えする神様というのは鼻の高い渡来人なのかな？　と思ったものです。そう思ってみると、心なしかその地域には鼻が高めで瞳の色が薄めで巻き毛の人がいたりするような……。黒潮のもたらした人の流れを学んだ今、それもあながち無いことでも無いな、と思ったり致します。

谷川健一は『常世論』の中で「常陸——東方の聖地」を書いてくれています。常陸の人間としてはこのタイトルだけで嬉しくなってしまう、その書き出しは、先ほど記した祭礼で神輿が渡御する日立市水木浜（磯）の少し南、大洗の磯、その岩礁の上に立つ鳥居のことから始まります。そしてこのあたりは民謡「磯節」で有名な地域でもあります。磯、即ち岩の多い海岸、そこはきっと難破して漂着した民も多く流れ着いた土地柄なのかもしれません。

　磯出大祭礼、水木の磯、大洗の磯、磯節……、磯は神と近い場所なのかもしれません。それは磯が貝や魚の恵みをもたらしてくれたからかと思います。大洗の近くには大串貝塚があります（ダイダラボウの巨人伝説とともに）。また磯出大祭礼で神を迎える場所水木は『常陸国風土記』に密筑《みつき》として鮑やウニなどが豊かに採れる場所と記載されています。そして磯は、時に未知の何かが漂着するという意味でも尊いのかもしれません。

　思索もだいぶ深まってきましたがさて、金砂神社磯出大祭礼で迎える神、大洗の鳥居が祀る神、これらの神はどこからきたのでしょう。九州か、あるいは沖縄か、あるいはもっと南方か……。あるいはそういう渡来人などではなく鮑などの魚介類か、それとも海そのものが神、なのか。いやいや谷川も「常陸――東方の聖地」冒頭で書いているように太陽が神――はたまた少名御神《スクナヒコナ》なのか――か、想像は広がり続け、やみそうにありません。本当に民俗学って面白いものですね。

常世

さてそもそも『常世論』の「常世」とは何でしょう。「常世」とは、亡くなった人が向かう場所であり、古代人が憧れた理想郷です。その場所については「西方」「東方」「海の彼方」「海の底」「地の底」など様々なイメージがあるようです。

　谷川もそれらいろんなイメージは踏まえたうえで本来の「常世」は「海の向こう」にあるとし、それは日本固有の思想、日本人の深層意識の原点だと言います。アジア的と言うのではない、島国ならではの日本固有の気持ち。海の彼方の世界に対する思慕の念、祖先が黒潮に乗って南からやって来たという遥かな記憶の痕跡、浦島太郎が訪《おとな》った龍宮でもある、と。

　そしてそれはもちろん意味の異同は含みながらも、「黄泉《よみ》の国」であり、「妣《はは》の国」「根の国」「本つ国」「底の国」、そして沖縄においては「ニライカナイ」であると。

　更にその常世はけっして遠くにあるものではなく、行ったり来たりできる距離感にあるといいます。「近いからこそ季節の折り目には死者が帰ってくる」お盆があるのであり、「仏教でいう十万億土のようなところだとなかなか帰ってこれませんからね」というのです。つまりお盆など今は仏教と混ざっているような習俗であっても、その根っこには仏教伝来以前の「常世」思想、「黄泉がえり」思想がある、仏教の輪廻転生ではなく、ということなんだと思います。

　そして私が住んでいる茨城県はその昔、千三百年ほど前の書物『常陸国風土記』冒頭で、その広大さや海山の産物が豊かである様子などから、「常世の国といへるは、蓋《けだ》し疑ふらくは此の地ならむか」と謳われた地です。今はご多分に漏れずだいぶ都会化が進んでしまったとは思いますが、それでも自然が多く残っていて、秋には金色の稲穂の絨毯の上に筑波の双峰、が楽しめる地域で在り続けてもいます。

常陸──東方の聖地

　当然この『常陸国風土記』の記述も踏まえ、また往時の世界観や常世観を鑑みて、谷川は先ほど挙げた『常世論』の「常陸──東方の聖地」を書いてくれたものと思います。これは非常に短い文章ですが、茨城県人としては大変ありがたい、実にたくさんのことを教えてくれる逸品です。

　先ほども記した大洗にある岩礁の上の鳥居についても、私は太陽を迎えるものだろうぐらいに思っていたものですが、『文徳実録』中の少名御神《スクナヒコナ》に関する記述の紹介があり、それが立《たち》神《がみ》、びんずる、と連想が繋がり、更には「スクナ」というたった三文字を分解して「スク」が「底」、「ナ」は「土地」を意味するので、「底の国」と考えられる、と言う部分などは実にスリリングで面白い。


　そして『日本の地名』などにも記されている多氏の話もあり。更には『琉球神道記』（そんな書物があること自体驚き！面白そう！）の中に「鹿島明神のこと」という記事があり「鹿島の明神は（中略）、人面蛇神なり。常州鹿島の浦の海底に居す」とある、との紹介も。人面蛇神などと言うと眉唾のようですが、謂《いわ》れのないことではないように思います。何故なら『常陸国風土記』にも鹿島ではないが蛇神が出てくるのです。

　更には筑前の志賀海《わた》神社、大和の春日神社、常陸の鹿島神社に共通して鹿がおり、その鹿は古代に鹿の肩甲骨が卜占に使われたからだ、との件《くだり》も面白い。

　あぁ、それから「筑波のかがい」と「毛遊び」が酷似、とも書いてありました。私が思いつくなんてものはもう書いてありますよね、それは。それと、柳田國男の『海上の道』を引いて「ミロクの出現を海から迎えるという信仰が、常陸の鹿島を中心にした鹿島踊りの分布する一帯と、沖縄先島の八重山群島にあることに着目」ともあります。そして鹿島踊りの歌には「ミロク御世」という歌詞があり、竹富島から西表島の一小島である由布島に移住した人たちが歌うミロク讃歌の歌詞にも「ミロク世《ゆ》」があり一致する、として「鹿島には西あるいは南の常世信仰が運ばれた」という推察が掲げられています。

あなたの沖縄と、私の常陸と、意外にも大昔から繋がっていたようですね。

地名のこと

そう勉強してきてみると、鹿島神宮のある茨城県鹿島町が平成七年に市制施行する際に佐賀県鹿島市との重複を避けて鹿嶋市という名前にした、ということの乱暴さが残念でなりません。同じ名なのは当たり前、だって祖先が同じなのだから、と考えれば避ける必要もないし、姉妹都市として交流したっていいぐらいだと思うのですが……（ちなみにこの両市は姉妹都市ではないようです）。

地名の大事さを熱く説き、その保存に奔走して日本地名研究所を設立し所長を長く務めた谷川健一も、きっとこの市名決定には憤慨したことでしょう。

「民俗学の輝いていた時代」

浅学の徒が怖いもの知らずであえて直観的にものを言わせていただくと、谷川が生きた時代こそが「民俗学の輝いていた時代」（の後期）であり、谷川の死とともにその時代は閉じたのではないかと思われてなりません。南方熊楠なども含まれるその勃興期から、柳田國男、折口信夫によるいわゆる「（本土から見ての）沖縄の発見」、徹底的な旅／フィールドワークでその否定的継承を為し得た宮本常一、谷川健一ら、という流れにおいては。全国的な都市化が進み、論ずるべき「民俗」そのものが無くなってきつつある現状において「民俗学」はやはり窄んでいくしかないように思えるのです。

しかし「民俗学」こそが「人間の学問」であり、無くなってはならないものではないかとも逆に思います。民俗学こそが「人間の思い」が世代を超えて繋いできたことを学ぶ学問だと思うのです。そしてその対象が「生きている人間」「都会ではなく様々な地方、あるいは複数の地方を通底する基礎的概念・習俗」のようなものである特色から、必然的に書斎の学問ではなく「先生から学生への世襲の学問」でもない、在野の学問でこそ尊いという特性を持つ、それが民俗学であり、本質的に「人間の学問」であると思うのです。

そして本土、特に本州では都市化等の問題で民俗学の継続的成立自体が危ぶまれるのに対し、伊波普猷《いはふゆう》から連なる「沖縄学」的「民俗学」こそが、未だ民俗を大事にする姿勢からまだ可能性を残しているのではないでしょうか。そして沖縄を主題とする「民俗学」は、柳田、折口、谷川がそうであったように、日本の「民俗学」にとっても得難い数少ない源泉の一つなのだと思います。

谷川は「民俗学はもっとも文学に近い学問と信じている」と書いています。確かに今回民俗学を集中して学んでみて私もそう感じました。今後も是非学んでいきたいと考えています。

そして谷川の『独学のすすめ』という著作も私を励ましてくれます。独学も「有り」なんだ、場合によっては独学でしか為し得ないこともありうるんだ、と言うのは在野のものにとってはありがたい言葉ですよね。もちろん相応の努力が必要、という前提ですが。

在野での学び、特に文学を志しながら、という共通点を持つあなたにもこの手紙でお伝えしたかった、最近の私の「収穫」です。

柳田学、いや谷川学、全体としての民俗学こそが今

前段で、現在も民俗学を精力的に研究されているだろう学徒の方には大変失礼なことを書きましたが、しかしきな臭くなってきたこの世の中で民俗学こそが大事な学問だ、今必要とされている学問だ、とも私は思うのです。それを谷川健一がよく言い表している言葉がありますので紹介します。「柳田学」という言葉が多用されますが「谷川学」「民俗学」に置き換えてもいいと思います。

——柳田学が今後ますます重きをなしていくことが大きな意味をもつということは……今、時代が右寄りに動いていますよね。この時こそ、僕は柳田学というのは思い起こされるだろうと思うんですよ。いきなり戦前のような国家主義に走るわけじゃありませんけど、しかし、戦争直後のような情況にはありませんからね。（中略）僕は柳田さんの学問を地下水にたとえたことがあるんです。井戸水と同じように、冬は温くて、夏は涼しいのが柳田学だと。それに対して表層的な学問は、夏は焼けつくように熱くて、冬は冷たいと。柳田さんは、一定の温度——メジャーをもっていると。

それで、ほとんど柳田さんの場合は常温なんだけど、それは時代の変遷に従って温くもなれば、涼しくもなるんだと。それが柳田学だと。そして今や柳田学は「涼しげな学問」から「温い学問」へと次第次第に移っていくのではないか。その時に、日本人はどこに根拠を求めるかというと、私は柳田学に求めてくると思います。これから先も、おそらくそれは時代を追って大きくなるのではないか、というのが私の柳田学に対する信頼なんです。その意味では、私は柳田学を信頼するね。——

この言葉は一九八一年に行われた対談での言葉ですが、今にもぴたりと当てはまる言葉ではないでしょうか。

そしてこの対談は「柳田学」をテーマに行われたものなの

で主語が「柳田学」になっていますが、先ほども書きましたようにそれをそっくり「谷川学」に置き換えても、あるいは更に敷衍して「民俗学」に置き換えても成り立つと思うのです。

小さきものに目を向けていくこと

このように民俗学こそが今学ぶべき学問である、という意を強くしながら学んできて知ったのですが、沖縄には「みるく世」という言葉があるそうですね。私は谷川健一の本を読んでいて知りました。ミロク世とも言い、平和で豊穣な世界を表す言葉だと。

そして、先述しましたように「谷川学」こそが融和、平和、みるく世へのヒントになりうるのではないかと思うのです。人間が引いたに過ぎない国境線などに囚われず、南方、あるいは朝鮮半島、中国との海を介した繋がりを大きなスケールで示す谷川学。自分たちが引いた境界線に自分たちが囚われていることのなんと愚かなことか、と思わされます。

多数決、自国の軍隊を国外に出す、そういうベクトルではなく、逆のベクトル、「小さきもの」に目を向けていくことが大事、そこに気づかされるのが谷川健一を読む意味の一つだと思われます。先ほど挙げたものとはまた別の対談で、やはり柳田國男を主題に置いたうえで、このベクトルのことを谷川健一が明確に述べています。

——柳田が日本の民衆の特徴は何かという問いに端的に答えているのに、日本の民衆には群れの思想がある、言葉を換えて言えば事大主義があると言っていることがあります。（中略）

ぼくは事大主義と言うのが日本人の一つの本源的な矢印であるとすれば、大きいものに仕える事大思想と逆の矢印である小さいものに仕えるという事小主義の思想を生み出したほうがいいんじゃないかと思うんです。（中略）柳田國男が沖縄をやって、日本は沖縄のことを考えなきゃいかん、沖縄の中でも沖縄本島は先島のことを考えなきゃいかん、先島の本島はさらにパナリ、離島を考えなきゃいかん。この逆の矢印を彼が提示したわけですね。これは言葉を換えれば事大主義に対する事小主義、小さいものに仕えていくという考え方、それを彼は言ったんだと思うんです。

ですから、そうすることによって日本人の短所を是正することができる、少なくともそれを意識化することができると思うんです。——

これは一九七二年の雑誌掲載の対談ですが、四十余年後の今においても大事な言葉だと思います。基地負担などを沖縄に押しつけたまま省みることのない者が多い日本人、ともすると事大主義で雰囲気に飲まれて長いものに巻かれがちな日本人、そんなことでは駄目だということ。

私は思います。谷川健一がそうであったように小さいものに目を向けていくことが大事。小さいものの集合が大きいものなのであって、「大きいもの」なんて存在しないのではないかと。小さいものが各々生き生きと生きていること、それこそが「みるく世」なのではないでしょうか。

みるく世《ゆ》を求めて

沖縄から遠い地に住んでいる私ですが、今年(執筆時二〇一五年)、沖縄戦七十年の慰霊の日に、沖縄の高校三年生知念捷《まさる》さんが平和にかけた切実な問いを発していたのは、とても他人《ヒト》ごとには思えませんでした。知念さんが「平和の詩」として朗読した自作の詩は「みるく世《ゆ》がやゆら」ではじまります。(今の沖縄、日本は)平和で豊穣と言えるでしょうか?と言う問い。

みるく世、の由来は諸説あるようですが、いずれにせよ平和で豊かで穏やかな世を言う言葉なのですよね。この七十年、確かに日本は「みるく世」だったかに思えます。しかし今年の慰霊の日、知念さんは「みるく世がやゆら」つまり「平和な世でしょうか」という問いを突き付けてくれました。軍靴の音が聞こえてきそうな今こそこの問いを重く受け止め、「命《ぬち》ど宝」の思いを抱いて発言し行動しなければなりませんよね。

沖縄には二度しか行ったことがない私です。テレビや映画、本や新聞での知識がほとんどなのに知った風なことを書いてすみません。でもどうか共感させて下さい。それこそが知念さんが結びに言った「みるく世の素晴らしさを未来へと繋ぐ」唯一の方法だと思うから。

集団的自衛権？　グローバルスタンダード？　どうしてそのような言葉に惑わされるのでしょう。谷川健一が「小さきもの」をテーマに次のように言っていました。

——日本文化の価値は小さいメジャー(ものさし)でしか測れない(中略)中国など大陸の大きなメジャーでは測れない。それぞれ尺度《ものさし》が違うんです。(中略)中国のような巨大な岩壁を削ってつくる仏像はないが、日本では小さい仏の中に意味を込める。大には大の価値があれば、小には小の価値があるので、それを一緒くたにしてはだめです。そういう意味で、日本では小さきものを大事にしない限り、民俗学に限らず、日本文化の本当の評価はできない。何せ小さい列島ですからね。——

小さきものを大事にすること、それは庶民を大事にすることでもありましょう。その庶民を踏みにじるものへの怒りも、水俣出身である谷川健一は記しています。

——幼少の思い出は、水俣病の発生とそれに続くさまざまな事件によって、くろぐろと墨の線を引かれてしまった。牧歌的な所へ反牧歌的なものが突然爆弾のように投げ込まれ、私は過去のことを素直に思い出せなくなった。宮本常一から聞いた言葉に「庶民の世界は不幸によって世間に知られる」というのがある。国境の小さな町としてひっそりと平和に暮していくのが理想だった故郷は、不幸によって全世界にミナマタの名を知られるようになった——

この言葉はまさしく、福島第一原発による被害の続く福島とその周辺にも当てはまる、そしてまた基地の固定化という横暴さに晒され続けている沖縄にも当てはまる、と戦慄しています。

長々と書いて失礼しました。大昔、常世かもしれないと言われた国に住む私から、みるく世《ゆ》を祈る国に住むあなたへの手紙でした。

中間《なかま》集会、水俣・松橋《まつばせ》訪問記――雁、健一の足跡を訪ねて

二〇一五年十月の三連休、九州を訪れた。九州には仕事あるいは旅行で何度か行っているが、今回はそれらとは全く違う目的に心躍る。谷川雁、その兄で民俗学者である谷川健一の足跡を訪ね、中間、水俣、松橋を巡った。濃密だった三日間について覚書を記したい。

谷川雁所縁《ゆかり》の炭鉱の街、中間

二〇一五年十月十日、十一日の二日間、福岡県は筑豊地方の中間市にて、谷川雁没後二十周年を記念して谷川雁研究会（以下雁研）、筑豊・川筋読書会の共催による集会が開かれた。雁が最前線で闘った炭鉱のあった街、谷川雁を巡る書物の中で何度も目にしたその地は、私にとってずっと気になっていたが訪れる機会がなかった場所だ。

福岡空港から博多へ、更には折尾へ、そこから二両編成の筑豊本線に乗り二駅で中間に到着。小さな駅に降り立つ。とても小さな何気ない佇まいの駅、街。世界文化遺産として「明治日本の産業革命遺産」が登録されたことを寿ぐ幟が何竿か翻る駅前のロータリー。しかし、中間市は産業革命遺産の一つとして八幡製鐵所のポンプ室があると誇るのではなく、大資本、近代化・合理化が人間を押し潰していく波に鮮やかに逆襲した画期的革命の地であったことを誇ればよいのに、などと思ってしまう私。よそ者の勝手な言だが……。

さてそのロータリーからは片側一車線の道路が伸びており、その先に集会会場がある。集会までまだ間がある。寄り道しながら行こう。会場斜向かいの図書館にまずは立ち寄る。カウンターで「中間市 歴史歩きガイドマップ」を入手。さすが地元ゆえのしっかりした捉まえと思う――いわゆる「近代化遺産」のみにスポットを当ててはおらず、「炭鉱遺産」を独立した項目として立てている。その「遺産」の一つとして『サークル村』発祥地」が既に掲載されていて驚く。

そして図書館の前には立派な記念碑「中鶴炭鉱偲郷碑」があった。

建立委員会の委員として杉原茂雄さん、東武志さん、小日向哲也さんの名も刻まれている。大正行動隊等で雁と共に闘った同志たち、今日このあと初めてお目にかかれる方々だ。

そして集会の会場である、中間市の市民会館なのであろう

大正鉱業株式会社経営による中鶴炭鉱跡地に建てられた碑。当時炭鉱入口に置かれていた石碑も左右下に置かれている

「なかまハーモニーホール」へ。裏手にはボタ山が高くそびえる。採掘時のカスで出来たボタ山は、鉱山の街茨城県日立市に生まれ育った私には見慣れた風景だが、記憶にあるボタ山は真っ黒で草木も生えていなかった。だが中間市にあるこのボタ山は、緑に覆われ今は普通の山にしか見えない。炭鉱盛んなりし頃からの時の流れを感じさせるが、ホールすぐ傍に石炭層が露頭している場所があり、その黒い層が、確かにここに石炭が有ったのだと知らせてくれるのだった。

谷川雁没後二十周年記念中間集会、初日

先述の通り、雁研、筑豊・川筋読書会の共催によるこの記念集会、進行は筑豊・川筋読書会の坂口博世話人、雁研の松本輝夫代表。二十年前に亡くなった雁、『サークル村』同人でここ数年に亡くなられた村田久氏、加藤重一氏の御霊に黙禱を捧げ、会は始まった。約三十人が集ったこの集会、何と言っても雁と共に炭鉱闘争を闘った往年の闘士たちが五名ほどいらしていて、そのお人柄に触れ、当時のお話を聞くことが出来たのが貴重なことであった。その他には学者、作家、市井の研究者、愛好者が参加。地域的にも茨城から参加の私以外にも、東京、神奈川、静岡、大阪など各地から参加者あり。

往年の闘士たちは、みな相当な高齢で、体調も悪いと零《こぼ》し

ながらも、少しでもヌルい議事進行或いは発表があると、やめろ、先に進め、主題と関係がない、といった声を飛ばす。これがいわゆる「川筋気質」ということでの気の短さなのかなとも思うが、いずれにせよそれは決して野次というようなものではなく、実に真っ当なもの。厳しい議論を闘わせながら闘争を闘った方々なのだな、と実感。

初日のプログラムは雁研松本代表による基調挨拶から開始。「敗戦後七十年という年が雁没後二十年と重なった偶然を必然と受けとめて」と題して、氏が最近着目している雁と兄健一との同志的並走ぶりにも言及しながら話されたが、ここでは詳細は割愛。

次に、大正行動隊、『サークル村』関係の方々からの挨拶。まずは杉原茂雄氏。「雁さんは本は難しいが、話は判りやすく、話したことは実践に移す人だった」「雁さんが日本でも三本の指に入る『オルグ』だったとは彼が死んでから知った」「敵を知らなきゃだめだよ、と雁さんに言われた——資本と闘うために敵側の分野である小切手や資金繰りのことなど自分たちが知らなかったことを丁寧に教えてくれた。状況分析、戦略を一緒にやってくれた」「あとからは『実験』などと言われたが、私は我々と一緒にやってくれたと思っている」「実験ではなく実践だ」「雁さんは優しい侍だった」

続いて村田和子氏。亡くなった御夫君である村田久さんが若き日の『サークル村』以降も数々の社会問題に立ち向かわれたこと、中でもマレーシアで三菱化成子会社が起こしたトリウム二三二公害について夫妻共同で敢然と立ち向かわれたことを話された。

次に東武志氏。「雁さんのビラは宝物」「東京で雁さんに御馳走になった時『敗れるが故に闘うんだよ』と言っていた」などの思い出を語られた。また九州北部の地名について「直《のお》方《がた》」は「野のかた」、「博多」は「波のかた」に通じ、ここ「中《なか》間《ま》」はその中間に位置する、と話された。

古川実氏。雁の第一印象は「インテリ」だったと。雁が属していた中間細胞のキャップであった古川氏にとって、上からの指令を雁が全部ひっくり返して困ったこと。雁に「いろんな見方がある」ことを教えられた——そのおかげで、当時の赤旗は「労働者階級」一色だったが、それに洗脳されちゃいけないと思った。「あんたの本は難しい。詩っちゃ何だ」と聞いた古川氏に「一点を凝縮して詩とする」と雁が答えたこと。「東京へ行くなと言ったのに行くのか」と聞いた古川氏に「行きたいから行かしてくれ」と雁。様々な雁点描を語ってくださった。そして「今思う、あれこそがインテリ本来の仕事だ。現場に入って一緒になってやって、そこからまた理論を出していくのがいい。本を書いて売れればいいというものではないのだ」と。

仰木節夫氏。雁、森崎、上野と会ったのは十八の時。雁さんは話をする時目が鋭い。曖昧なことをちょっとでも言うと「それはどういう意味だ」と問われる。おかげで鍛えられ、本を読むようになった。森崎さんの第一印象は「綺麗な人だなぁ」。雁は自分には「東京から時々帰ってくる」感じに見えた。森崎や上野はいつもいたが。

小日向哲也氏。雁さんから学んだこと――自立思想、自立精神、と話された。今回の集会の中で、場の雰囲気が厳しくなりすぎそうな時に、うまく場の雰囲気を取り戻す発言をして下さっていたのが、小日向さんだったように感じた。また脱線気味の話題に入った方がいらした時には声高に言うのではなく、進行者にそっと「脱線してやいませんか」と話されていた。厳しさが表に出る方もいらっしゃれば小日向さんのような姿勢の方もいる。大正行動隊はきっとかくの如くしてバランスを取っていたのかな、と思った。

最後に河野靖好氏。雁さんがいなくなったあと、行動隊の自分たちは変わらず取り組んでいた。その中で雁さんが敷いた路線をどうするかを常に考えていた。自分たちは、沖縄、水俣病、部落問題などたくさんの問題を繰り込んでいった。「我が沖縄」「我が筑豊」という意識が大事。「自分の中にある沖縄」「自分の中にある筑豊」を感じること。

休憩後、テック＝ラボ時代の谷川雁が中高生に向かって話している音声を流し、参加者で聴いた。懐かしい雁の声に耳を傾け、「確かに雁さんの声だ」「懐かしいなぁ」「これを楽しみに参加したんだよ」といったことを行動隊の方々が言ってらしたのが印象的。

初日最終プログラムは研究者渡邉英理氏による「谷川雁と中上健次」。中上が雁の影響を受けているはずであること、雁と違い中上は「東京には行った」が大学は出ていないこと、雁の側からも中上は視界に入っていたはずであること、そして中上たっての希望で対談が行われていること、などを話された。日向と熊野において見られる地名等における類似性なども話され、健一などの民俗学者の言う黒潮による人の流れを意識されているのかな、と感じた。そして雁や中上が差別される側、虐げられる側に立った視点を持っていたこと、熊野などの敗者ではなく、それを滅ぼした大和朝廷側によって正史は綴られてしまっているといったことを雁、中上の作品や言を引きながら話され、とても興味深いものであった。

「サークル村発祥地」、そして雁所縁の歌

集会一日目終了後は、マイクロバスに乗って懇親会会場へ移動。石炭運搬の為に敷設され、今はもう廃線となった香月《かつき》線跡に沿った道をマイクロバスは進む。途中、「サークル村発祥地」の前でマイクロバスを降ろしてもらった。かつて雁

と森崎和江、上野英信夫妻が暮らしていた小さな家。今は別の方が住んでいるという。暫し往時に思いを馳せた。

ここでサークル村は生まれた

「民族独立行動隊」を歌う往年の闘士たち

　さてその後の懇親会の席は、雁研会員であり、谷川雁が人生最後の約十五年にわたり教育活動の場とした「ものがたり文化の会」会員でもある杉井倫子氏による『白いうた 青いうた』女声独唱で幕を開けた。谷川雁作詞（いわゆる「曲先《きょくせん》」で後から雁が詞を付けた「塡詞《てんし》」スタイルの合唱曲）によるこの曲集は「平成の唱歌」などとも呼ばれ（この呼び方のセンスが良いかどうかはともかく）、全国の合唱団で愛唱され続けている。二曲歌ってくださった杉井氏の選曲は「無名」と「夜と昼」。これらを今回は合唱ではなく独唱で聴かせていただくことで詞の魅力をより堪能することができた。

　また、往年の闘士たちによる闘争歌も聴かせていただいた。何年ぶりかに集いて共に歌う皆さんが腕を組み、声高らかに歌う姿は感動的だった。在りし日に雁も彼らとこの歌を歌ったのだろうか？

　様々な時期に、様々な立場で谷川雁と関わった人々が酒を酌み交わす貴重な一夜が過ぎていった。雁の言にある「ここに酒あり」を実感できた夜。

集会二日目

二日目トップバッターは作家の内田聖子氏による「谷川雁VS森崎和江」。森崎和江の評伝を執筆中とのことで（その後この評伝は同年十二月に発刊）、森崎とのやり取りも重ねられているとのこと。編年的に雁と森崎、その周辺の方々について瑞々しく語っていただいた。森崎が植民地朝鮮の生まれからの日本への引揚者であり、私には顔が無い、私は方言も知らない、と根無し草《デラシネ》であることに悩んだこと。また、女性であること、についても思索を深めたかった、深める必要性があったこと。しかしそれらは『サークル村』に参加しても晴れることはなかった、何故なら『サークル村』では「女性」「朝鮮」を主題として扱えなかったから。雁と行き違いが生じ数日間雁の元を飛び出した際、東京で埴谷雄高を訪ねたのは埴谷が同じ外地からの引揚者（埴谷は台湾から）であったことが大きい、など。

また「残る方と出る方とどっちが大変か」と森崎と雁を対比し、「残る方が大変だ。知り合いとも会う」と喝破。森崎の長い人生に比して雁と一緒にいたのは六年、雁の死に際して一つだけ森崎が書いている弔辞中に「まばたきするほどの時間だった」と記されているように、と。この「雁VS森崎」は森崎にはっきり軍配を上げた内容で、ちょっと雁が可哀想ではないかと思わないでもなかったが、内田さんの語りは雁を不当に貶めようとしているようには全く聞こえず、非常に興深く聞くことが出来た。二日間を通して異彩を放つ立場からの闊達な発表であり、この発表が集会の真ん中に有ったのは主催者の名采配と思う。

次に金丸謙一郎氏による「雁の埋もれた論考・エッセイを探索して――谷川雁の現象学的理解に向けて――」。まず二〇一五年に亡くなった写真家中平卓馬の斬新な表現に雁の影響が見て取れることを一例として挙げ、谷川雁がジャンルを超えて様々な人を起爆したことを明示された。そしてこれまでの雁再評価の動きについて分析を加えた。この中で次の発表者である私と奇しくも同じ論旨として晩年の雁の仕事である『白いうた 青いうた』をもっと評価してよいのではないかと話された点が心強かった。最後に現在ある主要な年表が様々な事情からかとは思うが完全なものでないこと、多様な雁の仕事を理解しやすくするためにはトータルな年表が必須であること、更にはその動きを雁の全集へとつなげていきたい、という壮大な熱い思いを語られた。

三番目に私が「ラボ時代に触発されて雁の全体像へ、健一へ」と題して発表。私は雁が役員をし教材を作った民間教育機関「ラボ教育センター」で学んだ子供であったこと。ラボは全国組織であり、さすが稀代のオルガナイザーと言われた雁の鮮やかな仕事を示すものであること。雁が作ったいわゆる教材は単なる教材の域などには留まらない、優れた芸術作品であること。ラボという組織は他の教育機関とは様々な点で抜本的に違う極めて独自性の強い画期的な組織になっていること、その中には集団創造の要素、雁が残した名言などが息づいていること、などを話した。また現在は雁の兄である民俗学者谷川健一にも関心を持ち、市井での研究を続けていること、も。

それから、晩年の作詞家としての雁はもっと高く評価されるべきだ、とも提言。

そして「雁は確かに多面的ではあるが人生を一気通貫しているものがある。それはことば。言葉を楽しみ、言葉と格闘し、言葉を愛おしんだ人生。鮮烈かつイメージが広がる詩作、革命家としての檄語・檄文（思想的文章）・アジテーション。子供を大きく育てるための物語教材を制作した時期、そして詞を作った時期。どの時期においても雁独自の瑞々しい言語感覚、飛躍するイメージが核としてあった。彼は一貫して『文筆家』『話者』であり続けた。そして今、全ての分野で彼が蒔いた種は育ち続けている」と締め括った。

最後に河野靖好氏による「詩の価値と革命についての覚書」。河野氏は大正鉱業退職者同盟の書記であった方。自在に様々な事柄について話された。大正闘争のこと。そして自力建設という運動の実際——建設業者ややくざには頼んでいない、炭鉱夫たちが手弁当で、自分でボタ山の上に家を建てたのだ——「沖縄の知念さん」が足でこねて、それを河野がはしごで屋根に運んだ、と鮮やかに具体的に話された。また洞海公共事業自由労働組合（大正鉱業退職者同盟を中心に、大正闘争後半には対立していた大正労組員、被差別部落民、他の炭鉱離職者、も加えて形成）の運動では地域の道路を自分たちの手で作った。手でコンクリートをなでて、と。中間駅前の道路も自分たち組合で作ったのだ、と！

そんな具体的で貴重な経験談を語られたと思ったら、返す刀で吉本隆明『詩学叙説』を材として宮沢賢治、谷川雁の暗喩による詩を読み解く——暗喩はけして現実の意味空間をふさいでいるわけではない、ただし頭で考えないと判らない——寝ぼけた頭を覚ます、そこにこそ詩の価値がある——と。

またその他「雁の出発点は老子の道教《タオ》である」とも。そして河野さんご自身が革命に身を投じたときの決意として「書物を放棄。雁の本も読まず、生身の雁だけを見ることにした。生涯一学生、生涯一兵卒を決意」との覚悟。そうして接した雁とのエピソードもおもしろかった。吉本隆明について雁に問うたところ、「河野君、本当の本当はねえ、吉本が正しいかもしらんぞ。ただ吉本は面白くなかろう。だから俺は吉本とは別の道を行くんだ」との答えがあったと。また、雁の言葉として「ビラを作る時は自分ではなく無になって、集団の気持ちとして書きなさい」があったこと。ただこれは実体験として自分と集団が同一化して大変苦しいものであること、そしてそれが故に雁も言葉を取り戻すために東京に行ったのだ、と私は思っている、と。

そして時を経てカイロプラクティックの施術者になった河野さんが、雁が亡くなる少し前に病床の雁を訪ね治療を施した際のエピソードも。その際、行動隊の同窓会をやろうと話したところ、雁は「やろうやろう！」と大乗り気。つまりは治すつもりでいたのだ、と。

また、自分も小日向さんも雁の周りに居た人たちはみんな「雁を超えたい」と思って生きてきたよ、との印象的な言葉もあった。

最後は、希望者だけ残り録音した雁の声を聴いた。日本神話の創世部分を語っているもの。実に深く、自在な語り口。聴き入った。杉原さん、古川さんも最後まで真剣にかつ懐かしそうに聴かれていたのが印象的。

雁、健一の故郷――水俣

二日間の集会の全日程終了後は、数名で折尾に移動し「角打ち」で打ち上げ。角打ち、とは酒屋で買った酒をその場で飲む、居酒屋発祥スタイルの呼び名。得難い経験であった二日にわたる集会を終えた高揚感を肴にしたたかに酔って解散。私はその足でその日のうちに単身熊本へ移動。水俣に投宿。ここからは独り旅だ。

水俣は雁、健一の故郷。今となっては「水俣病の水俣」として世界に知られてしまっているその街。しかし当たり前のことだが水俣病発生前の豊かな海の幸に恵まれた水俣（水俣湾は魚湧く海と言われた）があった――そこで雁や健一たちは育ったのだ。

しかし水俣の街を歩いてもなかなか谷川兄弟の足跡は残ってはいない。徳富蘇峰・蘆花のふるさと、を前面に押し出している。水俣市観光ガイドブックを見ても水俣所縁の文化人として紹介されているのは徳富蘇峰・蘆花、高群逸枝、淵上毛銭、江口寿史……。谷川の「た」の字も無いのが残念。

今回の私の明確な目的地は為朝神社。そして出来ればそれ以外の谷川兄弟の足跡を見つけたい、と思っていたのだが期待薄か。

そんな少々落胆めいた気持ちで水俣市立図書館に立ち寄ると、さすがに蔵書はあった。郷土コーナーに並ぶチッソ・水俣病関係図書、水俣・芦北関係図書、谷川健一約八十冊（全集含む）、石牟礼道子約六十冊（全集含む）、徳富蘇峰約五十冊、蘆花約二十五冊、谷川雁十一冊、谷川道雄一冊。

図書館での扱いに多少元気を取り戻して為朝神社へと歩みを速める。為朝神社は「浜の八幡宮」いわゆる「浜八幡」への細い参道にある小さな小さなお社だ。下の写真のとおり、本当に小さなお社。この社の参道は約二メートル。お社自体は三畳ほどか。しかし健一の読者であればこの社への思い入れは深い。谷川兄弟はこの社を何度も訪ね、ここから沖縄へ渡ったという祭神・源鎮西八郎為朝に空想の翼をはばたかせたのだから。

水俣の街自体初めて行ったアズマ人の私、もちろん水俣駅前の旧チッソ正門、水俣病歴史考証館、百間排水口も訪ね、様々なことを感じた。しかし本項の趣旨からは外れるのでそれは措こう。私は水俣を離れ、同じ熊本の松橋へ向かった。

松橋、墓参

新水俣から新八代まで新幹線、そこから二両編成の鹿児島本線に乗り、松橋《まつばせ》駅に着いた。駅から歩いてすぐの場所に、谷川家の菩提寺の浄土真宗本願寺派圓光寺はある。

玄関口で呼び鈴を押し、谷川雁、健一のお墓に参りたい旨を伝えると、納骨堂に案内してもらうことができた。このお寺ではいわゆる墓石が並ぶ墓地はなく、納骨堂内に並ぶ納骨スペースにお骨と位牌が格納されている。健一が納骨されているスペースが長男筋ということになるのだろう、雁はそことは離れた別のスペースに「分家」して納骨されている。雁の方には左右一つずつ計二つの位牌。飾り気ない白木に墨の位牌だ。向かって右に流水院釋盤石居士、これが雁の位牌。左に「俗名 谷川空也 行年二年十ヵ月」と。幼くして亡くなった雁の長男の位牌だ。暫し心からの祈りを捧げる。

次に健一が眠るスペースへ。こちらは本家らしく二倍のスペースになっている。左に「谷川家過去帳」、右に女性の位牌が二つ、道雄さんかと思われる位牌が一つ。健一のものと思しき位牌は無い。しかし納骨はされているはず。健一と谷川家の皆様に手を合わせた。

水俣、為朝神社。小さな鳥居、参道、お社

松橋、圓光寺山門。この門内に納骨堂がある

納骨堂を出ると、住職の奥様がお声をかけて下さった。上げていただきお茶まで頂戴して大変恐縮。住職と奥様とお話させていただくことができた。雁と健一の愛読者であること、中間で雁所縁の方々との没後二十周年集会を開催してきたところであることなどをお話しさせていただいた。住職からも労いの言葉を頂戴し、いくつかお話を伺うことができた。雁は法名を自分で決め健一さんに伝えていたこと。道雄さんは京都に墓がありこちらには分骨であること。炭鉱の方たちもたまにお見えになりますよ、と。そして、健一は、というと神奈川で葬式が行われ、四十九日を過ぎて納骨があったとのこと。地名研究所の方々も見えたと。

なぜご位牌がないのでしょう？　とお聞きしてみたが「あれ？　なかったかな？」と。亡くなってまだ間もないからだろうか。神道に則った形とも聞いておりますが？　ともお尋ねしてみたが、「そんなはずはないですよ。こうしてお寺に納骨されています」とのお答。確かにここは仏教のお寺さんだ――谷川健一さんのお位牌のことは結局よくは判らなかった。しかし雁と健一、谷川家の皆様への祈りを捧げることはできた。特に、私の生き方に多大な影響をくれた雁、日本に住むものとしての根源的な学問への知的好奇心をくれた健一、二人の先達に感謝の祈りを。

中間での二日間、そして駆け足で水俣・松橋を訪れた三日目。あっという間に過ぎた気もするが、実に沢山の示唆を得、思索を深めることが出来た濃密な時間だった。

世は怠惰に流れ、爛熟・頽廃の相に充ち満ちている。権威や権力、時勢の波に敢然と立ち向かい鮮やかに生を全うした雁、人間の根源に向かって本質を掘り続けた健一、彼らの生きざま、考え方から学ぶことが今こそ必要だと私は思う。彼らの故郷を訪ね、そして雁の盟友たちの謦咳に接したことにより、益々その思いを強くした旅であった。

闘い、エロス、断層、そしていのち――森崎和江を読み、考える

谷川雁の諸作品を学んできた私にとって、谷川雁と時代を共有した様々な思想家やその思想に触れ、学ぶことも愉しみの一つである。そうして学んできた中で私の感覚が鋭く感応したのが、森崎和江であった。今回はここのところ主な学びの対象としてきた谷川雁ではなく、森崎和江を読む、として書いてみたい。森崎の著作を読めば読むほど、単に一時期谷川雁の「つれあい」であったとか、そんな次元の人間ではなく、類い希なる思想家であり、今を生きる我々が学ぶべき人であると強く思うのだ。

森崎和江、一九二七（昭和二）年に当時日本の植民地だった現韓国・大邱市に生まれた詩人、作家。サークル村～大正行動隊～大正鉱業退職者同盟の時期に谷川雁と共に暮らした「つれあい」であり「同志」であり、谷川雁とお互いを傷つけ合い、かつ高め合った女性である(1)。

森崎のテーマは「女性」であり「人間」であり、その中を横切る数々の「断層」であり、そして「いのち」である。その著作は――月経、性欲、性交、妊娠、出産、中絶、助産婦、夜這い、身売り、娼婦、売春、買春、からゆきさん（海外に娼婦として売られた少女たち）、エロス、身体の変化、エロスの回復――自分の薄っぺらな男性的思考を思い知らされる、そこから最も遠い言葉たちが充満する、「女性」というものの根源を描くものである。そして男の醜さを、日本社会の抱える問題を鋭くえぐり出すものである。

売血、強姦殺人、性交不能、流産、発狂、野合、自死、轢死、無戸籍者、在日朝鮮人、朝鮮（外地）生まれの日本人――眩暈《めまい》がするような言葉の氾濫、イメージの氾濫のように思えるが実は一つの芯がその中をしっかりと貫いていることを感得させる文章を書く人、である(2)。

『闘いとエロス』

さて、やはり谷川雁との関係から『闘いとエロス』を最初にとりあげよう（参考文献1）。私のように後から学ぶ者にとって『サークル村』、大正行動隊から大正鉱業退職者同盟、筑豊企業組合に至るまでの流れについて知るための欠かせない文献といえるだろう。実に生々しく当時の様子が伝わってくる。単なる年表としてでなく、激しい熱や憤り、息づかい、

ぶつかり合いが伝わってくる。

単なる谷川と森崎の個人的生活に関する文章などではなく、第一義として良質の記録文学である（まえがきに記されているように、執筆の中止依頼を受けたりしているため、フィクションの体をとってはいるが、あとがきにあるように「この記録はうず高い資料を幾度も繰り」書かれたものだ）。その記録文学的な文章の中に、森崎と谷川の生活が織り込まれているものだ。(3)

サークル村において闘わされた議論に触れることができる本だ。そして「人間無尽（労働力の相互提供）」といったその実践にも触れることができる本だ。また、その停滞の理由――これは創造運動が目にみえるほどすばやくその成果を生むものではないことに対する会員のだれもある。また相互の意識がからみあいすぎて独創性を弱めていた結果でもある。思考はパターン化した――も知ることが出来る本だ。

多くの優れた言葉を得ることができ、たくさんのことを考えさせてくれる本でもある。いくつか挙げよう。

「彼ら（筆者注：男性一般を指す）の多くは哀れにおもえるものにだけ、愛をもよおすのだから」

「子どもはねえ、親よりもばねがあるのよ。親を捨てていく立場よ。捨てられるのは親のほうなんだ」

「狂気を血縁に持っているのは『サークル村』でも彼女（筆者注：石牟礼道子のこと）ばかりではない。多くの会員がその直系傍系に幾人か持っていた。または郷里や幼児体験をふりかえる時に、映像を結ばせる核のように村や町の狂人を思い起した。『サークル村』はこれらの狂気を、民衆の内面における過去と未来をつなぐ手がかりのように意識し合った。（中略）村落内の相互制約の重荷を一身にうけとめて狂ったのだということを誰もが感じていた（後略）」

「サークルは職場や地域で偶然にも近接した労働と生活を営む者たちが、その結びつきの必然性を自分自身の個体のなかで検証してゆく運動である。したがってつねにその偶然性が追いつめられ、かつどこまでも残っていく偶然の存在をみつめていかなければならない」

「詩とは世界との対立関係だぜ」（筆者注：室井＝谷川雁の言葉として）

「この事務局を中心にした運動の移行は（筆者注：『サークル村』を休刊し大正行動隊へ向かう流れをいう）、それの集団がもつ占有感覚の止揚に対する関心よりも、それの有効な行使に対して、観点が転じたことを意味していた。このことについて思想的追求を行なうことは、『サークル村』に限らず反権力集団の体質が、国家原理と類似しがちな面を越えるための大切なポイントである」
「彼をいばらせたいから。いばっている時の彼は安定していて美しい」

一読してこの本は紛れもなく「女」にしか書けない本だと思った。男には、男自体が持つどうしようもなさをここまで見つめることは不可能ではないだろうか……と思わざるをえない。

一方、男の立場として言えば、男の弱さ・ずるさ・汚さをこのように書かれると辛い。概ね公平に書かれているとは思うけれど、女の弱さ・ずるさ・汚さはあまり描かれていないようだ。とまれ、この本を読んでいると男の頼りなさ、女の根源的力強さを思う。

この本における室井（＝谷川雁）の言動は世の月並みの男性よりはずっと女性に理解のあるものなのだが、それでも男女間の断層を真に埋めるまでには絶望的に遠い、と思わせられるものだ。

もちろん谷川雁の言い分もあるだろう。谷川雁には「女たちの新しい夜」「女のわかりよさ」といった、タイトルに「女」が付く文章がある。しかし森崎の文を読んだ後にこれらの文章を読むと、どうも谷川の方が分が悪いように思える。実際、「女」を論じた「女たちの新しい夜」の締めくくりは、「男たちと女たちの間にはまだ相互に流通する言葉もなければ、組織もないのだ」である。「女」を理解することを半分諦めている文章だ。

『闘いとエロス』に記された谷川雁

『闘いとエロス』に記された谷川雁の本音なのだろうと思われる箇所を引いておこう。

「……猿まわしもくたびれるよ。労働者はしょせん猿だからな。奴ら、現実参加のめどを持たんもんな」
（中略）
「思弁に引きずりこむと彼らは不毛だよ。奴らの特質はその存在の渇きにあるんだからな。存在のもつ渇きを思想やカテゴリーは固定させるぜ」

全ての章が読み応えがある『闘いとエロス』だが、特に終章の「雪炎」がすごい。室井（＝谷川）と契子（＝森崎）の二人がぶつけ合う言葉の応酬が深く多くのことを考えさせる。

「あたし、ながいことあなたのそれをどう位置づけていいか分らずに悩んできたわ。いまも分らないわ。それでもあなたにそんなことをさせるものは見えるわよ。それはあなたのぜんぶじゃない。けどそれはね、それは」
わたしはいいよどみ、そして
「その質は敵だわ。彼ら階級の、敵よ！」
（中略）
「おれは……　どうしようもない。そこを否定すると、ぼくは存在の基盤を失うんだ。ぼくはぼくの歪みを抱いて死ぬ。ぼくを死滅させるものは自分自身だ。（後略）」

――この会話は谷川雁の或る限界を言い当てているだろう。

「あたしあなたと違うからもっと抽象を圧さないと出ないのよ、具体案は。あなたはその反対から歩ける方だけど」

――これも谷川の方法と森崎の方法を見事に対照して表現している箇所だ。(4)

そして、谷川雁が東京に去り、さらに長野県黒姫へと転じていっても、森崎は九州・福岡に残り続けた。自分のスタンスを、テーマを、本当に貫徹しているのは谷川では無く森崎だと言えるかもしれない。

『無名通信』

『闘いとエロス』では森崎和江、石牟礼道子ら女性たちによって出された女性交流誌『無名通信』に一章がさかれている。この『無名通信』の創刊宣言、これは『サークル村』の創刊宣言よりも平易な言葉で書かれているが、同等の重さを持った優れた文章だ。引く。

「わたしたちは女にかぶせられている呼び名を返上します。無名にかえりたいのです。なぜなら、わたしたちはさまざまな名で呼ばれていますから。母・妻・主婦・婦人・娘・処女……と。（中略）
オヤジ中心主義をつくった権力をくつがえすために、被害者として集まるだけでは女の根本的な解放にはならないということがみえてきます。自分をとざしている殻を、わたしたちの手でやぶること」

そもそも『無名通信』というタイトルが良いではないか。森崎自身の後年の言葉によれば「世間が考えている女の概念を脱ぎ捨てて、無名にかえり、ここから女を自分で発見しましょうという思いの命名でした」とのこと（文献二）。「つれあいの（筆者注：谷川のこと）反対を押しての発行でした」とも書いている。

その『無名通信』の中で女性たちによってなされた座談会の内容がまたよい。一箇所だけ引いておこう。

「**大長**　（前略）彼と結婚するんです。（中略）ただ彼は学習サークルやっていて、どちらかといえば政治的で組織力を頼ろうとするし、私は文学サークルをやっていてもっとなまで率直なものを信じようとするんです。一緒になるということはすぐお互いの考えを統一したいということではなくて、それぞれが持っているものを深めていく、深くなることで一致する点があるんじゃないか、と考えています。でも、深く考えていたのが浅くなった、どういえばいいかしら、私が組織的な考えに近くなり、相手が感覚的になってきた。そうなってはいけない、そんな不安があるんです。

土津川　いまの話で思うのだけど、主人と話をしていてはっとする時がある。俗にいう女らしさが残ってるのに気づく。自分自身をとことんまで見抜かずに寄りそってしまう。寄りそわねば日常生活がうまく動かないことが多いでしょう。そういう自分に抵抗していながら、どこかに、よりそうやさしさにみせかけた女のいい加減さがある」

——漠然と日頃感じていたことが、ここに明確に文字となって記されている気がした。なまの言葉を記録し、読むことの有意義さがよく判る。

近代女性史を学ぶ

次に取り上げてみたいのがこれだ——『買春王国の女たち——娼婦と産婦による近代史——』（参考文献５）。男の身からすると読むのが辛い本だが、事実と向き合わねばならないだろう。ここまで明確に近代女性史の問題点を明らかにした文章に触れたのは初めてのことだった。

実に優れたまえがきがある。以下引こう——。

家系を保つために子を産む女たちと、娼妓として不特定多数の男の性欲の対象となる女たちとの間には、共通の慣行がない。両者は別世界を形成した。それは民法施行後もつづいた。両者を往来する男たちの人間観・社会観のまにまに、産婦を本業とする妻たちと、産むことを禁じられた娼婦たちとは、異なった規範下で生きた。共通することのない二つの価値、異質の慣習が女たちを二分した。

女の性に関するこうした慣行と規範の基盤には、「女の業」という観念がただよっていた。神道や仏教をはじめとして共同体間の共通した女性観は、このあいまい模糊とした宿命的性観念と無縁ではない。近代化の過程で定められた女に関する法規もまた、この偏見を内包した。（後略）

一方、男の性には、女の性にともなう原罪的側面は皆無とみなされていた。（後略）

家を守るために娘が身売りをすることは、慣行時代ばかりでなく、明治大正昭和に至るまで、美風とされた。（中略）

隔絶した二つの「女の道」の中で、女とは何か、という自問を女たちは抱き、その解放への答えを探しながら生きた。

近代女性史はその模索史でもある。

この本を読んでつい最近まで一夫多妻（妻妾同居）が有ったことを私は改めて認識した。公生・私生の別（私生児という言葉は知っていたが、対義語に公生があるとは！　違いは入籍の有無・妻妾の別ではなく、父親が承認するかどうかだったという……）、姦通罪は妻にのみ適用され、夫には適用されなかったこと、姦通を理由に夫は妻を離縁できるがその逆はできないこと——を知った。

更に引こう——こうして近代に入った日本人の性観念は、女は嫁となって夫と性生活を行い、男は結婚に拘束されることなく女一般を性の対象とする、という刑法上のきまりを生んだ——この歴史を充分に知らなかったことを恥じる。一方で、ここまでひどい観念に毒されなかったことをありがたく思う。しかしゼロではない。自分でも判る。私には、私の世代にはまだその観念の残滓が残っている、抜きがたく。そういう自分と対峙し闘って行きたい。

一気に飛ぶが、私がこの本を読んで最も感動したのがあとがきだ。森崎はこう書いている。

——性差別の根源を見つける思いで、近代女性の全体像を、家制度下の女と公娼制度下の女とを同時に包み込む形で辿ってみました。

女たちの今は、たしかに以前より自由になりました。性差別は基本的に否定されました。けれども自由な個人と、不自由な個人の差が、大人と子どもとの間にひろがったかの感があります。今のところ私たち日本の大人は、自分育てに奔走中です。女も男も、社会人も私人も、個人としての自分を生かす道を創造中です。そして、他人を個々人の内外にどのように発見すればいいのか、気にしつつ、先送りにしている状態がつづいています。その社会で幼い他者である子どもたちが生まれ、育つ。

この書は、その今日の前史です。よりよい明日を求めつつ、私も今日に辿りついているところです。自責の念が湧いてしまう。

でも、元気を出したい。くりかえし。

――ここには女とか男とか関係ない、今の人間が抱える問題が明らかにされている。

炭鉱労働精神史

次に『奈落の神々――炭鉱労働精神史――』(6)（参考文献6）を読んでみよう。一九七四年にこの本は上梓されている。谷川が一九六五年に東京に去って後も森崎は九州にとどまり続け、そして「炭鉱労働の精神史」に関する大部を書き上げるのである。森崎のすごみだ。

この本は炭鉱の草創期から説き起こし、藩制末期、明治期、大正期、昭和初期と網羅的に記される。しかも単なる炭鉱史、炭鉱労働史、などではなく炭鉱精神史なのである。「赤不浄」とされた女抗夫の生き様、「下罪人」と呼ばれ自らを呼ぶ抗夫たちの自意識・文化などが描かれる。そしてこの本のすごいところは森崎の丹念なインタビュー（聞き書き）ぶりだ(5)。なまの声を読むと実に確かな手応えとして言葉が体内に取り込まれる感じがする。

印象深い言葉があとがきにあった。

――ヤマがなくなるとき或る抗夫が言った。「エネルギー革命といってヤマをつぶしたが、みておれ、石油も一〇年のいのちばい。何が革命か」――

そして原発全盛の時期があり、その事故があり、今、天然ガス、メタンハイドレート、太陽光発電、風力発電、等の自然エネルギーの流れがある……。

もう一つこれもあとがきから。

――有限な資源と無限な欲望との明日の文明について、この筑豊の無言のなかから、私もまた歩き出さねばならない――

「有限な資源と無限な欲望」……まさにそうだ。地球自体が有限なのであり、無限に拡大する欲望が地球自体を破壊しようとしている。この文を書いた一九七三年に森崎は既にこの境地に到達していたのである。日本人がこの境地を真摯に学んでいれば……と思わざるをえない。

「断層」を意識すること、そして克服するべきこと。

なぜ今多くの人が谷川、そして森崎を読んでいるのだろう。その問いを解くための鍵の一つが「断層」というキーワードかもしれない。この言葉は谷川、上野英信、森崎による『サークル村』創刊宣言にも既に現れている——労仂者と農民の、知識人と民衆の、古い世代と新しい世代の、中央と地方の、男と女の、一つの分野と他の分野の間に横たわるはげしい断層、亀裂は波瀾と飛躍をふくむ衝突、対立による統一、そのための大規模な交流によってのみ超えられるであろう——と。

また、水溜真由美は森崎についてこの「断層」という言葉を用いて以下のように評している（参考文献7）。

——ジェンダーをめぐる断層を階級・民族・エスニシティなど様々な断層と交錯させ、極めてヘテロジーニアスな連帯を描き出した森崎は、「国民」や「労働者」の均整性を自明視する既存の政治運動を厳しく批判し、様々な断層によって分断された労働者・民衆の間に「交流」の回路を開いていこうとした『サークル村』の理念をもっともラディカルに継承した論者であったと言うことができるだろう。

森崎自身もこの「断層」という言葉を以下のように用いている。

——この私にとって、最も深く対決の思いが宿ったのは公娼制度です。（中略）両性間の断層が、まさに天然自然界のように当時の日本男性には捉えられていたのです（参考文献3）。

このように世の中の様々な断層を認識し、それを克服することが必要なのだ。そして今、谷川が、森崎が読まれているのは現代が多くの断層（世代間の、固定化されつつある階層間の、その他たくさんの）を抱え、悩んでいるからこそ、と言えるのかもしれない。

更にその先へ——「いのち」がテーマに

しかし森崎にとって「断層」よりも「いのち」というキーワードの方が更に大事なのではないだろうか。「断層を埋める努力」などと大上段に振りかぶるよりも「エロス」や「いのち」という言葉を使う森崎の方が私には近しい。「いのち」というキーワード——一九九四年以降の著作のタイトルを見てみれば、『いのちを産む』（一九九四年）、『いのちの素顔』（一九九四年）、『いのち、響きあう』（一九九八年）、『いのちへの手紙』（二〇〇〇年）、『北上幻想——いのちの母国をさがす旅』（二〇〇一年）、『見知らぬわたし　老いて出会う、いのち』（二〇〇一年）、『いのちの母国探し』（二〇〇一年）、『いのちへの旅――韓国・沖縄・宗像』（二〇〇四年）と「いのち」を冠したものが非常に多いことが判る。

　そのうちの一つ『いのち、響きあう』（文献2）のまえがきで森崎は書いている。「いのちとは何か、いのちの継承とはなにか、という素朴な疑問は容易に思想の対象とはなりません」と。このようなところに至るのはやはりいのちを産む女性ならではこそ、という気がしてならない。

　今回、『いのち、響きあう』を読んで、私は森崎が書く「いのち」のイメージに暖められた。例えばこうだ。

> それでも、あなた、と未見のいのちへ語りかける。
> あなたに、生きていてほしいのです。
> なぜでしょうねえ。
> そして、どうぞ、あさってのいのちを産んでくださいね。
> だって、いのちは、美しいのですもの、いろいろ悲しく、みにくく、ゆがむけど。（後略）

　少子化を経済的なマイナスの問題として捉え、戦時の「殖めよ、増やせよ」と変わらない馬鹿さ加減で報道するメディアを超えてこの言葉はある。逆に地球上の人口が多くなりすぎており、もっと少子化を推し進めるべきだという合理的な考えも超えてこの言葉はある。

　森崎の「いのち」「エロス」という言葉は実に多様であり、簡単にまとめることはできないけれど――森崎の著作を読み、今私は考える――人間が「いのちを継承」することの尊さを。そこには合理的な計算などない。「エロス」という言葉は現代日本語としては単に「性愛」的なイメージで語られやすいが、そもそもギリシア語では「愛」を表す言葉であったはずだ。その本来の意味での「エロス」も、どのような作用によるものかは判らないし、それが仮に科学的に体内物質の何やらが作用し――などと説明されえたとしてもそれ自体は何の意味もなく、ただ人が「いのち」を生きる上で理屈ではなく「いのち」を継承し、その新しい「いのち」を愛おしいと感じる――そういうことなのだ。どうしようもないことなのだ、いのちは。どうしようもないけれど尊いものなのだ、いのちは。

　昨年の震災・原発事故以来、家族について、子の健康について、子の未来について考えない日はない。子の「いのち」を大切にしたい。「あさってのいのち」も大切に思えてならない。そういった気持ちを大切にして残りの人生を生きていきたい。

注

（1）『闘いとエロス』（文献1）において森崎は登場人物である室井（＝谷川雁）にこう言わせている――「君だっていやだよねえ。ぼくの思弁の手がかりになるのは君だっていやだよねえ」――これは二人が違う道を選ぶ直前、互いに疲れを感じた時期の言葉だ。谷川雁はこのときの森崎にせよ、その後の矢川澄子にせよ誰にせよ、優れた女性と話すことで思弁を花開かせる人だったと言えるのかも知れない。

（2）その森崎の父は植民地朝鮮の校長を務めた人であり、森崎が小学三年の時に家庭の教育方針を問う調査紙に「自由放任」と記した人であった。また「朝鮮人を尊敬しなさい」と教える父であった。更にまた「平凡に徹して生きよ」と教える父であった（文献2）。ずっと後に森崎が朝鮮（韓国）を訪れた際にも当時の朝鮮人生徒たちが懐かしんでくれる父であった。日常的に憲兵に連行される父であり、「前と後ろからピストルで狙われている」父であった（前は朝鮮人、後ろは日本人憲兵、の謂《い》い）（文献3）。この父の影響は森崎の思想を形作る大事な要素であった。

（3）また、森崎和江は日本が植民地としていた朝鮮が自分の故郷、根であることを直視した人でもある。自分の故郷は「日本」でも「朝鮮」でもなく「日本占領下の朝鮮」という一時的な幻のようなものであり、その前もその後も無いということ、しかも自分は占領側の人間だったということに悩み、取り組み続けた人なのだ。――「生誕地の天地風土をむさぼり愛した原罪」と森崎自身が書いている（文献3あとがき）。

（4）一方、当時の事情をこの本のみから知る・学ぶことも危険だろうことにはもちろん留意しておきたい。例えば安保闘争後大正闘争の支援に入ってきた学生の一人で早稲田大学を中退して退職者同盟の書記になった河野靖好は、筑豊企業組合による自力建設について森崎の言う「他の業者の関与」「金融機関からの資金調達」「地方ボスとの取引」「小所有者意識」「小権力意識」「血族集団への名義変更」「血族集団のもつ技術や力関係に頼るしかない実情」などはまったくなかったと証言している（文献4）。

どちらが正しい、あるいは間違っているということではないだろう。森崎が『闘いとエロス』を書いたときには執筆中止圧力が有ったことからフィクションとして書かざるをえなかったこともあるし、物事が立ち位置によって見え方が違うのも当たり前だからだ。

（5）中島岳志によれば（文献3）こうなる――谷川雁さんは、演繹的なのでしょうか。観念が先にあって、そこから現実をどう操作するのか考える。だからその観念にはまらない現実は捨てていくことになる。（中略）

逆に森崎さんは帰納的な考え方をされて、現場で自分の直面する問題――朝鮮、女性、産むこと――からものを考える。

（6）今私の手元にある平凡社ライブラリー版の表紙は昨年二〇一一年にユネスコ世界記憶遺産に登録された山本作兵衛の水彩画だ。そして森崎の丹念なインタビュー（聞き書き）によるこの本の中に語り手としても山本作兵衛は登場する。

【参照文献】

（1）森崎和江『闘いとエロス』（一九七〇年　三一書房）
（2）森崎和江『いのち、響きあう』（一九九八年　藤原書店）
（3）森崎和江、中島岳志『日本断層論――社会の矛盾を生きるために――』（二〇一一年　NHK出版）
（4）新木安利『サークル村の磁場――上野英信・谷川　雁・森崎和江――』（二〇一一年　海鳥社）
（5）森崎和江『買春王国の女たち――娼婦と産婦による近代史――』（一九九三年　宝島社）
（6）森崎和江『奈落の神々――炭鉱労働精神史――』（一九七四年　大和書房）
（7）水溜真由美「森崎和江と『サークル村』――一九六〇年前後の九州におけるリブの胎動――」（『思想』二〇〇五年十二月号所収　岩波書店）

いのち、生きる実感――森崎和江をきっかけに考えたこと

四年前、「闘い、エロス、断層、そしていのち――森崎和江を読み、考える」と題し小文をしたためた。森崎を巡る四つのキーワードを抽出し、彼女の文章を参照しながら熱く綴った。森崎文学について私に書ける渾身の筆は為した。あれをまたやることはできない。

そこで今回は、趣向を変えて、森崎文学をきっかけに私が考えたことを、徒然に書き付けてみたい。

「無名」の獲得から生まれるもの

森崎が中心となって編まれた女性交流誌は『無名通信』と名付けられた。無名とはなんだろう。創刊宣言にそれは明確に記されている。

「わたしたちは女にかぶせられている呼び名を返上します。無名にかえりたいのです。なぜなら、わたしたちはさまざまな名で呼ばれていますから。母・妻・主婦・婦人・娘・処女……と。(中略)

オヤジ中心主義をつくった権力をくつがえすために、被害者として集まるだけでは女の根本的な解放にはならないということがみえてきます。自分をとざしている殻を、わたしたちの手でやぶること」

人は生まれたときから名付けられている。苗字、名前、日本人、〇〇人、男、女……。これらの名付けはその人を規定している。その不自由さを打ち破り、一度「無名」に帰り、そこから、自分で自分を見つけていく、自分で自分を定義していく、そういう思想がここにあると思う。

自己の再定義、これは本来生涯を通じてし続けるべきことだが、多くの人は青年期の一瞬のみこれを行うに過ぎないだろう。自分は何者なのか。今の自分でいいのか。自分の場所はどこにあるのか。ここでいいのか。私たちは青年期にこのような問いに直面する。ともすると「青くさい」「モラトリアム」「自分探し」などと揶揄され、無駄なことだと否定されたりもする。

青年期、私も悩んだ。何を悩んでいるのか自分でもよく判らなかった。人からは理解されなかった。自分を見失ったよ

うに感じた。自分が判らなくなった。自分でも無駄な時期を過ごしているな、などと思ってしまったりもした。悩んでいる自分が好きになれなかった。

でも森崎の書く「無名」を読んだ今、私は思う。あの時期は無駄ではなかった。苦しかったが一度「無名」にかえり、そこからスタートした時期だったのだ。なんだ。悩んでいたこと自体を悩む必要などなかったのだ。どうせならもっとしっかり悩めばよかったな、と。

森崎は女だけのものではない

森崎と言えば女性の解放のために活動する思想家、活動家と見なされることが多い。その文学はまるで女性のためだけのものであるかのように巷間扱われているようだ。しかし私は全くそう思わない。それは森崎に対して失礼だ。森崎は女だけのものではない。断層を抱えた人間、いのちを受けてそのいのちを燃やしていく人間、すなわち全ての人間のために森崎の言葉は輝いている。

森崎の文章は確かに「女性」「女」を描いていることが多い。しかしそれは「男性」「男」、そして「人間」と読み換えても全く問題なく、多くのものを伝えてくれると私は感じている。女性だけに読ませておくのはもったいない。男性諸君、森崎を読もう。

無署名性――自と他

「無名」と似た字面であるがゆえに混同して扱われかねない「無署名性」だが、もちろん全く違う概念だ。谷川雁、森崎和江らが『サークル村』などで提唱した「無署名性」、これも現代を生きる我々にとって大事な考え方でありつづけている。

何かを考えること、何かを言うこと、何かを作ること。そこに自分ならではのオリジナル性というのは、どの程度あるのか。いやそもそもオリジナル性などあり得るのか？

遺伝子を通じて引き継いだものもあるだろう。育つ中で学んだ文化が血肉となって人間の思考は形成されていくだろう。あらゆるところから情報は押し寄せてきて意識的か無意識かを問わず脳内に蓄積、沈殿されていったりもするだろう。そんなものたちの組合せとして思考や創作があるとしたら。その組合せ方をもってオリジナルと言うのか？　烏滸《おこ》がましくないか？

今思いついた考えは本当に僕のものか？　君のものか？　そもそも僕と君は違う個と個なのか。人類、地球、時間、大きな生命、そんなものの一部であったりはしないのか。巨視的に考える視座と、微視的に考える視座と、その両方が我々には必要だ。

現代社会は西洋を起源とした理性主義、合理主義に囚われすぎている。そこでは「自我」が重要視されすぎている。「自」と「他」を峻別し、「自」を押し出していく方向性が正義とされてしまっている。しかし合理主義、理性主義の陥穽は思わぬ所に潜んでいるのではないだろうか。合理的理性的に小さな事柄を分析的に積み上げていったとしてその先に、我々の「いのち」の「目的」や「意味」はなんなのか、という問いがポッカリと口を開けて待っているという陥穽が。

合理主義、理性主義からはこの問いへの答は出てこない。西洋は神という、形而上概念に人格的なイメージをかぶせたものにこの問いへの答を委ねるのみだ。

私はここで西洋や宗教を貶《けな》したいのではない。自他を峻別する考え方、合理的理性的な考え方が強く地球を覆いすぎて生きづらい世の中になってしまっていると言いたいのだ。全ての考え方に「署名」がなされ、特許や法律でがんじがらめの中で、大資本中心の世界的マクロ経済が、人間を、人間性を呑み込んでいっている。

何かが誰かのオリジナルであり、その人だけが利用できるなんてことは言わなくてよいのだ。人まねがよいと言っているのではもちろんない。ただ自由に生み出せばよい。オリジナルかどうか、自分のものかどうか、そこに迷うことはない。何か大きな流れの中の小さな存在である自分を見つめ、為せることを為し、「あすのいのち」へ、「あさってのいのち」へ、いのちを繋いでいけばよいのだ。

「署名性」に囚われない生き方をしたいものだ、そういう生き方ができる人を、大人《たいじん》と言うのではなかろうか。そんな大《たい》度《ど》を持った人になってみたいものだ。とても難しいことだけれど。

哲学者に女性はいない？

森崎が明らかにした断層、追い詰めた断層は多様だが、もちろんその最大のものは男性と女性の間の断層だ。私もこの節ではそれを書いてみたい。さて。統計を採ったわけではないが、哲学者に女性がいない、少ないのではないか？　という問いを置いてみる。

なぜだろう。単に人類の過去の歴史が男性中心主義で来たがゆえかもしれない。或いは私が寡聞なだけで今は女性の哲学者が活躍しているのかもしれない。だが私はこれらの推測は外れているように思う。そもそも「哲学者という生き方」と女性原理とが相容れないものなのではないか。

女性に哲学が無いなどという暴言を吐いているのではない。男性にも女性にも「哲学」はある。「哲学者」がいないのではないか、女性には、ということ。

先ほど「女性原理」と言う言葉を不用意に記したが、もちろんその中身は私などにはわからない。わからないがあることを知っている、本質的にはわかりえないことを知っている、しかしそこにあるそれを尊重したいと思っている、としか言えない。森崎を読むと、男性と女性の間にある断層の深さに絶望する。そして同時にその断層を埋めようとする努力に希望を見いだす。森崎の文章は、断層を追い詰めていくこと、しかしどこまでも残っていく断層を見つめ続けること、の大事さを教えてくれる。

そういった立場からこの問いを考えてみたいのだ。女性には哲学者はいないのか、と。多分いないのではないかと私は答える。哲学者とは立ち止まる者だ。立ち止まって考え続ける者。思念の中から何かを打ち出す者。

一方で女性原理を推測するに、女性は立ち止まることがない、あるいは少ないのではないか。私が「いのち」を受けた時から最も近しい女性であった母は、幼かった私にこう教えた――「考えすぎないで。立ち止まって考えないほうがいい。動き出しながら考えて」――と。やるまえに考えすぎる私をそう諭した母は、実際に動き出しながら、そして動きながら考えていた。母一人から女性全般を類推できるとは思えないが、あながち外れてもいないのではないだろうか。

立ち止まって考える者、と言えば宗教者もそうだろう。僧は胡座し考え続ける。達磨がその典型だ。考えると言うと語弊があるか、彼らはいわゆる無心になるのだと思うが、その無心とは本当に何も考えないことではなくて、雑念を除いた真に純な思念のことなのではないだろうか。その思念の中から何かが凝って浮かんでくる、それを悟りと言うのではないだろうか。そうだとすると宗教者に、あるいは教祖に男性が多く女性が少ないのも、先ほどの哲学者に女性はいない？という問いと、それに対する私なりの答と実は相通ずるものかもしれない。

自殺が多いのも男性だという。なぜか。色々な答がありうると思うが、私は「男性は立ち止まって考えてしまうから」ではないかと思う。動き出しながら考えればいいのだ。男性は女性に学ぼう。女性も男性に学ぼう。男性と女性は違う。しかしその間にある断層はもっと縮められる。互いから学び、断層を追い詰めていこう。一方で断層は悪ではない。違いがあっていいのだ。違いがあるからこそいいのだ。追い詰めた末に残った断層は大事に見つめよう。

生きる実感

森崎を読んでいると「いのち」の鮮烈なイメージが眩《まぶ》しい。私にはあのような鮮烈な「いのち」のイメージは持ち得ない。なぜあのように眩《まばゆ》いばかりのイメージを彼女は持ちうるのだろう。それは彼女が生まれた時代、或いは環境のゆえだろうか。いやそれもあるだろうが、やはり彼女が女性であることが大きな要因なのではないだろうか。

女性は生を暖めることができる。生を孵化させることができる。生に乳を授けることができる。

だが男性はこれらのことができない。「いのち」を真の意味で受け止めることができ得ない生き物なのではないだろうか。いのちを燃やすことでしか実感を増すことができない、どこまで行っても本当に「いのち」を実感し尽くすことができないという不足感に駆られて生きているのかもしれない。「いのち」の実感の不足がゆえに男性は戦ってしまうのかもしれない。「いのち」を粗末にしてしまえるのかもしれない。

犯罪にも「男性型の犯罪」と「女性型の犯罪」があるのでは無いだろうか？　それは「いのちの実感」と関係しているように思う。

この問題は男性の「宿命」なのかもしれない。解決しうる問題ではないから、その問題を追い詰めて、そして見つめていくしかない。

いのちの実感の不足、ということを書いているが、これは男性だけの問題ではないだろう。現代においては、女性も、この問題を抱えているのではないか。要因はもう一つあると思うのだ。すなわちこの情報化社会だ。怒濤のように情報が押し寄せてきて、うっかりすると押し流されてしまう。自分なりの考えなんて考える暇もない。なんのために、誰のために、などと考えている暇も与えられずに、次のなすべきことがやってくる。「いのち」の実感など持つ暇もない。これで生きていると言えるのか？　とさえ思ってしまう。多くの人がそういう過ごし方をしてしまっているのではないだろうか。

これは私自身の悩みでもある。「自分がない感覚」「生きている実感が希薄」、そんな悩み。先ほど過度な自我を否定し、大きな空間・時間の中の自分と言う感覚を持ちたいものだと綴った私だが、もちろん自我を消そうと言っているのではない。それでは生きる意味がない。適度な自我、「自分」感覚を持ちたいのだが、飛び去る時間の中で「自分」を見失ってしまうのだ。「いのち」を生きている実感がない中で、日めくりカレンダーは残りの枚数を減らしているのだ。

もっと「いのち」を実感しながら生きたい、生きる実感を持って暮らしたい、自分という存在を過不足なく捉え、生きていきたい——これらの思いを実現するための解は私にはまだない。いや解などこの世にないのかもしれない。自分なりに生きる、それしかないのだ。それはわかっている。どうすれば自分らしく生きられるか、考え続けることが大事だろう。但し立ち止まらずに。動きながら考えたい。動きながら考えること、考えながら動くこと、それを生きると言うのかもしれない。それを「いのち」と呼ぶのかもしれない。

＊小さなあとがき

二〇一六年秋、ヨーロッパへの出張に向かうアエロフロート機、エコノミーシートの狭い空間で一気にこの文章を書いた。翌日、レマン湖の畔、ジュネーヴのホテルで推敲をした。日本中を駆け回り、時には世界も飛び回る働き詰めの日々。そういう年代なのか。それとも若き日に何年も立ち止まって悩み続けた反動が今来ているのか。

本文中にも書いたが、そんなせわしない日々、ともすると自分を忘れてしまいがちになる。しかしそんな私を自分に帰らせてくれる存在が妻と子どもたちだ。外で背負っている色々な「名前」を全て放擲してほぼ素の自分に帰れる家族の存在はありがたい。その時間、空間のおかげで自分自身の「いのち」を繋げていられる気がしている。

そしてこんな忙しい日々でも大過なく元気でいられることを、頑健な「いのち」をくれた母と、そして父に感謝したい。

この小さな文章を、妻と子どたち、そして父母に捧げる。

死地に入《い》る——水戸学と村上一郎

水戸学——戦前戦中に讃美・鼓吹《こすい》され、戦後には逆に遠ざけられ疎《うと》まれた学問。しかし村上一郎は戦後の風潮の中でも決然として水戸学を書いた、深い思い入れとともに。それは自身の出自から来ているとも言えようし、またその思想自体に自身の思想と通い合うものを感じたがゆえとも思われる。

私自身がかつて水戸藩であった地域に生まれ育った者である——私が通った小学校は水戸藩が藩内各地に設置し、農民たちにも通うことを許した郷校の一つ、暇修館《かしゅうかん》を元として開校されたもの。高校は水戸城本丸にあった——。その縁から本稿では水戸学と村上を中心に書いてみたい。

村上の出自

村上の出自からまずは確認する。

父友二郎は狂信的なクリスチャン。その狂信がゆえに、大地主であった村上家の家産を消尽。

母するゑは友二郎の三度目の妻。茨城県南部の麻生藩（現行方市）藩士の娘。日露戦争前の女子高等師範学校（御茶の水女子大学の前身）を卒業。麻生藩は外様大名である新庄氏が領したが、その地理的条件からか、母するゑは水戸学（および国学）の薫陶を受けて育ったという。そしてそれゆえだろう、狂信的キリスト教徒と結婚しても断固としてキリスト教を拒んだという。

この父母について村上は「かくて父の血からはプロテスタント激派の狂信が、母の教えからは明治女学生の文明開化の思想と国学・水戸学の流とを奇妙に混合したやはり異様な狂信が、私に伝わった」と記している。

さてプロフィールには「東京生まれ」と記される村上一郎だが、三歳の折に関東大震災に遭い、栃木県に移り、そこで育った（当初佐久山町〈現大田原市〉、のち宇都宮市）。幼少期、青年期をほぼ栃木で過ごしたことから、村上は「東国草《そう》莽《もう》」「東国の人間であるわたし」と自らを定義する。

自らが育った栃木、母の出身地でありその母から叩き込まれた水戸学の故郷でもある茨城——それゆえ北関東への思いが強いのだろう。『草莽論——その精神史的自己検証』（一九七二年　大和書房。以下『草莽論』と記す）で取り上げられている人びとも、吉田松陰以外はみな北関東の人びとだ。茨城＝

「水戸学の人びと」として藤田一門と会沢正志斎ら、栃木＝蒲生君平・鈴木為蝶軒、群馬＝高山彦九郎。

『非命の維新者』（一九七〇年　角川新書）でも藤田三代・佐久良東雄を大事に取り扱っている。『東国の人びと』という小説もある。村上は自分の根を強烈に意識しながら生きた人であったと言えよう。

そしてその北関東——関東ではあるが東北の入り口とも言える地域——の風土が、村上を朴訥かつ「含羞の人」（桶谷秀昭の言）としたと思われる。

村上の母

先述の通り、村上の生き方死に方には父母の影響が色濃い。特に母の影響が強く感じられる。巷間伝説的に言われているのは、十歳になった際、母から武家の嗜みとして切腹の仕儀を教わったというもの。村上自死のありようの源泉と思う。

そして『草莽論』最終章最終部にこうある。

「わたしは、幼時蓮田市五郎の遺書・遺詠を謹写せしめた母を思い出しつつ、ここに筆を擱く」

蓮田市五郎は水戸藩士で、桜田門外の変に臨んだ志士の一人。享年二十九。その蓮田市五郎の遺詠とはどのようなものか。同じ『草莽論』第四の章「水戸学の人々——藤田一門と会沢正志斎を中心に」劈頭に村上はその遺詠を掲げている。

ふるさとの空をし行かばたらちねに
　身のあらましをつげよかりがね

辞世の歌として心に沁みるすばらしいものだ。

村上一郎の母はどのような思いで、この遺詠と遺書を写させたのだろう。このように生き、このように死ね、という教えなのだろうか……。「志士の文体」（『志気と感傷』一九七一年国文社）では村上は「筆写・朗誦」するよう「強制」された、とも表現している。相当な厳母であったのだろう。

村上と歌

しかし村上が母から受けたものは、水戸学的な生きざま、死にざまだけではなかった。前段に記したように、蓮田市五郎などの歌を毎日筆写・朗誦した幼少期を過ごしたことで、歌を愛する心も受けたと言えよう。

村上は『撃攘』（一九七一年　思潮社）という歌集もある歌人でもある。幕末の人々を論じた著書の中でも採るべきは採り——東の佐久良東雄、西の伴林六郎光平、と評価——、拙いものは拙いと評する。

世評定まる石川啄木を容赦なく、その修辞の未熟あるいは不足を指摘した評論もある。一方で塚本邦雄、岡井隆ら「前衛短歌」の歌人たちについても坦懐に評価している。吉田松陰の言にある「何人の書にても何人の学にても其の長ずる所を取るようにすべし」を地で行く構えと言えよう。

この、歌と詩情を大事にする村上の構えが、水戸学を解釈するうえで重要となる。この点は後述する。

村上が描く明治維新

さて、そろそろ本論である「水戸学と村上」に入らねばならないがその前に、その水戸学がもっとも世に影響を与えた明治維新についての村上の文を見てみたい。『非命の維新者』緒言にて、村上は明治維新を次のように定義している。

「明治維新を、わたしは文化・文政の交より緒につき、以後ほぼ八十年を経て明治中葉の挫折に至る過程と考えているが、さらに思うなら、それは精神過程としてはまだ終わっていないとさえいい得るのであって、わたしにはこの過程を遠く去っていったものとしてけりをつけてしまう気持ちがない」

実に鮮やかな明治維新の定義であり、これを読むと襟を正さざるをえなくなるような心持ちになる。この緒言は大変な名文である。もう二つばかり引こう。

「人間として人間に向かうとき、いかにあるべきかの旧く懐かしいこころばえは喪いたくない。おのれ自らどのようなひとでありたいかという希求なくして歴史に向かうのは（中略）、さげすむべき所業である」

「歴史はこういう人間の魂魄のうめきの跡であり、だからこそ、とりわけ明治維新はまだ終わっていないともいえるのだ。先には英国植民政策と結びのちには米国帝国主義と結ぶ近代化、開明化はこのような維新者を踏みにじった。生活者としては、近代化、開明化にまきこまれずに、この日本に生きることはできない。しかし、わたしはこころに、いつもこれを否定し、維新者を思うのである」

まだ終わっていない明治維新を生きる生活者として、おのれ自らどのようなひとでありたいかという希求を胸に、「水戸学と村上」を以下記してみたい。

水戸学とは、そしてその特徴は何か——湊合《そうごう》、社会正義観

水戸学は水戸藩第二代藩主徳川光圀を中心として『大日本史』編纂を始めた前期、第九代藩主斉昭を中心とした後期に分けることができる。前期と後期の間には『大日本史』編纂が人材不足により中断していた約四十年の空白がある。そして前期と後期とでは単に間が空いたのみではなく、質的な違いがある。

それでは幕末を彩った後期水戸学の特徴は何か。村上の筆に拠りながら三つ挙げてみたい。一つは前期水戸学の儒教的（朱子学的）歴史学・尊王路線を継承しつつ、他の学問すなわち陽明学、国学、徂徠派、崎門派らを隔てなく吸収しそれらを「湊合《そうごう》」しようとした構えにあったと言えよう（悪く言

えば「折衷的」と言われる後期水戸学を村上は「湊合」と呼んでくれている)。

ただ残念ながらその「湊合」が理論的体系すなわち「学問」と言える水準にまで達するには至らず、水戸学は「学風」の水準に留まったと現代の研究者は指摘する(吉田俊純『水戸学と明治維新』)。

しかし、村上は『草莽論』で記す。「体系なき体系は、一見体系ある空想論にまさる」と。机上の理論は「虚」であり、体系なき体系こそが「実」であると喝破しているのだ。

目的の場所まで到達しなかったにせよ、高い頂きを設定し、そこに向かって学び実践した水戸藩の人々の構え、その熱が明治維新を導いたことは間違いない。そう考えている水戸藩領生まれの私にとって、そして日々の生活を暗中模索の中で過ごしている生活者としての私にとっても、この村上の言「体系なき体系は、一見体系ある空想論にまさる」は何度も噛みしめたくなる有難い言葉だ。

また、『非命の維新者』においても、

「開国が革命的で攘夷が反革命的でもなければ、その反対でもない。(中略)これはまぎれもない革命だなぞというものこそあやしいので、真に革命的なるものは、たぶん反革命と見まがうところに生まれるであろう。そのような誤解を恐れては何の変革もないのである。(中略)むしろへたな統一をおそれたほうがよい」(傍点筆者)

と書いている。これも水戸学の在りようを肯定する大事な言葉だ。

もとい、後期水戸学の特徴を記しているのだった。村上に拠ればその二つ目は「社会正義観」だ。『非命の維新者』で村上は「大塩、東湖、松陰のもっていた社会正義の念」「水戸というと尊王と攘夷の発祥地と受けとられている。むろんそれはまちがっていないのだが、ここにもう一本、農本主義的な社会正義観の発祥地でもあったいわれをつけ加えないと完全ではない」と書いている。この点は『草莽論』においても「内実の水戸学の魅力、水戸派の人びとの魅力は、その(中略)正義感に存したと思う」としている。

草莽によって成った水戸学

そして後期水戸学の特徴、三つめは「草莽」による学問であったこと、と村上を読んだ私は今思う。後期水戸学の学者は、ほとんどが下士や士分以下(農工商)の出身の者であった。

『大日本史』編纂再開を果たした立原翠軒(後期水戸学の祖と言える)がまず下士であった。しかも祖父の代に士分に取り立てられたばかりの農民出身の三代目の下士である。

次に、藤田幽谷は古着屋の息子であった。幽谷が士分に取り上げられ、子・東湖、孫・小四郎と続く。

そして『新論』で名高い会沢正志斎は、自身がその才能により士分に取り立てられた者である（そのおかげか正志斎の父も息子の半年後に士分になっている）。豊田天功も村上曰く「草莽より出た秀才」——庄屋の次男であり、「日本輿地路程全図」にて地理学者として知られる長久保赤水も農家の出で、郷士に取り上げられた者である。

つまり彼らは藩儒門閥からすれば本来的に卑賤の者たちであり異端児であった。学問で身を立てるしかない彼らは真剣に学んだ。そして親藩たる水戸藩に士分に取り立てられた我が身ではあるが、その水戸学の中で真剣に学べば学ぶほど、幕府というものが本質的でないと考えるようになるというパラドクスに至ったのではないだろうか。そもそも光圀が起こした水戸学だが、後期水戸学において立原、幽谷、会沢、東湖と思索が深まるにつれて佐幕の擬装は剝がれ、本来は建前であったかとも思われる尊王が凝集され残った。それが東湖の妾の子（即ち草莽中の草莽）である小四郎による天狗党に至ると言えよう。

天狗党の人数のうち多くは農民であり、藩内各地に設置された郷校で学んだ者たちであった。一方、対立した諸生派は藩校たる弘道館で学んだ者たちであった。『草莽論』において村上は鮮やかに腑分けしてくれている。即ち「天狗党の幹部は多く郷校の塾頭たちであった」「弘道館は諸生の拠点となる」と。
＊なお村上の書名にもある「草莽」の語だが、前出の吉田俊純によれば「草莽の用語は、水戸学者がよく使用した用語である。後年の松陰の草莽崛起論はきわめて高く評価されるが、松陰が草莽を取り上げるのは、このとき（筆者注：水戸藩の農民が斉昭宥免運動に参加したことを松陰来水の折、直接農民から聞き感激したとき）以降である」、ということで、水戸学者から松陰が吸収した言葉であり考え方であると言えるようだ。そしてこの草莽の力に拠った戦い方が松陰の教え子たちにより実践され、ついに討幕を実現したのだ。

東湖の詩情が世を動かした

以上、水戸学の特徴を村上の文に拠りながら三つに分類して挙げてみた。さて、では次に「村上の手になる水戸学」の特徴について記してみたい。これは即ち「詩情」にあると言いたい。他の論者による水戸学の書には類を見ない特色だ。
さて水戸学を代表する者と言えば東湖、と衆目の一致するところだ。（であるのに戦前・戦中に鼓吹された水戸学は東湖ではなく正志斎の「新論」であり、しかも都合のよいように使われたとしか思えない。そこに水戸学が危険だとされた原因がある）
東湖が水戸学を代表すると言えるのは当然学問においても

だが、文学性・詩情においても、と言うのが村上の見立てだ。

村上は『非命の維新者』では東湖の『浪華騒擾記事』を「当時としては類少ないルポルタージュ文学の趣」としている。また『草莽論』で村上は東湖を「詩人」と呼んでいる。確かに村上が引く『回天詩史』を読むと、すばらしい格調高い詩である。

そして『非命の維新者』『草莽論』双方において村上は幽谷・東湖の詩を多数掲げている。村上は思想――学問、革命に通ずる――には詩情が必要だと言っているのだ。例えば『草莽論』においてはこうだ。

「幽谷・東湖の思想も、形式やスローガンから見るなら、尊王といい攘夷といい、また勧農といい、いずれも珍しいものではない。（中略）が、それは思想の外皮のみを見ていうからそうなので、実はこの両人の詩文や著作なぞ、つくづく読み込んでみるならば、相当の思想の美食家も、けっこう頂けるのであり、そここそが思想の歴史を片づけるに一片の公式では何ともできない、難しいところなのである」

また『非命の維新者』においてはこうだ。

「（東湖の）魅力の淵源を、わたしは東湖の政治理論のたしかさに見ることよりも、むしろ彼の詩人としてもった衝迫力に求めたい」（傍点筆者）

「会沢正志斎が『新論』で『断乎として天下を必死の地に置』くことを強調したときは（中略）いまだ抽象的名分的であったが、そこが東湖のおおらかで経験主義的で実践的で、しかも詩人的直観に支えられたにおいによって、ついにほんとうに天下を「必死の地」におく勢いをなしたのである。これが回天である。

発想の強さは、詩人のとりえであって、世の政治体系や構造改良や進歩開明の人たちには価値とみなされぬが、青写真や情報分析のみが世のなかの矛盾を突き得るのではない。（中略）発想のつよさにいわば一身を賭け、体系の整序はむしろこれを捨てて後世の批判にまかすのだ」（傍点筆者）

これは、村上が『試行』の編集をともにした、詩人にして工作者であった谷川雁の「イメージからさきに変れ！」に通ずる視点であると言えよう。

『非命の維新者』第二章「橋本左内」において、こうも書いている。

「ひそかに借り受けた東湖の『回天詩史』を一字一字筆写するうちに、若い左内がどんな衝撃を感じとり、歴史と詩心との交錯に思想の躍動の契機をつかんだかは、少年の日同じように『回天詩史』を筆写し、先ごろまたそれをくり返してみたわたしには、涙の出るほどわかるのである」

ここを読むと、村上が少年の日に蓮田市五郎の遺詠・遺書を筆写・朗誦したのみならず、『回天詩史』の筆写も行っていたこと、長じても行ったこと、涙もろい熱い人であることがわかる。が、それよりも大事な点は「歴史と詩心との交錯に思想の躍動の契機を」という点だ。それを如実に示す以下の文も『非命の維新者』にある。

「なんで東湖の半生涯の三つの危機を叙述した『回天詩史』が、それほどに人を動かしたのか。また、なんでそれほど危険視されたのか。わたしはこの文章を少年の日から読み続けて来て、要は、『自ら任ずる』という一語にあるように思う。東湖ならびにその同志が、誰に頼まれずとも、また身命が危かろうと、自らこれを任と決すれば進んで挺身するという、危機感の深さと、内発性の勁《つよ》さが人を動かし、世の姑息な人びとをしてこれを危険視させたのである」

佐久良東雄と村上

詩情と言えば、『非命の維新者』最終第五章はそのものずばり「三人の詩人（佐久良東雄・伴林光平・雲井竜雄）」である。歴史を見る際における詩人の位置が極めて高いのが村上の特色の一つだ。

村上が「徳川のあてがいぶちは口にせぬと、ただびわの実ばかりをたべて、絶食死した詩人」と描写する佐久良東雄も水戸藩近くの郷士の出、草莽である。彼の才能を耳にして水戸藩に誘った東湖に対し「天皇こそわが主人」と断ったという東雄。彼は水戸学ではなく国学を修めた人であるが、水薩同盟に奔走し、桜田門外の変に連座して死んだ人である。

村上は東雄が本居宣長の『秘本玉くしげ』の出版事業を担当したと記し、「わたしのような者はこの出版労働の先駆者の一人がなつかしくてならぬ」と記す。編集等の立場で出版事業に携わった村上ならではの感懐であろう。その感が後押ししてかどうか、村上の東雄に寄せる共感は強い。以下幾つか引いてみよう。村上の生きざまとダブって感じられる。

「東雄にはぬけ切れぬ一片の意地と終末感があったのだ。彼は、どんなささやかなインサイダーにも収まれなかった。彼はアウトサイダーとして死ぬほかなかった」

「詩人たるの虚位にも甘んじられないのだ」

「こういう人は、牢屋に死ぬほかなかったかもしれない」

「東雄自身は、本来の性質にかならずしも合わない政治のために身命をかけるのを自嘲し、自らを羞じてもいる」

そして東雄の遺書から以下を引いている。

「カナラズカナラズ、学者ニモ、詩人ニモ、歌ヨミニモ、何ニモ成ラント思フコト狂人ノ心ナリ」

そして東雄を形容するに「天朝をあくがれること深い、恋闕《れんけつ》の歌人であり、東国の庶民の子であった」「涙の人佐久良東雄」としている。そして村上の想いの吐露として以下があることに注目しておきたい。

「恋闕はいいのだ、少なくもかつてはよかったのだ。わるいのは制度化した忠義・奉公の強制だ、とひそかに思わずにはいられない」

この箇所などを読むと、村上は生まれる時代を間違えてしまった、そこに悲劇があった、と私は思ってしまう。

村上は『非命の維新者』の緒言でも維新者を「本質的に、涙もろい詩人なのである」と定義している。そしてこれは村上本人にも当てはまると言えよう。

＊なお村上は「恋闕」を定義して「何かに身を託し切るこころではなく、激烈な自意識の燃焼であり」としている。一般に理解されているような「天皇に惚れる」というような単純な事とはしていない。

本来の水戸学の思いをこそ

本稿は水戸学自体の研究ではないので、水戸学が後世に与えた影響については詳らかに書くつもりもないのだが、戦前・戦中に鼓吹された形での水戸学を復活させようとするかのような現代の動きには危機感を覚えざるをえないので一言したい。

水戸学の中心的概念は「国体」「斯道《このみち》」と言えようが、これらは取り扱いが非常に難しい言葉たちだ。軽い気持ちで使う言葉ではないだろう。しかし現安倍政権の断言的キャッチコピー「この道しかない」がここに因っている気がしてならない。この危なっかしい断言的コピーは、ヒトラーの「この道以外にない」の真似ではないかと取り沙汰されており、それも真を穿っているような気はする。しかしその軍国的な言動から、水戸学の「斯道《このみち》」を意識しているのではないかとも思えてしまうのだ。

水戸学は先般の大戦が示すように非常に危険な使われ方をされやすいものだ。しかし後期水戸学の士たちが生きた時代は、西洋列強が虎視眈々と植民地支配を狙っていた時代であった。実際に水戸藩領の沖合には捕鯨のために西洋船が頻繁に現れ、藩領内の大津浜にはイギリス人が上陸した事件もあった。ロシアの南下も脅威として現前した。このように自国が今まさに攻められようとしている、というぎりぎりのところで水戸の人々は考え抜いた。例えば正志斎は、敵の強みを分析し、キリスト教による思想的統一が欧米列強の強さの源泉だと考えた。日本も同じようにしなければ勝てない、と真剣に考えたがゆえに神道のもとに結集することを提唱したのだ。

国を憂い、自らの力を尽くして考え、行動する、当時の水戸の人々のその熱い思いをこそ受け止め受け継ぐのならよし、時代も状況も違う現代にその学風をそのまま展開する愚は避けるべし、と考えるものである。

沖縄、草莽廓清《かくせい》

さて本稿を投じた『脈』は沖縄の誌であるが、村上の『草莽論』が出版されたのはまさしく一九七二年五月十五日、沖縄が返還された日である。これは「奇しくも」なのだろうか、それとも意図して合わせたのだろうか。当然後者であろう。

村上は『草莽論』の最後の最後で沖縄に触れている。

「五月十五日の日は沖縄の返される日として、今後人びとに記憶されよう。しかし、喜びあふれてこの日を迎えられぬのが、今日の社稷の在りようである」

沖縄の今を予見しているかのような言葉にも感じる。返されるべき形で返らなかった。返ったあとにおいて在るべき姿に持っていける国の在りようでなかった、ということだろう。

そしてこの文のすぐ次に来る村上の文は余りにも過激だ。

「草莽廓清の日は、なければならない。さばえなすやからうからを打ち払うこころにおいて右の左のセクトのということは狭すぎる。（中略）革命とはしかく狭いものではなく仁義の大本《おおもと》の道に及ぶものでなければならない。本質的にもっとも人類的なものでなければならない」

つまり我々「草莽」が「廓清＝悪いものをすっかり取り除く」必要がある。「五月蠅《さばえ》なす＝五月蠅《うるさ》い」「輩《やから》」「うから＝血族、親族」を打ち払う必要がある、という。ここでいう「うから＝血族、親族」は当然自身の親族を言っているのではなく、日本人全体を指しているかと思われる。

これで『草莽論』は擱筆となる。実に熱情ほとばしる、恐ろしくなるような結びだ。

＊なお、ここにある「仁義」「大本」は誤解を招きやすい言葉だが村上は前もって緒言にて以下のように定義している――仁義という言葉に誤解が生ずるかと思うので申し添えれば、わたしにとって仁とは人間のこころであり、義とは人間の路である。それが湊合《そうごう》せられて人道と成る。故にもっとも人間的なるを仁義の大本と現《あらわ》す――。

三島との対談

さて、村上と革命と言うテーマがクローズアップされてきた。ここで村上一郎と三島由紀夫の対談「尚武の心と憤怒の抒情――文化・ネーション・革命」（日本読書新聞　一九七〇年一月一日）を見てみよう。十一月二十五日の三島割腹自殺まで一年足らず、という頃の対談と思われる。村上が「あなた自身が革命をやることはあり得ることでしょう」と尋ねたり（実に鋭い。三島は表面上否定するが）、三島による「十一月に死ぬぞといったら絶対死ななければいけない」と自死の時期までを暗示する発言があったりという興味深い対談。談義の内容自体もタイトルにある尚武、抒情、そして革命、言葉、文学、国家、歴史、生死、憂憤《うれたみ》、能、保田、折口、柳田など様々な事柄について談論風発の趣きで得るもの多し。
この対談中、二人の死生観が響きあっている箇所がある。

村上　結局自分が美しいと思う生き方を生きてみせるというほかに手がない。
三島　それ以外に全くないですね。ところがそのチャンスすらなくなっちゃった。（中略）ぼくは人間が自己証明する方法としては死しかない、死に方ですね。それも癌で死んだんじゃしようがないんで、ちゃんとした死に方をしなければいけない。（後略）
村上　なかなか腹を切るチャンスもないですし、うまく切れるかどうかむずかしい。

「自分が美しいと思う生き方」「ちゃんとした死に方」――言葉上「生き」「死に」と反対のようだが同じことを言っている二人。

自死

本稿で主に取り上げた村上の著作二冊は、三島自死（一九七〇年）を挟むほんの数年での刊行だ（『非命の維新者』一九六八年、『草莽論』一九七二年）。そしてこの時期にはほかに『明治維新の精神過程』『浪曼者の魂魄』『撃攘』『志気と感傷』『北一輝論』『武蔵野断唱』がすっぽり含まれる。

これだけの密度高くかつ多作であった黄金の時期と思われる五年間があったのだが、そのたった三年後の一九七五年に日本刀で頸動脈を切り自死してしまった村上。その後も生きてもっと書いてほしかったと思うのは身勝手な読み手の思いであり、書くべきものを書いた、これ以上は書けないということであったのだろうか。

なにゆえの自死か……。晩年、躁鬱病に苦しんでいたがゆえとも言われるが、何よりも冒頭に挙げた通りの、父母から引き継いだ或る種の狂気がそうさせたかと思えてならない。

村上一郎死後に出版された『岩波茂雄』（一九六〇年から一九六一年にかけて書かれたと推定される）内にも自死へ至る性格を思わせる記述がある。

「非礼、またあえてしなくてはならぬ」
実に厳しい自己抑制。

また別の文「嫉妬我利のあらがい」は嫉妬という感情を扱った小文だが、その結語は「土俗、民俗の克服は、自らを傷つけることなしには可能でない」だ。土俗、民俗が克服すべきものかどうかという疑問はさておき、自らに厳しい姿勢がよくわかる。

言葉にも厳しい。岡井隆を讃じた評論の曖昧さに噛みついたことについて、「わたしは「岡井美学」なんぞというのに反発を感じていたのであり、現在も説を替えない。何でも入るポリ・バケツのような「××美学」という奴を、わたしは憎む」という言がある。

このように言葉、自分の姿勢、全てに厳し過ぎるほどに厳しい様を見ると、こういう人が自死するのか、と思わずにいられない。

そして村上の『非命の維新者』を読んでいると、村上自身かと思われる描写が数え切れないほどある。中から一例のみ挙げれば以下のように。

「恋闕のこころとは何なのであるか（中略）それは何かに身を託し切るこころではなく、激烈な自意識の燃焼であり、だから高山彦九郎は、どんな既成の神の観念にも心身をゆだねることはできず、久留米まで流浪して行って自死してしまいもしたのだ」

こういう人物を取り上げた村上は自死せずにはいられなかった人であったとも思え、このあたりを読んでいると苦しくなってきてしまう。

村上、谷川雁を誘って『試行』を創刊・編集・発行した畏友吉本隆明（ただし十一号からは吉本単独編集となる）は、二〇〇九年に受けた谷川雁に関するインタビューの中で村上について語っている。「三島由紀夫が（中略）自死した後に、村上一郎さんは焦燥感を募らせて、三島の行動に合流するように自刃し、（後略）。村上さんは、戦時中は海軍予備役少尉で入隊し（後略）。三島や村上さんを自死に至らしめたものは理解されにくいかもしれませんし、村上さんが感じていた生き残りの焦りや戦争責任は過剰だと思いましたが、僕ら戦中派のかつての考え方は、右翼であるか左翼であるかは問題ではなく、二・二六事件の将校のように素朴な正義感でアジアの解放や東北の貧困をどうしようかと考えていましたから、戦後の村上さんのラディカルな行動を貫く感情はわからなくはないですね」（『道の手帖　谷川雁』二〇〇九年　河出書房新社）

この吉本の分析はだいぶ核心に近いところに至っているだろう。

また桶谷秀昭による告別式閉会挨拶も引こう。

「村上一郎の文学は、わがモチイフの切情に殉ぜんかなの気迫と倫理的な高さにおいて、断固として他の追随を許さなかったと思います」

この桶谷の挨拶にある「切情」に「殉ずる」ということ、彼の死はまさしくそれだったであろう。しかもそれを文章上のみで行うのではなく、実生活でも行うという厳しすぎる厳しさ。三島との対談でも「自分の書いたものにとことんまで責任を取る」ということを三島以上に言っている村上である。

そして根本にはやはり母が教え給ひし世界と戦後の世界とのあまりの懸隔への「絶望」があったのではないだろうか。『無名鬼』村上一郎追悼号に寄せた岡井隆の鎮魂の歌が村上の絶望を言い表している。

莫迦らしくなるまで富める此の国を
　十幾年か凝視して去る

死地に入る

水戸学と村上、村上の自死を綴ってきた本稿もそろそろ閉じねばならぬ。最後に本題の「水戸学と村上」にもう一度戻ろう。村上は『草莽論』において松陰を語るに際し、以下の言を置いている。

「わたしはつづめていうなら、会沢正志斎の『新論』にいう『断乎として天下を必死の地に置』くという点で、松陰は水戸学に学ぶところがあったのではないかと思う。また事実、水戸は日本一国を危急の地に置きえたのであった」

「天下を必死の地に置」く、は五論から成る『新論』のうち、「守禦」にある語だ。論「守禦」は、どうしたら列強から日本を守れるかを正志斎が書いたもの。具体的な防御策を挙げる前に最初の部分で、正志斎が「まず必死に守る気持ちにならなければ仕様がない」ということを言っている箇所である。

何事につけ、その具体的な動き以前に必死、真剣な熱い思いがなければ成らぬ、ということであろう。

この正志斎の言葉を、また本稿前半に記した東湖を筆頭とした水戸学の人びとの熱い想いを、村上は母の教えから受け、自ら学び、生きた。そして学び、生きる中で村上は自身も草莽の士であると自らを定義したのだろう。彼は彼らしく「美しいと思う生き方」を生き、彼らしい「死にざま」に死んだ。

実に村上らしい生きざま、死にざまだと思うが、私は、死地に入ったら出なければならぬ、と思う。身を死地に置くことは即ち背水の陣、勝つためにつまり死地から出るためにそうするのだ。死地に入ってそのまま出てこなかった村上の在りようは、やはり私には残念でならない。

さて本稿の掉尾に『草莽論』最終部において村上が「草莽」を定義している言葉を置きたい。曰く、

「草莽とは、いまさらながら、成らざりし人びと、在らざりし日々への想いの像である」

――「成らざりし人びと、在らざりし日々」というこの定義からは、村上が水戸学の人びと、草莽の人びとに向ける眼差しの温かさが読み取れ、心に残る。

そして私は言いたい。村上もまた、「非命の維新者」であった、「成らざりし人」であった、と。

ことば、鬱病、アナーキズム――鶴見俊輔との共振

なんだか三題噺のような題名だが。

鶴見俊輔は多様な人だ。恥ずかしながら最近ようやく読者になった私のような者が、付け焼き刃で全体像を描き出すことは到底無理。私が興味を持った、共振した鶴見の在りようを書く、それしか出来ないゆえの、この題である。

これから書く鶴見は「ことば」にこだわり、アナーキズムにシンパシイを感じ、鬱病に悩んだ鶴見だ。そしてそれは私自身でもある。

自分なりに言葉を定義することの大事さ

鶴見は、字引に載っている定義をそのまま鵜呑みにすることを避け、「ことば」の定義をきちんと自分の頭で考えた人だった。

わかりやすい例として「日本の思想用語」(『思想の科学事典』一九六九年。初出時の題は「思想」)からまず引こう。

――字引には公的な字引と私的な字引の二種類があるだろう。公けの字引は、同時代の人びとがどのような仕方で言葉をつかっているかを教える。言葉の共通の意味についての字引である。私的な字引とは、ある言葉について自分の中に自然にわきあがってくる特定の風景、事件、情緒などからなる、言葉の私的意味についての字引である。(中略)また、公けの字引は、同時代におけるいくつもの私的な字引を編集整理したものとしてのみ成りたつのだ――

そのものずばりの題である「字引きについて」(『国語通信』一九六五年)でも同じことをちょっと違う表現で、よりわかりやすく言っている。ごく短いエッセイだが、平易な言葉でとても大事なことを言っている、私の大好きな文章だ。長めに引きたい。

――字引きには、〈おおやけ〉の字引きと、〈わたくし〉の字引きの二種類があると思う。〈おおやけ〉の字引きとは、みんなが言葉をどう使うかについての道しるべであり、〈わたくし〉の字引きとは、自分が言葉をどう使

うかについての道しるべである。

教師は、〈おおやけ〉の字引きによりかかりすぎている。〈おおやけ〉の字引きが、いくつもの〈わたくし〉の字引きの編みなおしとしてつくられたものだということを忘れやすい。

日本人が、自分で言葉を定義して使う習慣がないのは、ひとつには学校の教室で、国語の教師が主として〈おおやけ〉の字引きにたよりながら言葉の意味を教えてきたからではないか。なにかむずかしい言葉があらわれると、それは字引きで見る。言葉の定義は、自分以外の誰かがすることになっている。

定義の術にたけた人は、日本の学者のあいだにもきわめてすくない。特に社会学・人文科学・哲学などにおいては、定義は外国の学者のすることときめておいて、話を進めている場合が多い。これは、へたをすると定義を流行にゆだねるということになりかねない。その時その時の、主流になっている思想用語をつねにうけいれて、それを、みずからそのつど定義して使うということをせずに、そのまま使う。これでは、言葉は〈あいことば〉になってしまう。おなじ時刻に、おなじ気分で生きている者同士には通じるような気がするが、時が移り、場面がかわれば、まえの話はあとの者にはつたわらなくなる

――言葉の意味は、その言葉とおきかえられるべつの言葉につきるものではない。その言葉がどういう条件でなにをさすか、その言葉をどのように使う習性があるか、などと、ふかくむすびついている――

このように定義した〈わたくし〉の字引きの効能を鶴見は「〈わたくし〉の字引きを自分ですこしずつつくっていくと、言葉に対する自在感ができてくる」こととする。

そして世の中には定義の術の名人と言える人がいて、そういう人は「はっきりと考え、はっきりと自分の意見をのべることのできる人だ」と言うのだ。なるほど、〈わたくし〉の言葉の使い方、というものをきちんと持ち得てこそ、人ははっきりと考えてはっきりと自分の意見を言えるものだ、と肝に銘じたい。

そんな「定義の術の名人」として鶴見が一再ならず挙げている人に「斎藤アラスカ久三郎」がいる。「字引きについて」では「定義の術の名人」、「新しい知識人の誕生」（『知性』一九五六年）では「新しい知識人」と呼ばれ、「自己流儀の分析的定義」を「あざやかに」する彼には、確かに名人の風格がある。第二次世界大戦時にアメリカで収容所に入れられた日本人同士として、鶴見は「斎藤アラスカ久三郎」に出会う。

小学校しか出ていないという彼は鶴見よりも早くからアメリカに来た人で、鶴見と違い日本には帰らなかった人物だ。ある時、その久三郎が人を評して「じつにインターナショナルな人だ」と言ったのを、日本の大学を出てアメリカに来たインテリ会社員が、ややからかいぎみに「インターナショナルってどういうこと?」と訊いた。それに対して彼は「胸はばの広い人っていうことだな。世界のことをゆっくり見わたして考えられる人のことだ」と答えた。彼のこの定義を聞いて鶴見は「言葉というものは、どういうふうにも定義できるものだな」と学んだのだという。

「インターナショナル」=「国際的」などと一対一対応で公式のように扱っていては真の言葉の意味を摑まえることは出来ない、ということだろう。

「足にやどる定義」(大江健三郎『新しい人よ眼ざめよ』講談社文庫に寄せた解説　一九八六年)にも印象的な「定義」論がある。

——詩は定義する。読者にとって、そのように詩をうけとる時がある。詩の定義の仕方は、数学が定義する、自然科学が定義する、社会科学が定義するのとは違うはたらきで、この言葉をもってこれから生きてゆけば、この領域での経験に関するかぎり、これでやってゆけるという予感をあたえる——

こんなのもある——「戦争のくれた字引き」(『文芸』一九五六年)。その巻頭言はこうだ。「戦争は私に新しい字引きをあたえた。それは、旧約にたいする新約として、私のもつ概念の多くを新しく定義した」。ちなみに、こう書き出した短い文章で鶴見が取り上げた「新しく定義された」言葉は、「社会」「正義」「認識」「理想」「意志」である。

実に「ことば」に敏感な人だ。「ことば」にしっかりと向き合った人だ。

それは、彼が戦後一九四六年に『思想の科学』創刊号に載せた文章のタイトルが「言葉のお守り的使用法について」だったことからも知ることができよう。

絵本「言葉はひろがる」(一九八八年　福音館書店)において、子供向けだなどと手を抜いたりせず、戦争と言葉、ヤコブソン、バベルの塔、ラナルド・マクドナルド、スティヴンスンの「ヨシダ・トラジロー」、ジョン万次郎、大黒屋光太夫、エスペラント語、絵文字言語など、言葉の可能性について縦横無尽に語り尽くしていることからもまた。

鶴見とクロポトキン

さて次に鶴見とアナーキズムについて見ていきたい。鶴見は『飛ぶ教室』（光村図書の季刊誌）での連載（一九八三年から八五年）で、若き日に読んだ沢山の本の中から十一冊を撰び、それを再読した感想を書いているが、その中にクロポトキンの『ある革命家の思い出』を入れている。言わずと知れたアナーキスト、クロポトキンの自伝。この本を撰ぶところが既に鶴見らしいところ。少しこの文を読んでみたい。

鶴見がクロポトキンの『ある革命家の思い出』の改造文庫本に出会ったのは彼が中学校に入り「何度もほうりだされていたころ」のこと。日本アナーキストの巨星である大杉栄の訳による読書体験だ。（奇縁として、大杉に鶴見の祖父である後藤新平が金を出しているということを付記しておく）

クロポトキンは公爵家、しかも軍人・高級官僚を輩出し多数の農奴を抱える大地主という名門に生まれ、近習学校に進む。この学校は貴族子弟、しかも上位三等官のみを対象とし、しかも皇帝の意向次第で入学可否が決まるという、ロシアに数ある特権的国家エリート養成学校の最高峰に位置する、近衛部隊将校を養成する学校。九割が近衛部隊に任官するというこの学校を彼は主席で卒業するが、自らの希望により辺境の地アムール川カザーク騎兵連隊の士官になる。この時、弱冠十九歳。これは公爵である父の領地を夏に旅行した少年の日々がクロポトキンに自然を強く愛する心を持たせたからであり、彼の革命思想のもとには自然があり、それがヨーロッパ近代における革命家から彼を区別する、と鶴見は言う。「その点では彼は東洋の社会思想家に近い」とさえ。

そして彼が望んで赴任し五年ものあいだ勤務したシベリアは、ロシアの東の果てであり、さらにアムール川と言えばその中でも最果て、まさしく極東だ。日本とも極めて近いそこで彼は青春時代を過ごした。

なぜ彼がシベリアを希望したかと言えば、この地方の地形と植物とが理由なのであり、実父・継母を憎んでいたクロポトキンが、金を親に貰う必要のない軍隊に居て学問（自然の研究）が出来る道を選んだのだ、と鶴見は綴る。

そしてクロポトキンは「軍人」「社会科学者」「社会思想家」にして「探検家」にもなったのだ。実際に彼はアムール川流域探検、満州探検、ヤクーツク探検を行っている。鶴見はクロポトキンの冒険的探検の挿話を引いている。そこには真に民衆と共にあったクロポトキンらしさが横溢している。クロポトキンの筆による「ツングース人」「ヤクート人」「中華帝国から追放されて辺境に住んでいる中国人」の描写は実に温かい。彼が「自然」と「辺境に住む人々」を愛したことがよくわかる。また、その辺境の中国人達と仲良くなった描写の最後に「この村には、たった一人の巡査もいなかったことを私はつけくわえておかなければならない」と書いているあたりは、アナーキストの面目躍如だ。

「おしつけがましさのない、自伝のスタイルに感動した」と記す鶴見。そして「それは、革命家としての彼の不足でもあっただろう」とも。

この本を撰ぶところ、先ほども書いたが、いかにも鶴見らしい撰択だ。数多ある本から自分を形成した本十一冊を、と言う時にアナーキストの本、しかもクロポトキンを撰ぶというそのことこそが、鶴見の鶴見たるところを浮かび上がらせていると思うのだ。（そして大杉がクロポトキンのこの本を選び、訳しているのも、同じ嗜好・センスだと思う。大杉は一般に危険な直接行動の側面のみで見られがちだが、彼の文章は実に叙情豊かであり自然描写も細やかで、クロポトキンの感性と近い側面も持つ人なのだ）

この文章で鶴見が「彼が、幼い時から、親と一体化しないようにと身がまえ、少年時代から自立した人間として生きてきた結果でもある」と書く時、クロポトキンのことを書いているのか鶴見自身のことを書いているのか、判然としなくなるほど二人は似ている。鶴見も父に反撥し、母と折り合いがつかなかった人であった。

末尾に「（運動をひきいてたつ指導者とはならなかった）ことが、指導者なき自治への彼のうったえを誠実なものと」する、と書く鶴見の筆致は全き共感に満ちて温かい。「指導者なき自治」こそがアナーキズムなのであり、クロポトキンが「運動をひきいてたつ指導者とはならなかった」ことこそが真のアナーキストの徴《しるし》であると私は思う。そしてべ平連などの諸実践における鶴見も同じと言えようとも。

アナーキストの生まれるところ

さて、鶴見がアナーキズムに親近感を持つ源泉は奈辺にあるのだろう。そこを次に見てみたい。

まず目に付くのは出身階層だ。クロポトキンの父は公爵、鶴見の父は大臣。父が高い位階の人、体制側の人であること、その父に対する軽蔑の念、軍隊経験、とこの二人には共通点が多い。

そう考えていくと、バクーニンも貴族の家の出だ。俗に日本三大アナーキストとされる三人も見てみよう——大杉栄が代々庄屋の家系で、父は軍人。幸徳秋水も酒造業・薬種業を営む町の有力者の出。石川三四郎も豪農の家の出——これはけっして偶然ではない符合ではないだろうか。

貴族なり豪農豪商なりの出ではあるが、その身分から来る道楽ということではなく、逆にその家で居心地の悪さを感じていたり、親を軽蔑したり憎んだりするほどに酷く折り合いが付かなかったり。自分が生まれた家柄が嫌いで、醜いと感じ、自然や労働の中にこそ尊さを見いだす、そういうところからアナーキズムは生まれやすいのかもしれない。（もちろ

んプルードンが貧しい職人の子、ネストル・マフノが貧農の出であるように一概にこの類型《パターン》しかないという意味ではない）

〈わたくし〉の字引＝アナーキズム

鶴見がクロポトキンを初めて読んだのも中学だというが、私がアナーキズムに共感を覚えたのも同じく中学の頃だった。そしてほぼおなじ頃、ロシア映画『オブローモフ』に大変な感動を覚えたものだった。主人公オブローモフは、あまりに人が良すぎる貴族、そんな彼が帝政ロシアの末期に生まれてしまう悲劇。しかし彼自身は悲劇などと微塵も感じさせず、ただただ純粋に生きていく。友人に騙され、虚仮《こけ》にされても、恨んだりはしない、あまりに鷹揚な没落……。オブローモフの生きた時代は農奴解放令直前、農奴・民衆の憤懣が弥増《いやま》し暴発寸前という時期だ。他の貴族が常識＝〈おおやけ〉の考え方によって上手にこの時期をすり抜けていく中で、彼は自分の良心＝〈わたくし〉の考え方のみによって生きていく。

オブローモフをアナーキストと呼ぶ人はいない。しかし私がアナーキズムに覚えた共感と、オブローモフに感じたそれは、どこか同じだったように思えてならない。なぜか。少し考えてみたい。

そもそもアナーキズムとは何か。それは全ての「押しつけ」を拒否することだ。単に「政府」のみを拒否するのではなく、「権力」「抑圧」「圧力」など全ての「押しつけ」を拒むのだ。ゆえに、アナーキズムの訳語を「無政府主義」と訳すのは当たっていない。矮小化してしまう訳語だ。

そう考えてくると〈おおやけ〉の字引による定義を「押しつけ」られることもアナーキストは嫌うだろう。「感じ方」「考え方」「生き方」を強制されることを嫌うだろう。その逆に〈わたくし〉の字引を持ち、〈わたくし〉の「感じ方」「考え方」「生き方」を大事にするのがアナーキストなのだ。

そこで先ほどの問いに戻りたい。私が感じたアナーキストとオブローモフとの共通点はなんだったのか。その共通点は人からの借り物ではない〈わたくし〉の「感じ方」「考え方」を大事にする生き方、という点だったのかと今思う。借り物でない真に純な〈わたくし〉の思考、という点でアナーキズムとオブローモフは共通していたか、と。

私の家は貴族でも豪農豪商でもなく、私自身も親を憎んだりして生きてきてはいない。そういう意味で私は大杉・幸徳・石川とも、クロポトキン・バクーニン・鶴見とも違う。では何故、私はアナーキズムやオブローモフに惹かれたのだろう。それは私が、自分は「借り物の思考」で生きているのではないか、「ほんもの」ではない、「にせもの」なのではないか、という悩みを持っていたがゆえのことと、今にして思う。教科書の教える考え方を素直に学び、試験では設問者が求めているであろう答を推し量って書く――、そんな要領が良い自分が好きになれないという思いを抱えていたがゆえに、真に純粋な「自分の思考」を感じるアナーキズムやオブローモフに惹かれたのか、と。

鶴見の字引に依って言えば「一番病」「優等生病」――物事の内容を深く考えるのではなく、「一番」になること、「優等生」でいることが目的になる――に私は罹っていた。そんな自分が嫌だったのだ。

にせものとほんものと

自分は「ほんもの」ではない、「にせもの」なのではないか、という恐れ。そんなことに囚われる必要などない、そこに悩んでも仕方ない、今ならそう思える。しかし悩んでいた当時は、そんな客観的な思考は持ち得ない。そのような状態に陥ると、いわゆる「鬱病」と言われる状態となるのだろう。私も青年期にそのような状態に陥った時期があった。その時期から脱することが出来たのは、私の場合、仙台でただただボーッと無為に時を過ごした「居候」時代のおかげだ。そういう状態から脱するには、ある程度以上の長さの時間と、損得などの一般的な社会関係から切り離された人間関係がキイになるのかもしれない、今振り返るとそう思う。あんなに長い時間、居候させてくれた方々に感謝の念は絶えない。

私は鶴見俊輔の文章をまともに読んだこともなく、これまで生きてきた。そんな私が、今回彼の文章を諸々読んでみて驚いた。中学時代にアナーキズムに傾倒したことをまず共通点だと感じたが、鬱病に苦しんだという点にも相似を感じたからだ（鶴見は私どころではない重い病状だったと思われるのでおこがましいが）。

そして、やはりそういう状態に陥りがちな人は、同じような事柄や言葉に何か引っかかりを感じたり、そこに立ち止まって考えたりしているな、と思えた。同じような人がここにいる、僭越ではあるが、それは私にとって少しく励ましとなった。

例えば鶴見の「保守主義の一側面」という短い文章（『現代日本思想大系』第三十五巻「保守主義」の月報が初出。一九六三年）、そこで彼がテーマにしているのが「居候」だ。内容的には私の居候体験とは非なるものだが、同じ言葉に立ち止まるものだな、と勝手に嬉しくなる。そしてこの文章では触れられていないが、鶴見自身も戦前・戦時のアメリカにおいて「居候」経験がある。この「居候」経験も、彼の思想を形作ったものの一つと言えるだろう。

それから本稿冒頭にも引いた「日本の思想用語」では、「にせもの・ほんもの思想」「にせもの・ほんもの主義」という言葉が挙げられている。ここにも私が悩んだ「にせもの感」

を解きほぐすヒントがありそうだ。同じ所に立ち止まってくれた先達がここにいる……。

この「日本の思想用語」において、文字通り、現代の日本の思想がどのように形成されてきたかを鶴見は明らかにしようと試みているわけだが、この「ほんもの」「にせもの」という感じ方はその中核にある概念だ。相当な字数を割いて、この感じ方の周辺で論を展開している。少し紹介してみたい。

――近代主義という言葉がある。これは、幕末の開国にさいして、日本の文化が欧米にくらべておくれているという恥とはじらいとをもった日本人が、その後、自分たちのおくれた前近代的文化をぬぎすて、欧米の近代的文化に追いつき追いこせという掛声で進んできたこの百年の歴史の中に根ざしている。日本には、実物尊重思想があることは前にのべたが、今や近代の実物手本が欧米にあると考え、そのほんものにあわせて、自分たちの文化をつくりかえようとした。その場合、日本人の工夫した近代的なスタイルは、すでににせものとして、しりぞけられた。ここには、明治以前からあるにせもの・ほんもの思想の日本文化にたいする一つの適用の型がある――

――日本の思想的伝統の一部分となっているにせもの・ほんもの思想――

もう一つ、「ウフフの哲学」（『戦後とは何か』一九八五年）も読んでみよう。

――偽物も本物である場合がある。私は偽物というのがとても好きなのです。偽物が混入するということを受け入れます。雑菌なしの何か純粋なものを作ろうという考え方、無菌状態で何かを作ろうというのは、生きてゆくものとしては具合が悪いのではないでしょうか――

純粋と言う言葉を先ほど私は不用意に使ってしまったが、鶴見の感性はそのような不用意さをも予め避けえており、このように、純粋な思想、理念、観念というものの恐ろしさを語る。

偽物も本物である場合がある。偽物というのがとても好き。偽物が混入するということを受け入れます――この境地にまで達することができればどんなに自在だろう、そうあくがれてしまう。

鶴見と石川三四郎

さて話をアナーキズムに戻そう。鶴見は大杉も大事に思っているだろうが、石川三四郎に、より敬愛の念を持っているかと思われる。「石川三四郎先生を悼む」（一九五六年　東京新聞）という追悼の文を鶴見は書いている。通常、年長者であろうが「さん」で呼ぶ鶴見が、ここでは「石川先生」と追慕の念を顕し、彼を「無政府社会主義者として、ひとすじの道を歩いて来られた」と記す。鶴見が珍しく「先生」を付けた相手がアナーキストだと言うのは、なんだか面白い。やはりここからも、アナーキズムは鶴見を考える時の大事な視座の一つであると言えるのではないか。

なぜ石川だけを「先生」を付けるほど敬愛したのか。それは石川のアナーキズムに共感したから、ということもあるだろうが、ポイントはもう一つ「ひとすじの道を」にもあると思う。石川三四郎は、二十代からその死まで五十年以上にわたって、アナーキスト（鶴見によれば「無政府社会主義者」）としてひとすじに生きた。明治三十年代から大正、戦前、戦中、戦後と、激動の時期、幸徳・大杉が横死し、多くの人びとが「転向」した時期に、石川はひとすじにアナーキズムの孤塁を守ったのだ。父鶴見祐輔が「公職追放」から「追放解除」された戦後に「転向」研究をせざるをえない心境であった鶴見にとって、このように「ひとすじの道」を歩んだ石川こそが「先生」と呼ぶべき対象であったのだろう。

そしてこの追悼の文章の結び近く、鶴見は「原水爆をめぐるアメリカ、ソ連の両大国の対立、スターリン主義の批判、ハンガリー、ポーランドの変動を通して、世界はもう一度、無政府主義からまなぶべき時期に達している」と記す。これは、今まさに我々が生きるこの時代にもピタリと当てはまることではないだろうか。

アナーキズムの真の定義は？

〈おおやけ〉の字引で「アナーキズム」を引けば、「無政府主義」と書いてあって終わりだ。しかし言葉がそんな簡単に一対一対応するものではないことは既に判っている。私なりの定義は既に述べた。

では鶴見の〈わたくし〉の字引ではどう定義されているか。彼がアナーキズムに真っ正面から取り組んだ「方法としてのアナキズム」での定義はどうか、出だしから引いてみよう。

――アナキズムは、トマス・アキナスの『神学大系』とか、マルクスの『資本論』のような、まとまった理論的著作をもっていないし、もつことはないだろう。それは人間の社会習慣の中に、なかばうもれている状態で、人間の歴史とともに生きて来た思想だからだ。習慣の中に無自覚の形である部分が大きく、自他にむかってはっきり言える部分は小さい。

アナキズムは、権力による強制なしに人間がたがいに助けあって生きてゆくことを理想とする思想だとして、まずおおまかに定義することからはじめよう――

出だしということもあり、穏当な定義だ。ではこの「おおまかな定義」を更に分析していこう。

鶴見のこの文章で材に採られているのは、カスタネダによるメキシコ原住民の社会習慣、ソローの仙人的な暮らし、そしてクロポトキンだ。クロポトキン以外は一般にアナーキズムと無関係と思われているものだろう。

しかしアナーキズムをひと言で「無政府主義」で片付けてしまうことが、そもそもあり得ないことであり、そこには様々な座標軸での振幅があることは、多少でもアナーキズムに興味を持った者にとっては自明の理である。例えば一般に「労働組合運動」「労働争議」「労働闘争」と整理される大正行動隊（谷川雁が「工作者」として関与）について、石牟礼道子はこう記す――大正行動隊の地底では、雁さんの目の前で、六〇年代のアナーキズムが前衛と抱き合って爆死を遂げたのだ（「護符」『すばる』一九九五年年四月号）。また例えば、石川啄木および宮沢賢治は、アナーキズムが最も活き活きとしていた時期である明治後期から大正に生きた人であり、当然のこととしてアナーキズムとの関連が深い。

宮沢賢治の「農民芸術概論綱要」もわかりやすい例の一つと言えようか。私が最も愛する賢治の言葉「求道すでに道である」が記された短い文章。この文章については鶴見も高く評価する立場だ。例えば吉本隆明、中村稔との鼎談「宮沢賢治の価値」（『現代詩手帖』一九六三年六月号）においても、この文章を評価しないという中村に対し鶴見は「クロポトキンの思想の発展としての宮沢賢治の思想には未来に対しても可能性があると思う」とアナーキズムを展開させたものとして捉えた上で、肯定的な評価を語っている。

一方で一般的にアナーキズムと聞いて想起されるであろう「破壊」「テロリズムと近いもの」「パンクロック」的なイメージ、それに近しい直接行動的なアナーキズムももちろん存在する。

このように座標軸として、「理想主義的と虚無主義的（行動主義・破壊主義的）」「農業・生活からの改革と、直接行動的革命」、「社会主義的と共産主義的」「個人主義と人道主義（共同体志向）」などを様々に設定しうるアナーキズムには、実に多様な表出があり得る。

ではその多様な表出に通底する深部に在る本質は何か、それは権力・抑圧の徹底的な否認という一点だ。

鶴見がアナーキストと自称するのも、彼の生き様がしっかりとこの一点に立っているからである。例えば彼は、第二次世界大戦時に在米していたことから敵性外国人として米国当局による取り調べを受けた際、この戦争をどう思うかと訊かれ、「自分の信条はアナーキズムであり、このような帝国主義戦争ではどちらの国家も支持しない」と答えている。これこそアナーキストの美点を顕している逸話ではないか。

アナーキズムとは「阿《おもね》り」や「忖度《そんたく》」、「空気を読む」「同調圧力」などといった日本の湿った精神性を吹き飛ばす、気持ちよい風のことだ、と言いたい。私はアナーキズムのそこを愛するものだ。人は「大小様々な組織に属する自分」として自分を定義するのではなく、「自分」を改めてしっかりと感じ、自分の立つ位置をしっかりと持った上で、社会・世界と関わる姿勢を持つべきであり、そのためにも現代日本人はアナーキズムから学ぶべきものが多いと思う。

鶴見のアナーキズム

鶴見に上野千鶴子、小熊英二がインタビューした本『戦争が遺したもの――鶴見俊輔に戦後世代が聞く』（二〇〇四年新曜社）の最後の最後で、鶴見はパトリオティズム（人間同士の信頼関係、同志愛、縁や知己を大事にする気持ち）とアナーキズムの共存について述べている。いわく、「アナーキストとしての私と、そういうパトリオティズムは矛盾しない」「私は、国家を全部破壊してしまって、アナーキーにしたらすばらしい純粋なものが出てくるなんて、そんな幻想をもっているアナーキストじゃないんだ」と。『転向』研究のグループを組織したり、『思想の科学』やべ平連をやったのも、そういう場を作る（＝パトリオティズム）ためなのだ。それは筋を通して生きてきた人たちに対する連帯の感情であり、同時にそれぞれが一人一人別々の道を歩いている、「私のアナーキズム」というのはそういうものなんだ、と。

またアナーキズムを見る座標として「行動・肉体」と「啓蒙・科学」を対立項として置いた時、大づかみに言えば、前者にはバクーニンや大杉栄、後者にはクロポトキンや石川三四郎を挙げることが出来ようが、鶴見が評価するのは後者であることが、彼のアナーキズムの在り処を既に雄弁に語っているとも言えよう。

さて鶴見は一般的に「プラグマティズム」の人だとされる。そもそも彼がハーヴァード大学で学んだのがプラグマティズムであり、彼の最初期の著作『アメリカ哲学』（一九五〇年）でも、その全十二章（のち章が足され全十五章＋追補）のほぼ全てがプラグマティズムのことで埋め尽くされているのだから当然だ。

では、プラグマティズムとは何か。『アメリカ哲学』をザッと眺めてみたが、全体像を理解することは、一朝一夕には、なかなか難しい。不本意ながら「字引」の力を借りよう。大辞林第三版によれば「一九世紀後半以降、アメリカを中心に展開された反形而上学的な哲学思想。デカルト以来の意識中心の立場を批判して、行動を重視し、思考・観念の真理性は環境に対する行動の結果の有効性から実験的検証を通じて帰納的に導かれるとする立場」と定義される。つまり具体的な行動を伴う思想が大事、行動して実験的に有効性を検証した結果からのフィードバックでこそ思想の真理性は確かめられる、と言うことか。なるほど、安保闘争、ベ平連などの活動を行って来た実践の人鶴見俊輔が体現していたのがプラグマティズムなのか、と得心がいく。

では鶴見にとってアナーキズムとは何なのか。そしてプラグマティズムとの関係はどうあるのか。

こう考えることは出来るだろうか。「国」「権力」というものを先ほどの字引の定義に当てはめてみる。すると「国」「権力」という観念も、その実践の結果からその有効性を検証してこそ真理性が確かめられるものとなる。「国ありき」「権力ありき」ではない、その在りようが有効であるか否かを実証する立場にまず立つ、ということになるわけだ。この立ち位置はアナーキズムと同じではないか。「国」「権力」を自分の外にはっきりと位置づけて、乾いた合理性を持って意識中心の立場を離れた視座をプラグマティズムとアナーキズムは共通して持つと言えよう。その視座から実証的に全事物を根本から捉え直すのがプラグマティズムであり、一方のアナーキズムは対象化した「国」「権力」を先験的《ア・プリオリ》に否定するのだ。

鶴見のアナーキズムは、彼が評価する石川三四郎とも宮沢賢治とも違う。鶴見のアナーキズムは「きばのある静かなアナキズム」だ、と「方法としてのアナキズム」で鶴見は明確に述べている。理論だけでなく実践・実証を大事にし、しかし激越な直接行動・テロリズム・ニヒリズムに走らないアナーキズム。やわらかに実践する思想家、鶴見らしいアナーキズムだ。

ヴィジョンとしてのアナーキズム

ことばにこだわり、鬱病と闘い、アナーキストとして生きた鶴見について書いてきた。

最後に、鶴見の「方法としてのアナキズム」から、彼の大事な言葉を幾つか置いて本稿を閉じたい。これらの言葉は現在の我々が持つべきヴィジョンを示してくれていると私は思うのだ。

——結局は能率的な軍隊の形式にゆきつくような近代化に対抗するためには（中略）国家のになう近代に全体としてむきあうような別の場所にたつことが、持久力ある抵抗のために必要である。（中略）人間の文明を見るわくぐみは、考え直されるべき時に来ている——

——道をとおして同行者のあいだに権力のない社会のヴィジョンを保つことができるはずだ——

——（生きることは楽しいことだという）十九世紀までに人間のもっていた確信が、二十世紀に入るとこんなふうに弱くなってくるのは、文明の進歩といえるのだろうか——

——現代の社会の複雑なルールを一度は、もっと単純なルールにもどして考え直すべきなのだ。そうでないと、われわれは、今偶然にわれわれをとりまいている社会制度に引きずってゆかれるだけになる——

——現代のように国家が強大になって、政府の統制力が人間の生活のすみずみにまで及んで来ている時には、国家が人間の生活にたちいってくるのに対してたたかう力を準備しなくてはならない。その力をつくる思想として、アナキズムは、存在理由をもつ——

——進歩という考え方を、うたがうことが必要だ——

アナーキズムから鶴見俊輔はこれらの言葉を汲み出してくれている。われわれは、そこからよりよく生きるためのヴィジョンを得ることができる。個人の生が全体に押し流されそうな現代、われわれは鶴見の言う「きばのある静かなアナキズム」を持つべきであろう。

「本土《ほんど》」人《じん》が描いた沖縄と基地問題――火野葦平と当事者性

火野葦平の沖縄ものは、戦前・戦時・戦後の沖縄を客観的視点から見た作家、火野にしか書けなかった、他に類を見ない得難き作品たちである。そしてその多くは書かれた時期を問わず「戦時もの」と呼ぶべきもの、である。

火野の沖縄ものの白眉である「ちぎられた縄」、戦後十年を経た昭和三十年の事件を描いたこの作品も、「戦時もの」という謂《い》いが当てはまる。なんとならば、目取真俊が「沖縄『戦後』ゼロ年」で喝破しているように、沖縄には真の「戦後」が訪れていないからだ。戦争と占領が今も続いている沖縄――「ちぎられた縄」はその実態を描く。

そして「ちぎられた縄」の悲劇は、長い年月を経てなお、アメリカと、そして日本の身勝手な差別構造によって、今もほぼ変わらぬ形で温存されている。

この酷い差別構造の問題を昭和三十一年の段階で世に明らかに示した「ちぎられた縄」の意義は、けっして小さくないだろう。そして現代にもその悲劇が温存されていることから、今も我々が読む意味がある文学と言える。

私はこの小文で、火野が見た沖縄、特に戦時の沖縄を描いた作品について、そして当時の沖縄に対して火野が持ち得た、そして持ち得なかった「当事者性」について書いてみたい。

ちぎられた縄

何はともあれ、まずは「ちぎられた縄」を読みたい。沖縄と日本を考えるための大事な手がかりとなり得る、沖縄を的確に描写する言葉の数々……。列挙してみよう――「よろず植民地文化になった那覇」「純然たるアメリカの植民地だ」「日本からちぎられた沖の縄」「人間の命だって虫けら同然、おれたちは土人扱い」「縄はこなごなにちぎれたんだ」「沖縄には前線も銃後もなかった」「六月二十二日、司令部の玉砕によって凄絶をきわめた琉球戦争は、終結したのである。その後、八月十五日、日本の全面的降伏、沖縄人は二度敗戦の日を迎えたことになる」「那覇の街は（中略）地上から消滅したのである。（中略）跡かたもなく破壊された。古琉球の情緒は追放され、アメリカ式植民地の街が、全然新しい規模によって再建された」「わずかしかない耕地は次々に接収されて、農民は生きる道をうしなった。沖縄は急速に変貌した。沖縄島民も往年の溌剌さをうしない、暗澹とした歳月のなかで、急速に、その性格を頽廃化させて行った。犯罪などなかった平和の島であったのに、終戦後は凶悪な犯罪島と化したのである」「(アメリカ兵を指して)畜生、泥棒の上に、色きちがいだ」「東京政府は(中略)はっきりいうと、アメリカの家来だからな」「日本政府だって、沖縄よりもアメ公の方が大事さ」——これらのことは我々現代に生きる全ての人が忘れてはならないことだ。

特に「土人」という言葉は、つい最近、二〇一六年に東村高江で大阪府警機動隊員が発している。事はこれだけの年月を経ても変わらない、それどころか悪化しているとしか思えない……。

「ちぎられた縄」の価値は、そのリアルタイム性にもある。昭和三十一年、一九五六年に書かれたこの小説の中に「あの、一九五五年三月十一日が来た」として描かれる伊江島・伊佐浜の強制土地接収の生々しさ。これを読んだ、或いは演劇で観た当時の人たちに与えた衝撃は小さくない筈だ。この部分も引いておきたい——「(接収された土地の地主たちに対して)ピストルをつきつけて、金を受けとらせようとした。それは賠償金というのであったが、誰も手を出す者はなかった。米兵は、無理矢理、両手をつかまえて頂戴の格好をさせ、金をのせて、写真をとったりした」「米兵が面白がって、(漁民が乗る)舟を射撃するので、危なくて仕方がなかった」「山羊も大半、米兵から狩猟され、畑の蔬菜も引き抜かれた」「爆撃演習のため(中略)カヤ毛原に落ちた爆弾は、朝十時から夜の九時までも燃えつづけて約三十万坪の山林原野を焼きつくした」

火野の訪沖は昭和二十九年の三度目が最後である筈だが、何故この昭和三十年の強制土地接収についてここまで肉薄して書けたのだろう。彼の力量に驚きを禁じ得ない。また単に力量のみならず、末弟の千博が沖縄で戦死したと言われることから来る思い入れの深さが、彼をしてこの深みに達させたのかもしれない。

そして作中で琉球タイムス文化部記者である知念吉男に吐露させている以下の言葉——「問題は距離にあるようだな。誰でも、身辺で、眼の前に起った出来事でないと、なかなか、びっくりしないものさ。それに他人事にかまって、自分が損をすまいというエゴイズムもある。」「沖縄本島の中だって、伊江島の人たちは那覇の政府が煮えきらないといって、歯がゆがっている。まして、遠い遠い日本の、……おっと、これは大変な失言をしたぞ。本土を日本だなんて、おれの心にも、いつの間にか、シニズムが忍び込みやがったな。……沖縄は日本だ。ちぎられてしまってはいるが、日本に間違いはない」「だが、東京の日本政府は、南の果ての海のかなたの沖縄のことなんて、里子にやった継子くらいにしか考えとらんのじゃないか」――ここには谷川健一が指摘した中央と辺境の多重性、目取真俊が憤る差別構造と「本土」人の当事者性欠如などが明確に示されている。しかもここでは三つに分けて示したが、これらが一気呵成に書かれている凄み。現代の沖縄出身作家ほどの深度・当事者性が無いとしても、この時期にこの作品を世に出した火野葦平は作家としてすばらしい仕事をした、そう言い切れる部分だ。

そして作中にて、戦死した詩人知念秀行が戦場で従軍手帳に詩を書き付けている、これは戦場での火野自身を投影した人物造型になっていると言えよう。火野がこの作品を我が事として、つまり当事者性を持って書いたと思うゆえんだ。

戯曲「ちぎられた縄」からも、一つだけ印象的な台詞を挙げておきたい。「沖縄問題は日本全体の問題だ。沖縄の運命は、日本の運命だ。それを日本中の人にわかってもらいたいんです」――主要登場人物の一人である五郎のこの台詞は火野自身の思いに相違ないだろう。この火野の思いは一ッ橋講堂での伝説的な文化座公演――観客が溢れ、千秋楽には扉を開けての上演となったという――の熱狂を呼ぶが、「本土」人を根本から変えるには至らず、現在の基地問題、オスプレイおよびヘリコプターの「不時着」と呼ばれる墜落、そして現在の沖縄の人々に沸々と滾《たぎ》っているであろう暴発寸前の憤りに至ってしまっているのだ。

また、そもそもこれら小説と戯曲、二つの「ちぎられた縄」を単にそれぞれのフォーマットに合わせた形にするだけでも大変な労力だろうが、相当に登場人物も構成も変えて、ほぼ同時期に出していることも、火野の作家としての力量の凄み、この作にかける熱量を思わせるものと言えよう。

演劇「ちぎられた縄」については『現代日本文學大系75　石川達三・火野葦平集』（昭和四十七年　筑摩書房）に収録された原田種夫による「実説・火野葦平（抄）――『九州文学』とその周辺――」に活写された、当時の熱気と火野の人となりを示した部分が興味深いので紹介しておきたい。「昭和三二年（中略）三月二日、電気ホールで、葦平の戯曲『ちぎられた縄』（三幕六場）を、劇団文化座が上演した。火野と劉（寒吉）がそれを見るために昼に博多にやって来た。（中略）『ちぎられた縄』は火野の人気がものをいって、九州各地で上演するようになっていた。火野の講演と芝居が抱き合わせのところもあった。いっしょにならんで『ちぎられた縄』を見たが、悲しい場面になると、火野は鼻をすすりあげて泣きだし、ハンカチで目をぬぐった。そういうところが、かれの人間的魅力の一つでもあった」

「恩納奈辺」も基地問題、土地接収問題を考える際に大事な作品だ。「山原乙女」と類似した悲恋ものでもあり、切なく染み入る、哀しくも美しい作品だが一方で、この作品に描かれている代官による土地の強制接収は、ほぼ同時期に書かれた「ちぎられた縄」にも描かれる米軍によるそれを思わせる描写。当然火野は同時代人がそう読むことを意識して書いたものであろう。

人間火野葦平概観

火野は従軍作家としての活躍により「戦犯作家」として戦後に公職追放されたわけだが、そのことと火野の「沖縄もの」などに見られる細やかな気を配った作風とが、どうも重なって見えてこない。

そこで、火野の人となりを見てみたい。火野の人物評は様々にあるが、近しい人のそれを見ると実にお人好しでかつ仁義に篤く、細かな情を持った人であったようだ。

例えば火野と同人誌『街』、詩誌『聖杯』を共に編んだ早稲田在学中からの無二の親友であった中山省三郎（茨城県出身の詩人、ロシア文学者。「はるかぜとぷう」など名作絵本の作家である小野かおるの父）によれば「人間としての彼は、心臓が強いどころではなく、外面的な強がりにも似ず、極めてこまかな神経の持主である」

また青野季吉によれば「庶民的な律儀さ、正直さ、庶民的な哀歓というもの（中略）をもちつづけながら現代作家として大成した人間は、火野葦平をおいて他にないようである」と描かれる。淺見淵も同様に「庶民的善意と（中略）無償の情熱こそは火野文学の真骨頂であり、彼の生前、火野文学が広く世間に迎えられたゆえんも、またこの点にある。一方、それが火野文学の大きな独自点ともなっている」と記す。

また北九州市若松区で高校教師をしていて、火野の三男である玉井史太郎を教え子に持った鶴島正男は、火野葦平資料室として火野の資料を保存するに大きな役割を果たした人だが、彼の証言もここに引いておきたい。福岡シティ銀行が平成五年に行った対談から。

火野の従軍手帳に以下のような反戦的な詩が記されていたと言う——「兵隊なれば兵隊はかなしきかなや、この春のひねもすを、いくさするすべにすごしつ」。

しかもこのうち最後の部分、元はより露骨に「人殺すすべにすごしつ」としていたのを書きかえている、というのだ。

また彼の本は出版に当たって検閲をくぐっており、検閲によって消された部分も少なからずある、と。言われてみれば当たり前だが、現代の我々、少なくとも私などには忘れがちなこと。戦時に出版されたものについては、著者が真に企図した内容になっているとは限らない。

火野葦平と現代の私

誰が火野を断罪できるというのだろう。例えば自分が彼と同じ立場に立ったとき、どれだけ立派な態度を取りうるというのだろう。もとより私も火野を断罪などするつもりも資格も無い。それは自分が神でも何でもないからという当たり前の理由のほかに、後世のものが前の時代での考え方について云々することの不当さを思うからでもある。

その姿勢を基本としつつ、やはり一点だけ、このことだけは書いておかねばならない、その時代の思考の限界点だったろうとは思いつつ。それは火野の「歌姫」にある以下の文章だ。

――十月十一日、那覇大空襲。私は刻々と報じられる爆撃の模様を歯を噛む思いで聞いた。（中略）いよいよ祖国の玄関へ近づいた巨大な戦影を、燃えたぎる悲痛の念で聞いたのである――

目取真俊が「沖縄『戦後』ゼロ年」で厳しく指摘しているように「絶対国防圏」には沖縄は入っておらず、防衛のための「前縁」「捨て石」であるという考え方、やはりそれが火野の文章にも表れてしまっていると感じる。那覇が空襲されているのに「玄関に近づいた」とは……。沖縄は玄関では無く、門から玄関までのアプローチといったところの位置づけに読めてしまう。

そして同様のことは私自身にも言えることを今回火野の作品を読みながら自覚した。「歌姫」――仲程昌徳が「滅んでしまった沖縄へ寄せる哀情の滲んだ、戦前の沖縄への挽歌」と表現したとおりの貴重な作品。これを読み、沖縄から「本土」への疎開の動きがあったことを私は知った。言われてみれば当たり前に思えるが、何故か沖縄の人達は沖縄にみな居残っていたように思い込んでいた。もしかしたら私の中にも無意識に沖縄と「本土」を分けて考える傾向があるのかもしれない、愕然とさせられたことであった。

話を火野に戻す。前段に記したように、火野には時代的制約、「本土」人の限界はあったと思うが、それでもやはり火野の沖縄描写はすばらしい。この人は本当に沖縄が好きだったろうと思う。それが旅人としての感懐であったとしても、それを誰が責めることができよう。

火野の僥倖は、たった三度の沖縄訪問が、それぞれ戦前・戦時・戦後であったことだろう。美しかった往時の沖縄、米軍迫る戦争末期の沖縄、アメリカとなり、ちぎられた縄となった沖縄……。それら全てを見た人にしか書けない沖縄もの。他に代えがたい価値があり、読み継がれるべきだと感じる。

特にやはり「ちぎられた縄」だ。これは現代の我々が抱え続けてしまっている問題——目取真俊が指摘するとおり、日米安全保障条約から生じている問題——に直結する基地問題、地位協定の問題を描いているからだ。ここを考えずに現代日本人として生きてきた自分が恥ずかしい——火野の「ちぎられた縄」を読み、そして現代の沖縄文学を読み、今更ながら考えている。

当事者性とは何か

ここのところ火野葦平の沖縄ものを読んできて、そして沖縄に関する様々な文章を読んできて、私は当事者性ということについて考えつづけてきた。

旅人と住民との境目はどこにあるのだろう。火野の沖縄滞在はごく短期間であったから明らかに「旅人」であったろう。では何年住めば人は旅人で無く住民と呼ばれるのか。例えば島尾敏雄は奄美に二十年住んだ。しかし島尾を尊敬する奄美の人も、彼を「北の旅人」と呼んだ。それは彼が「本土」に帰ったからだろうか。いや、年数では無いだろう。如何に当事者性を持ち得たかではないか。それを考える時に思い出すのは関根賢司の短い文章「日本って／沖縄の何」だ。一九九七年の衆議院安保条約土地使用特別委員会による特措法（駐留軍用地特別措置法）改正の可決成立から書き起こし、この法が沖縄の意思を無視し日米ふたつの「国家」の意思を貫くための差別的なものであり、「合衆国の軍隊のための土地を、土地所有者の意思におかまいなく、国家が強制的に使用し提供する」ためのものだと断じたこの文章の書き手は、目取真俊の琉大在学時の師の一人である。

ごくごく短い文章だが「沖縄は（中略）日本の平和と繁栄のための捨て石として放置されつづけてきた。住民は土地を奪われ、暴行され、虐殺され、つまりは二つの国家と安保条約によって犯され、蹂躙されつづけて復帰後の今もあるのだ「日本国憲法のもとに庇護されたいと願い、日本とともに近代を、同時代を生きたいと願った沖縄が、戦後二十七年を経てようやく帰ることをえた日本は、憲法の上に安保条約をおしいただき、地位協定や刑特法、特措法などによって相も変わらず沖縄だけを差別しつづけている国家であった」と、まさしく沖縄と国家の関係を露わにする大事な文章。

そしてその真骨頂がそのタイトルだ。特措法改正案が衆院で可決されたときに当時の沖縄県知事大田昌秀が「沖縄は日本の何なのか」と直截に問いかけたその問いも充分に重いと私などは感じたものだが、関根は言う、「むしろ、日本って、沖縄の何なの、と問うべきなのであろう。差別と犠牲を押しつけられるだけの沖縄は、国家に絶望し、政治に絶望しつづけて、さらに絶望を深めていく以外に途はないのだから、日本こそが、問い詰められるべきなのだ」と。

　当事者性とはこういうことだ、と思う。元の「沖縄は日本の何なのか」は、一見主語が「沖縄」のようで、よく見れば「日本にとって」沖縄は何なのか、と問いかけている。それに対し、関根の方は「日本って」「沖縄にとって」何なの、と問いかけている。此処において「本土」出身の関根が「沖縄」の当事者性を獲得していると言えると思うのだ。即ち、当事者性とは「自分自身の思考」が、対象の思考を深い部分で代弁しうること、だと定義したい。

本土、内地、ヤマトゥ

　そしてなんにつけても考えが戻ってきてしまうのが日本という国家そのもの。当事者性を今日に至るまで持ち得ない情けない日本。いつまでもアメリカの言いなり。沖縄を真には日本のうちと思わず、沖縄に全ての負担を押しつける「本土」の我々……。本稿を書くにあたってこの問題に思念を凝らすに際し、火野葦平とともに現代の目取真俊を私は繰り返し読んだ。

　そう、本土、と言う言葉そのものに違和を感じた私が、鉤括弧付でここまで「本土」と記してきたのも目取真に倣ったものだ。そもそも「本土」という言葉の字義自体が酷すぎる。「本土」とは「本当の土地」の謂いであろう。では「本土」以外は「偽物の土地」なのか！　実にこれは差別的な言葉なのであった。同じく「内地」も「内」と「外」を定義していて中央集権に力を貸しそうだ。そうなると目取真のようにヤマトゥ、と呼ぶことになるのか——。しかしこの言葉も大和朝廷の語義であり、適切ではなさそうだ。

　こう考えてくると、そもそも「本土」や「内地」という言葉が示す概念自体を怪しむに至る。これらの言葉は本州を意味するか、いや九州も指すだろう、北海道は指すのか？　東北は？

　突き詰めた定義は難しそうだが、問い続けるしか無い。当事者意識とはそれぞれの地域、それぞれの言葉に立ち止まってしっかり考えることなのだろう。

　当事者意識とは、目取真が辺見庸との対談『沖縄と国家』で言うように、結局は「ヤマトゥのメディアで、たまに沖縄の基地問題が報じられたときに、それを見た人たちがどこまで自分の問題として考えるか」、シンプルにそれに尽きるのだ。

　火野葦平が「ちぎられた縄」で書いた——（沖縄は）純然たるアメリカの植民地だ——、そして目取真俊が「沖縄人として愛郷心は抱いても……」で書いた——沖縄は日本とアメリカの軍事的植民地でしかない——、この悲痛な叫びをどこまで我が事として思考し得るか、自分なりの行動に移し得るか、そこにのみ我々が人間として自らを恥じずに生きるために大事な「当事者性」がある。

　昭和三十一年に、既に相当の当事者性をもって沖縄と基地問題を描いた火野葦平の「ちぎられた縄」の尊さもここにある。我々現代の日本人は約六十年前のこの作品を大事なスタート地点として、改めて当事者として沖縄のこと、基地のことに取り組んでいく必要があるのだ。

加那　島尾ミホ――奄美を持続低音《オルゲルプンクト》として生きた人

島尾ミホとその文学について書きたい。私が彼女の名を知ったのは、ご多分に漏れず、夫島尾敏雄が書いた『死の棘』に登場する妻として、だ。しかしミホ自身の文章を読んだ今、その名は、すばらしい作品を残した作家として私に響く。

この作家の生涯は激動と言える。平和な南国奄美の加計呂麻島に育ち、大戦末期に特攻艇隊の隊長として島にやってきた男と結婚し、戦後作家となった夫によって狂わされ精神病棟に入院、そして奄美に戻り、自らも作家となった人生。

しかし一見流転に見えるその一生には、郷土奄美がずっと底流として流れていたと思う。西洋音楽における持続低音《オルゲルプンクト》を私はイメージする。持続低音とは当初和声の一部として生まれた低音が、他の音が既に別の和声に変わっても変わらずに持続して鳴り続けるものだ。調和していた自分は変わらずにいるのに、周囲が勝手に変わっていく。当然、持続低音は非和声音となり、居心地の悪い異物として存在することになるが、音楽を和声に解決させるための強力な効果として働き、遂には和声へと導くものだ。ミホは、周囲も自分自身も凄まじく変化する中で、自らの故郷の風土とそこで形成した自分の根っこを決して手放さずに生きた人であり、だからこそ生まれたのが彼女の作品だと思うのだ。

奄美

かくの如くであるから、ミホとその文学を語るには、まず奄美の地理と歴史を改めておさらいする必要があるだろう。地図を眺めてみる。薩摩（現、鹿児島県）のすぐ沖合にある二つの大きな島は種子島と屋久島。奄美はその二島から遠く南、沖縄本島との間だ。種子島・屋久島よりも沖縄本島に近い距離感である。薩摩から琉球に至る「道の島（道之島）」とも言われる島々。

奄美群島の主な島の位置関係を言えば、最も大きな奄美大島のすぐ東には、俊寛が島流しされた喜界島がある。そして奄美大島から南に目を転ずれば、指呼の間すぐ南にミホが育ち、夫敏雄が戦時駐屯した加計呂麻島、そのすぐ南に徳之島、そこから点々と南に沖永良部島、与論島がある。与論島のすぐ南はもう沖縄本島だ。

現在、鹿児島県ということになっている奄美群島だが、以上のように地図を見てくると、どう見ても沖縄の方が近い。実際、十五世紀には琉球王国による侵攻を受け、その版図となっている。そして江戸時代初期、一六〇九年の薩摩による琉球侵攻の結果としての奄美直轄支配が始まり、それからの長い期間を薩摩による圧政――焚書、信仰制限、プランテーション的植民地的経営、苗字制限、債務奴隷としての農奴制度など――の元に暮らさねばならなかった島々だ（この流れで現在も鹿児島県とされていると言える）。

本来は、谷川健一が「近年の発掘で、奄美諸島が独自の文化を形成する基盤をもっていたことがわかった。〔琉球に比して〕奄美のほうが先進地帯だということが言える（〔　〕内筆者）」と指摘するとおり、琉球以上に古い時代からの文化を誇る島々であるのだが。

名家の娘ミホ、そして愛加那

ミホはその奄美の名門に生まれた。実母長田《おさだ》マスがミホを産んで間もなく亡くなってしまったこともあり、二歳にしてミホは大平家の養女となったが、大平家、長田家、そしてマスの実家である谷村家のいずれもが奄美の名家である。これらの家は琉球南山王の血筋を引くとも、琉球王国が奄美支配のために派遣した大屋子と呼ぶ長官職の血筋とも伝わる。特に大平家は薩摩世《さつまゆ》になっても与人《よひと》（島役人の最高位）かつ巫女《ノロ》の家系であった。そしてミホの養父大平文一郎は村長あるいは町長であったようだ。

さてこのミホの血筋を見たとき、目に付くのが愛加那《あいかな》だ。実母の家系をほんの三代ほど遡ると縁戚として登場するこの女性は、西郷隆盛が奄美に流謫されていた時のいわゆる「島《しま》妻《づま》」であった人だ。愛加那は通称であり、本名は龍《りゅう》愛子。奄美大島の名門、龍家《りゅうけ》の分家の娘であったという。「加那」は奄美言葉であり、ここでは愛情を籠めて敬称として女性の名の後ろに付けて使う用法。敬称ということなので、「ちゃん」というよりは「さま」といったニュアンスなのだろう。つまり愛加那は「愛さま」という呼び名だ。この用法での「加那」は名家の女性にはごく一般的に使われていたものであり、例えば愛加那の母も枝加那と呼ばれていたらしい。

話をミホに戻そう。ミホ自身が大平家を描いて、「私の家は、（中略）古い昔のしきたりで部落の人たちから特別に見られ、私は部落ではたった一人「カナ」と呼ばれて育ってきました」と書いている（「死の棘」から脱れて〈婦人公論　一九六一年五月号〉）。養父文一郎は「旦那様」という意味である「ウンジュ」、養母吉鶴は「奥様」を意味する「アセ」と呼ばれていたという。本来「ミホ加那」と呼ばれるべきところであろうに、ミホは単に「カナ」と呼ばれ、「ウンジュ」「アセ」にしても本来は普通名詞であるのにそれらの呼び名が集落では文一郎と吉鶴のみを指した。これは大平家がいかに名家であったか、敬愛されていたかを示すものだ。

愛加那と西郷

愛加那にもう少し寄り道したい。このまま通りすぎるには惜しい。西郷吉之助が一八五九年から一八六二年にかけて薩摩藩により奄美大島の東部、龍郷《たつごう》（現、龍郷町）に潜居させられた際に「島妻」となり、一男一女を産んだのが愛加那だ。島妻は島の言葉でアンゴと呼ばれた。薩摩支配の時期、島妻は薩摩藩により制度化されており、奄美に派遣された役人や流謫された罪人と島の女性が結婚した際に、島妻を薩摩に連れ出してはいけないなどの制約を受け、あくまでも一時的な妻とされた存在だ。こうした差別的な構図から、アンゴ（島妻）はヤンチュ（農奴）やヒダ（農奴の子）と同様に、薩摩藩による過酷にして巧妙な植民地政策の産物であったと言える。

西郷が本土に戻った後に愛加那は息子・娘を夫の元に送るが、自らは「島妻」の慣わしどおり島を出ることなく、一生を終える。息子西郷菊次郎はのちに台湾宣蘭庁長、京都市長を務めた人だが、台湾と本土との行き来をする際には奄美の母の元に立ち寄ったというから、それがせめてもの慰めであったろうか。

この西郷と愛加那については愛加那を悲劇のヒロインとしたり、西郷の美談として取り扱われたりすることが行われてきた。

過酷であった藩政期や島妻制度の中で、西郷と愛加那にはせめても真実があったと思いたい気持も判らないでもない。しかし西郷と愛加那の二人の関係はやはり、あくまでも当時の「島妻制度」の範疇であったことも事実だ。愛加那が産んだ一男一女は庶子扱いであり、西郷が帰藩したのちに娶った糸子が本妻ということで、その息子たち（男子が三人）が嫡流となっている。単なる美談や恋愛悲劇にはできない。

愛加那とミホ

西郷と愛加那が初めて出会った一八五九年から百五十年ちょっと経ったわけだが、二人のことは現在でも奄美で母から娘へと語り継がれているという。

当然、ミホも愛加那の話は聞いて育っただろう。彼女が勤めていた学校に島尾隊長が二回目に訪れた時を描いたミホの小文「出会い」（昭和五十八年）を読んでみよう。「その時職員室の入口から濃緑色の軍服に身を包み、日本刀を腰にさげた若い軍人が入ってきました。鴨居につかえそうな程も背が高く、がっしりした体軀に大きな目がひときわ目立っていました。一瞬私は写真で見かける西郷隆盛のような偉丈夫だと思いました」とある。ここで敏雄を西郷になぞらえたとき、ミホは自分を愛加那になぞらえたのではないかと私は想像する。

勿論二人には様々な差異があるが類似点も多い。例えば愛加那が西郷の「妻」になったのは愛加那二十三歳の折。ミホが島尾と出会ったのが二十五歳、結婚したのは二十七歳の時。どちらもその時代においては「嫁《い》き遅《おく》れ」とされた年代といえよう。

また、西郷が二度目の奄美流謫として徳之島に流された折、愛加那が外海を船で渡って会いに行っている。ミホも奄美がアメリカ軍政下に入る直前に闇船で本州に渡り、島尾の元へ向かっている。

男が奄美に来た経緯としても、一人は幕末の世を奔走したがゆえの藩による隠匿として、そしてもう一人は国が起こした戦争によって。

更に二人の男は一度戻ってから再度奄美に来ていることも共通している。西郷は島津久光の不興を買っての流罪として、島尾は『死の棘』に描かれたミホの病を（そして島尾自身をも）癒やすために。

単なる偶然の符合とも言えようが、ここにヤマトと奄美の関係を通底する何かが見えるような気もするのだ。

島尾敏雄が描く西郷と愛加那

愛加那と西郷については島尾もこだわっており、昭和二十一年の日記にも愛加那について「どうして諸書はいくらか見下す眼で書いてゐるのか？　又どうして諸書の記す所不一致なのか。こんなに近い人のことであるのに」と記されているそうだ。近い人といえば、確かに一八三七年生まれの愛加那と一九一九年生まれのミホとでは八十年程度しか変わらないのだ。

島尾には「竜郷紀行」という小文がある（昭和三十一年）。龍郷について、「そこは妻の郷里でもありそこには妻の亡母の墓もあった」と記している（ここでいう母は、養母吉鶴ではなく実母マスである）。また「竜郷における西郷隆盛についても、多くのそれに関する伝記小説の類を不満に思わないわけには行かない。少し強く言えば、信用しないと言っていい。私は今のところ西郷隆盛に関心を持ってはいないが、かれと奄美大島が結びつけて考えられたときの、はなはだしくリアリティを欠いたつくりものの神話の部分は切りとってしまった方がいいと思っている」との記述もある。

「名瀬の正月」（昭和三十二年）においても「島の人々が、薩摩藩士の西郷隆盛を一種の島の救済者として見ていることは、象徴的な皮肉である。彼は滞在中、島の少女を、多分愛した（傍点筆者）。しかし彼は遂に渡島者の眼付を完全に捨てることはできなかったと私は考える。島民は救い難いコンプレックスの中で彼を敬愛する。しかし彼を批判的に見るつぶやきが細々と弱い形で島の一部の人に口伝されて来ていることを知ったときに私は一陣の爽風を感じたことを告白しよう」がある。

更に「南島について思うこと」（昭和三十四年）においても「西郷隆盛の流謫のいきさつも、現在まで流布されているような南島での竜宮女房風なおとぎばなしでは、彼が南島で過した多感な青春の五年ものあいだのこころのかたちづくりを知ることはできない。私は多分彼はそこでこころの奥底にふれた本源的な何かを（それを今私は南島の治癒力とよんでもいいと思っている）感受し得たのだと思えてならない」と書いている。

そして「私の見た奄美」（昭和三十七年の講演）でも「西郷隆盛が大島におりましたのは、前後五年ほどで（中略）、年齢的にいって三十代という壮年期に五年にもわたって住んだところから、なんらの影響も受けなかったということは想像もできません。人間である以上、島の人たちが西郷隆盛からいろいろなことを学んだと同時に、奄美の環境というものが、西郷隆盛になにものかを与えていないわけがありません」と述べている。

加那のもう一つの用法

さて、先ほど「敬称として名前の後ろに付ける」と記した奄美言葉「加那」には、もう一つ用法がある。「愛しい人」への呼びかけの言葉として使うものだ。

奄美島唄にも「行きゅんにゃ加那節」と言うものがある。北部奄美の代表的な島唄の一つだ。別れの悲しみを歌う唄で、別れの対象には諸説あるようだが、ひとときの夫であった男が島を去って行くのを見送る島妻の哀しみという説が、その一つとしてある。哀感がしみじみと伝わるすばらしい詩。その出だしはこうだ。

行きゅんにゃ加那（行ってしまうのですか、愛しい人よ）
吾きゃ事　忘れて（私のことを　忘れて）

この他にも奄美島唄には題名に「加那」が付くものが見受けられる。例えば「いそ加那節」「嘉徳《かどく》なべ加那節」「むちゃ加那節」など。

今「島唄」というと沖縄民謡を指すかに思われているが、元来「島唄」とは奄美の島唄を指したということだ。そして「島唄」の故郷である奄美群島では、そもそも集落一つ一つを「シマ」と呼んでいたそうで、その「シマ」ごとに島唄は様々に違いを持っていたそうだ。また、状況や自分の気持ちに合わせて即興でも歌詞や節を自在に変えたという。

戦時中、加計呂麻島に特攻艇隊の隊長として来島した「島尾隊長」にミホが捧げたというヴァージョンの奄美の島唄「千鳥浜」の詞を記してみよう。

浜千鳥《チドリヤハマ》　千鳥よ《チドリヤヨオ》　何故お前や《ヌガウラヤ》　泣きゆる
加那が　面影ぬよお　立ちどぅ泣きゆる
加那が　面影やよお　立ち優り　勝り
立ち優り　勝りよお　塩焼小屋ぬ煙

これは元々「母《アンマ》」だった部分をミホが「加那」に変えたもの。そして後半はミホのオリジナルだという。恋ふ人を思うすばらしいヴァリエーションに仕上がっていると思う。

ミホの和歌、その詩情

またミホが詠んだ和歌にも多く加那が用いられている。

加那恋ふは　塩焼小屋の煙の如く　吾が胸うちに絶ゆる
　間もなし
征きませば　加那が形見の短剣で　吾がいのち綱　絶た
　んとぞ念《おも》ふ
月読の　蒼き光もまもりませ　加那征き給ふ　海原の果
　て
はしきやし加那が手触りし短剣と　真夜をさめゐて　わ
　れ触れ惜しむ
海原を大鏡へと見立てつゝ　加那が俤　偲び奉らむ
離《さか》りきて　しきりに恋ほし　みんなみの　かの空のいろ
　かの海のいろ

これらの詩情もすばらしい。多少当時の時代背景の影響が強すぎるものもあるが、真情に溢れている。

これらの詩は、自らをして作家と位置づけた後半生をまたずとも、島尾敏雄と出会った時期に既に基本的な素養と技術を持っていたことを示す。そしてその元々の才能を夫敏雄と過ごした日々が更に鍛えたのであったろう。

（『死の棘』の中に記されたミホの言葉も実に詩的だ。例えば狂える妻の独り言として記されている「ナニモノヲモサシハサマズニアイサレタイトオモッタノハウノボレデアッタカ、モトメテアタエラレヌカナシミ」などすばらしい詩だと私は思う）

島尾ミホの文学

私は彼女の代表作とされる『海辺の生と死』を初めて読んだときに驚嘆した。ここに今まで全く知らなかったスタイルの文学がある！　という興奮。収められた短い文章が、みなそれぞれにすばらしい叙情に溢れている。特に「茜雲」の書き出しが最も好き。

　日ごろ、今のくらしの中に心をむけています時、私はそこにせいいっぱいの気持をよせていますが、ふと、やすらぎのうちに心の紐を弛めますと、すぐに私の心はちちははといっしょに暮らしていたそれも幼い頃の思い出の中につつまれてしまいます。心の奥ではちちははの声が絶えず私に語りかけていまして、私をずうっと遠い日に連れ戻していくのです。空を見上げれば蒼穹の果てには、ちちははのほほえみがいつでもありますし、雲の流れにも遠い日々にみたその姿が今に重なりあい、時はひとつにとけあってしまうのです。

　幼い私が、家の前を流れる小川に架かった土橋に立って、帰りのおそい母を待ち侘びながら眺めた、そのときどきの夕焼雲のたたずまいが、胸のふるえるような懐かしさで今も思われてなりません。


「アセと幼児たち——母のために」も忘れがたい名品。それと……、と挙げていけば結局全収録作を挙げることになる。全ての作品がすばらしい、時代を超えて読まれるべき名作だ。

　私が最もミホの文学の美点だと思うのはその叙情だが、そのほかにも島唄や島言葉についてカナで記してヤマト言葉でルビをふるなど独自の様式が効果的だし、「涙が降《ふ》る降《ふ》る零《こぼ》れ」などのユニークな表現もおもしろい。

　また「洗骨」という独特の儀式を綴った短編、掌編連作『海辺の生と死』など土地の風習を綴った文章もすばらしいものだが、これらは奄美、または「琉球弧」で生まれ育った人にしか書けないものであるし、もっと言えば、より旧来の伝統を色濃く残していた加計呂麻島で、かつ旧家である名門に育った彼女にしか書けないもの。しかもただ単にそういった地域・家に生まれれば誰でも書けるというものではなく、観察眼・記憶力・表現力・叙情力・センス……様々な要素を併せ持つ彼女にしか書けなかった新しい文学。既存のカテゴリに当てはめるのは難しい彼女だけのカテゴリを拓いたと思える。夫敏雄も同様に考えたらしく「近代民話」と名付けたそうだ。

　彼女の作品を読んだ後には、中島敦や島尾敏雄による「南島もの」はあまりに巧んだエキゾチシズムに思えてしまう。また島尾敏雄による「はまべのうた」「島の果て」などのいわゆる「メルヘン調童話小品」もヨーロッパの童話に毒されたわざとらしいものに感じてしまう。ミホの作品を読むまでは感じなかった「技巧」がこれらの作品にから浮き上がってきてしまう。色褪せて見えてしまうのだ。そうさせるだけの力がミホの作品にはある。

島尾ミホ文学の世評

　島尾ミホ文学の評価は様々にされているようだ。見てみよう。

例えば瀬戸内寂聴が朝日新聞文化・文芸欄での連載『寂聴残された日々』の「二〇　作家の日記」（二〇一七年一月十三日付）で「残されたミホの作品では、とても島尾の足もとにも及ばない才能だと私は思った」と書いているが、全くもって噴飯ものだ。この二人の文学を比較しようということ自体無意味だと何故気がつかないのか。この二人が夫婦であれ、二人の文学は全く違う分野の作品だ。ミホは詩人であり叙情にその真骨頂がある。一方で敏雄は自分自身の内面の記録を基底として叙事するスタイル。並べて比較できるものではない。

文学とは技巧であるか。であればミホの技巧は確かに拙いところがある。文学とは人格であるか。だとすると、ミホは自己抑制が足りない——特に敏雄が死んだ後の文章には辟易する自己顕示を感じることがある。文学とは量であるか。であればミホの作品は少ない。しかし文学とは技巧や人格、量ではないだろう。『海辺の生と死』一つを産んだだけでミホの文学は十二分に尊いと私は思うのだ。

一方で、『対談　ヤポネシアの海辺から』（二〇〇三年　弦書房）でミホと対談している石牟礼道子のミホ文学賛美には逆の意味で驚いた。ここで石牟礼は、「ミホの世界に拝跪して近づきたい」とまで言っている。石牟礼がミホより八歳年少ということもあるだろうが、石牟礼ほどの人がそこまで言わなくてもよいだろうにという驚き。地理的にも近く、同じく海の街に育ち（石牟礼の街水俣を船出した源為朝が奄美に辿り着いたという伝説もある位置関係）、ほぼ同世代ということで、石牟礼の感性においてミホの作品にシンパシイを感じるところ大であるがゆえ、ということだろうか。

日常と非日常

つらつらと綴ってきたこの文の最後に「日常」と「非日常」ということを考えてみたい。

まず比較対象として愛加那を見てみよう。彼女は突如現れた薩摩の偉丈夫西郷を夫としたいっときの非日常を大事に思い、残りの長い日常を生きた。再婚することが多いという島妻だが、愛加那はそうしなかったと伝わる。明治三十一年に龍郷の住まいに「西郷南州流謫跡」記念碑が建ち、その除幕式には愛加那も出席したというが、この例外的な非日常以外は農作業などの日常を生きたのだ。畑に向かう途次に倒れ亡くなったのが象徴的に思う。

一方のミホも、「戦時」に「隊長さま」として島外から突如現れた非日常の存在である島尾敏雄を夫とした。しかしその後のミホにおいては、「隊長さま」と「夫敏雄」は分離して双方が残ったと言えるようだ。戦時という「非日常」における「島尾隊長」の思い出、戦後という「日常」における「夫敏雄」がミホの中に併存し続けたと言えるか。

ミホの場合、「隊長さま」と結婚することで、戦時の非日常的出会いを日常に転化することに成功したかのように一旦は見える。しかしその後『死の棘』に描かれた「非日常」が現出し、奄美に戻って「日常」を取り戻す日々を送ることとなる。そして島尾敏雄が死んでから自分が死ぬまでの二十年の長きにわたって喪服を着続けるという「非日常」の中に晩年を生きた。彼女の生き様は謎が多すぎて余人をもって量りがたいが、夫敏雄に真剣に向き合ったことだけは確かだろう。

実は『死の棘』を読んでの私の読後感もそれに尽きるのだ。ここまで真正面から向き合い続けた夫婦は滅多にいない、と。文才溢れる男と女、その二人が真剣に向き合い、そして創作に全てを捧げた。軽々に羨ましいとは言い難い壮絶な二人の在りようだが。

私が理想だと思う生き方は、日常を非日常として味わい尽くし、非日常を日常であるかのように泰然と楽しめるような生き方だ。彼と彼女はそのどちらでもなく、ましてや日常を日常として、あるいは非日常を非日常として過ごす当たり前の在り方でも当然なく、いずれにも当てはまらない独自の在り方なのだろうと思う。二人が苦しんでいたことは事実だろう。しかし修羅のような日々の中で、「非日常を書ける喜び」を感じた「物書きの業」を二人に感じる。国府台病院精神科の格子付きの病棟に二人で入院した際に、その窓の外から撮られた写真があるが、それを見ると「明らかにこの二人は共犯関係にあるな」と思う。二人は非日常を楽しんだ部分が確実にあるだろう。だからこそミホとの対談で石牟礼道子は『死の棘』にユーモアを感じると言ったのだろうし、ミホはその指摘を喜んだのだろう。

いや、そもそも「日常」と「非日常」などというものはこの世に無いのではないだろうか――。それが島尾敏雄とミホの夫婦が我々に突きつけているものかもしれない。

区別するにしたところで、我々近代化・西洋化されたヤマトの現代人は「日常」の割合が著しく多く、短い連休等に近場に「レジャー」に行くのが関の山――それを「非日常」と呼ぶには寂しくなるような……。

一方、ミホの描く約百年前の南島の生活は「日常」と「非日常」の分量が拮抗しており、それどころかその区別も曖昧なように見える。精神異常者や、忌避される病気を患った者が入り交じって生活していたりする。また生活の中で、季節や事物が鮮やかにやってくるので、それが「日常」なのか「非日常」なのか、分けて考えることに意味がないような在りようでもある。

敏雄の『死の棘』も別の意味で「日常」と「非日常」の境

目を曖昧にする作品だ。例えば精神を病んだ妻が何をするか判らないような状態、その妻を置いて外出したときの思い――「もはや、ついひと月ばかり前まで、自我のおもむくままに神経の不安などなしに、行きたいところに行き、とどまりたいところにとどまっていた自分を今は感じ取ることができなくなっている」という記述。普段当たり前だと思っていることを根っこからひっくり返されるような恐怖感を読者に抱かせる。また地獄のような日々の中で近所の理髪店に行き、忙しく働く店主夫婦を見ての思い――「私は自分には失われてしまったむしばまれない日常生活のことがかえりみられた。もしかしたら彼らの生活もそれほど変わりはないのかもしれないが、日常を支えることができる強靱な神経があるのだと思った（傍点筆者）」。これなど当たり前だと思っていた「日常」が、「強靱な神経」が無いと支えきれないような脆いもの、得難いものだということを思わされ、戦慄させられる。

どちらが幸せで不幸せかは判らない。隊長でなくなった「トシオ」との長い現実生活を生きたミホと、良し悪しあったであろうとはいえ良い意味では思い出の中の西郷と生きることができた愛加那と。

ただ、一読書人としては、ミホと敏雄に戦後という「日常」があったことで、島尾敏雄『死の棘』が生まれ、そして島尾ミホという優れた作家による唯一無二の作品『海辺の生と死』が生まれたことを喜ばずにはいられない。

「日常」と「非日常」を「和声」と「非和声」に読み換えることもできるだろう。一九七四年に刊行された『海辺の生と死』によって、それまで非和声音になっていたミホの持続低音が、また輝かしく響く和声に戻ったと私は感じる。戦争が奄美にやってきた時から丁度三十年の月日が流れての末に。

奄美へ――島尾敏雄生誕一〇〇年記念祭　参加記

二〇一七年は島尾敏雄生誕一〇〇年、そして島尾ミホ没後一〇年の年。関連図書の出版も多く、諸紙誌においても島尾敏雄あるいはミホに関する記事が頻繁に取り上げられている。そういった記事の中で、ある日飛び込んできたのが、夫妻所縁の地である奄美で七月上旬に地元の特定非営利活動法人島尾敏雄顕彰会により記念祭が開かれる、というもの。しかも三日にわたって開催されるという記念祭の掉尾に行われるシンポジウムには、島尾敏雄と親しく交友した沖縄の詩人川満信一も参加するという。私にとってまだまだ掘り足りぬ作家、島尾敏雄。島尾を敬愛しヤポネシア論の発展を図る川満信一。島尾敏雄、ミホへの関心から、読み、そして書いてもみたが、未だ訪れたことのない地、奄美。三拍子揃ったこの機会を逃す手はない。もう開催日まで間もない時期ではあったが、私は迷うことなく行くと決めた。一路、奄美へ。

記念祭に盛り上がる奄美

私にとって初めての奄美。七月七日に降り立った奄美空港、奄美大島東端の地からは、晴れた日にのみ望見できるという喜界島が鮮やかに視界に映る。快晴。

さて、その奄美は記念祭で盛り上がっている。奄美市の中心地、名瀬は宿が満杯。出遅れた私は隣町の龍郷《たつごう》町にしか宿が取れず。三日間行われた記念祭の各催事には、龍郷から名瀬まで毎日車で片道四十~五十分の「出勤」が必要……。しかし龍郷は西郷隆盛流謫の地であり、島妻愛加那と過ごした地。島尾ミホの生母長田マスが眠る地でもある。先に「加那島尾ミホ――奄美を持続低音《オルゲルプンクト》として生きた人」と題し、敏雄とミホ、そして西郷と愛加那について記した私にとっては絶好の地とも言える。何事も、ご縁ご縁。

記念祭初日である七日の催しは、島尾ミホの代表作の名を冠した新作映画『海辺の生と死』を全国公開に先駆けて特別上映する会。空港から宿、宿から上映会場である名瀬の奄美文化センターをレンタカーで移動。走るは国道五八号。鹿児島市から、種子島、奄美、そして沖縄那覇に至る国道。奄美における五八号は、その両側に蘇鉄や芭蕉など南国の木が目を惹く海沿いの道、そして密林ならぬ密森と表現したくなるような濃厚な密度を持った南国の山を縫う道。縫うというよりは刺し通すというべきか、奄美はとにかくトンネルが多い。これは地元の人からも「日本一トンネルが多い地域では」との言あり。「天気が悪いときはトンネル抜けるたびに天気が違うんだよ」とも。しかもつい四十～五十年前には「今日あるたくさんのトンネルは一つも無かったよ。名瀬から古仁屋に行くのも本当に大変だった」と。トンネルが無い時代は「密森」の峠道を越えてしか隣の集落に行けなかったわけで、集落を「シマ」と呼んでいたということや、集落ごとに言葉もシマ唄もバラバラだったというのもよくわかる。

話を記念祭に戻そう。レンタカー内で愛聴したあまみFMでも何度も記念祭関連の番組が放送されていた。奄美のおじいさんおばあさんが「島尾さん」「ミホさん」について思い出を島言葉で語ったり（私には殆ど判らないのだが……）。そして更には島尾敏雄・ミホ夫妻の孫しまおまほが記念祭に合わせて島に帰っているとのことで、ラジオに登場したり。道でもところどころに記念祭の幟が見られた。相当な盛り上がりだ。

さてしかし、記念祭初日の映画『海辺の生と死』について詳らかに書くのは本稿の趣旨と離れすぎるのでやめておく。一二〇〇席の奄美文化センター、私が参加したのは二回上映の二回目だったが満席だったこと。役者は五名のみで、あとの出演者は奄美の人、子供達だとのこと。内容はミホの傑作『海辺の生と死』のみに即したものではなく、島尾ミホ・島尾敏雄の複数の作品に材を採ったもので、原作『海辺の生と死』を格別に愛好する私としては残念であったこと。全国紙、地方紙、テレビ局の取材も多く見られ、関心の高さが窺われたこと、のみ記しておこう。

加計呂麻島散策ツアー

明けて二日目。島尾夫妻の跡を辿る。日頃は一人旅を好む私だが、今回は島尾敏雄顕彰会主催によるツアーに参加。奄美市役所に朝集合して加計呂麻島へ。夕方に市役所で解散するまでの往復の観光バス車中では地元の方々との話が弾み、色々教えていただいた。たまにはこういうのもいい。記念祭には茨城からの私を含め、愛知、沖縄、八王子など全国各地から参加者あり。直木賞作家葉室麟、南日本文学賞受賞者出水沢藍子さんも参加されていた。

そして島尾伸三ご夫妻、しまおまほさんもバス利用ではないが参加されていた。まほさんの小さなお子さんも。島尾敏雄・ミホの曾孫にあたるわけか……感慨深い。瀬戸内町立図書館での受付では、伸三さんからのプレゼントです、と参加者全員に小さなバッグが配られた。島の散策に便利なようにという心遣いだ。用意の悪い私はキャリーバッグだけで困っていたのでとても助かった。ふと見ると、バッグには一〇〇円ショップであるダイソーのタグがそのまま。伸三さんの飾らぬお人柄を感じた。伸三さんは加計呂麻島でのお昼にはお弁当やお茶を親切に配ってもいらした。

さて、バスツアーが通る道沿いには林和子さんの家が。島尾敏雄一家も一時期お世話になった家。林和子さんはミホの従姉妹にあたる方で（ミホの実母長田マスと、和子さんの母である林ハルさんが姉妹）、ミホ・敏雄が精神科の閉鎖病棟に入院した際に伸三・マヤを預かって奄美へ連れてきた方。普段から人前に出たがらない性質《たち》とのことだが、顕彰会から頼まれ、記念祭の幟を家の前に立てて、バスが通る時刻には自らも家の前に立ち、バスを見送って下さった。ミホとどことなく似たお顔立ちで不安そうな顔をされていて、手を振るわけではなく、人差し指を口許に当てて「シーッ」としているような仕草で……。

その後バスは奄美大島を一気に縦貫し、奄美大島南部の中心地である古仁屋に到着。我々一行は瀬戸内町立図書館で島尾関連展示を観たのち、水上タクシーで加計呂麻島へ。ミホが暮らした家であり、敏雄が特攻艇震洋隊の「島尾隊長」として訪れた押角の大平家跡地、ミホが勤めた押角国民学校（小学校）をまず見た。そしてミホが島尾隊長との逢瀬に通った海沿いの道ならぬ道を歩いた。干潮時を見計らってのツアーだったが、浜部分よりも磯部分の方が多かったか。現代人の我々は二時間近くもかかったろうか。ミホはここを満潮時に渡ったわけであり、しかもこのゴツゴツの岩場を裸足で歩いたとは驚きであった。

そんな我々のツアーは、炎天下で大変な道行きではあったが、浜ではたくさんの南国の植物が目を楽しませてくれた。右納《ユウナ》の花は黄色くてかわいらしい。ミホも好んだという。琉球夾竹桃の白い花も美しい。但しツアー同行の地元の方によると毒を持つという。そしてアダンの実も印象的。パイナップルのような見た目で、オレンジ色のもの。ガジュマルの木も多く見かけた。

そうして到着した呑之浦では、震洋格納洞穴、震洋レプリカ、島尾文学碑、敏雄・ミホ・マヤ墓碑を見学。文学碑の前で昼食をとった。そこには島尾家のルーツ、福島県小高町による記念植樹もあった。

その後諸鈍《しょどん》に移動、小栗康平監督講演聴講・映画『死の棘』を鑑賞。

小栗康平監督講演「島尾文学と映画――私は映画の作り手として、島尾さんの文学から何を学んできただろうか」

まず司会者の監督紹介での発言、「映画化については大島渚など多数から希望が寄せられたが島尾は断っていた。『泥の河』を高く評価していた島尾が小栗監督には許諾をくれた」

が印象的。

　監督の講演で面白かったのが、岸部一徳のトシオ役にはミホも松竹も大反対だったということ。特にミホはもっと美男子でなくては納得いかなかったらしく強硬に。しかし監督はそのまま撮影・公開。怒っていたミホだが、鹿児島での試写時にはなんとか顔を出してくれ、再度誼《よしみ》を通じることができた。しかしそのあとも「出発は遂に訪れず」を映画化してほしい、お金なら私も出すから、とこだわっておられた。やはり美男の俳優に演じてもらいたいという気持ちがずっと残っているのだな、と思ったと。

　また島尾文学は主語をはっきりさせない。島尾の人生も自らを受け皿にしていくような生き方。映画も似ている。映画には主語がない。「鐘が鳴っている」という日本語の文を英訳するのが難しいように、との言も得心。「受動」は弱いものではなく、遷り変わっていく世の中で受動の構えは大事になってくる、とも。

　そして、無用になって有用に縛られなくなることで自由が獲得できる、との言も貴重、心に残った。

映画「死の棘」

　続いて、ツアー参加者皆で一九九〇年公開の映画『死の棘』を鑑賞。この映画を他ならぬ敏雄・ミホが出逢った加計呂麻島で観るという、なかなかない機会。初見の私は食い入るように観た。感想を記しておきたい。

　まず演出が見事。最初と最後に、夫婦が平行して観客側を見て話す場面を置いたところなど効果的。映画が終わった後も続くであろう、真に理解し合うことのない二人の「平行線」を思わせるが如く。

　また、二人の回想として八月踊りなどの奄美の風俗を織り交ぜているのも、物語に奥行きを与えている。我々参加者としては、朝方通ってきたばかりの呑之浦、特攻艇震洋の風景も印象深い。松坂慶子による「行きゅんにゃ加那節」の哀調、子供たちの歌う「島尾隊長の唄」がトシオの脳内にフラッシュバックする場面など、歌の配し方も非常に効果的。私が原作中で記憶に残った言葉の一つ「アイサレタイトオモッタノハウノボレデアッタカ、モトメテアタエラレヌカナシミ」もしっかり活かされていた。

　子役が演じる伸一（現実には伸三）、マヤを見ながら、午前中お目にかかった伸三さんの佇まいを思うと何とも言えない気持ちになり、また昨夜観た『海辺の生と死』のラヴストーリーを生きた二人が十年後にはこうなったわけだ……と思い、暗澹たる気持ちにもなった。

　暗澹と書いたが、私は原作を読んで暗い気持ちにしかならず、石牟礼道子・島尾ミホの対談で「ユーモアがある」という発言があるのが納得できずにいた。しかしこの映画は上手にユーモアを入れている。会場からも時折笑いが起きていた。丁度いい具合に。うまい。

終映。若い恋人同士らしき二人がツアーにいたが、彼氏の感想が聞こえてきた。「超シュールじゃん」。そうなんだよ、若人よ、人生は時にシュールだと思うよ。頑張って生きたまえ。僕もそうするよ。

西郷南州謫居跡を見学、半島を巡り名瀬に出《い》ず

さて翌三日目。記念祭最終日の催事は午後から。午前は個人的に西郷南州謫居跡に向かった。先だって西郷と愛加那についてて記した私としては措いておけない。

西郷南州謫居跡では、愛加那（本名：龍《りゅう》愛子）を出した龍家の当主である龍昭一郎氏が、西郷と愛加那について話してくれた。西郷は当初、龍家の本宅に仮住まいしていたこと。薩摩からは西郷に扶持米の仕送りがあったこと。その扶持米で龍家の敷地内に家を建てた、それがこの謫居跡であること。龍郷の港は薩摩に送る黒糖積み出しのために使われ、がゆえに番屋が置かれていた。だから「番屋の港」という呼び方をしていた。そして黒糖運搬船で西郷は龍郷に来たのだ、と。

西郷南州謫居跡では部屋の中にも入ることができ、ガラスケース内には西郷の真筆も飾られていた。近隣の人に手習いを教えた際のお手本を書いたものなどだ。また「龍丑熊」宛に、西郷と愛加那の子である西郷吉次郎から出された封書も展示されていた。「龍丑熊」は我が子二人を西郷の元に送り出した愛加那が甥を養子にとった、その人だ。西南戦争における西郷の戦死、吉次郎自らも片足を失ったことが書いてあるという。吉次郎は丑熊を通じて母に伝えたかったのだろう。

そして庭先には勝海舟の碑文による記念碑がある。この碑の除幕式には愛加那も出席したというものだ。そしてその後も愛加那はここに暮らし続け、農作業に出た際に脳溢血で倒れ、西郷と暮らしたこの家まで運ばれたが遂に亡くなる。享年六十六。

このあと国道五八号に戻って名瀬に行くのが一般的なルートだが、昨日のバス車中で親しく話した方に「謫居跡に行くなら、そのあと県道を使ってグルーッと半島湾岸を廻ってきた方がいいよ。東シナ海の景色を見てきたら」とお勧めいただいたので、そのコースを行ってみた。蘇鉄群生地、芭蕉群生地、野生のハイビスカス、内海とは風合いの違う東シナ海、磯の岩山に生える蘇鉄、大熊《だいくま》展望台から見下ろす名瀬の街・名瀬湾の風景、などを楽しめた。

暫《しば》しの一人旅はここまで。午後からは島尾の世界に戻る。

島尾敏雄文学碑・旧宅跡

半島巡りを終えて名瀬に入った私。午後の会場である鹿児島県立奄美図書館に車を停めて、徒歩で向かったのは案内標識で見た「島尾敏雄文学碑」。行ってみて驚いた。これは文学碑どころではない、碑の後ろに在るのは島尾一家が穏やかな日々を過ごした官舎ではないか！　しかも、中も見学できる……。これは来て良かった。縁側から上がっていいですよと言うボランティアの方の言葉。都市計画のせいか、昔とウラオモテが換わってしまっているので、と。いえ、何事も玄関から、と裏手に廻ってみて立ち止まった。この玄関は……。敏雄、ミホ、マヤがにこやかに笑っている写真でよく見たあの玄関だ。廻ってよかった。

中の展示も、在りし日の一家の暮らしぶり、書斎の在りようがわかり、よいものだった。中でも書斎の書棚に鈴木孝夫著『閉された言語・日本語の世界』があったのが、鈴木孝夫研究会発起人・世話人の一人を務めた私には見逃すわけがあり得ない、嬉しかったところ。さすが鈴木孝夫、さすが島尾敏雄、である。

さて午後の催しが開かれる奄美図書館へ。移転して装いを新たにしてはいるが、この図書館こそは島尾が初代館長を務めた奄美分館の流れである。そして現在その一階には島尾敏雄記念室が設置されている。この記念室の入り口にはその設立に力を尽くした方々の名前が掲示されており、その中にまさしくこの日の朝刊（南海日日新聞など）で逝去が報じられた藤井令一（南島文学・島尾敏雄研究者）の名があり、改めて追悼の意を深くしたことであった。時間がなく、展示はザッとしか見られなかったが、その中で最も記憶に残ったのは、島尾が「死の棘」で日本文学大賞を受賞した際に語った言葉――「終わりの十二章まで書き終えた今は、この小説に、深刻なばかりでなく、どこか滑稽なところもあることが読み取ってもらえるようになりほっとしています」――であった。「死の棘のユーモア」はミホ、石牟礼道子が勝手に見出したものではなく、作者である島尾敏雄自身が企図したものであったのだ。映画でも醸し出されていた「死の棘のユーモア」は、島尾によって実に高度に織り込まれたもの、であったのだ。

シンポジウム「島尾敏雄と奄美」

さて午後の催事だ。地元奄美小学校六年二組の女の子二人が、島尾による『東北と奄美の昔ばなし』から「三人の娘」を朗読してくれたのち、島尾ミホを描いた六〇〇ページ超の圧倒的な大著を書いた梯久美子の講演が第一部としてあった。私も読んだが、このレベルのノンフィクションにはそうそうお目にかかれないと思う、凄い作品だ。読了している私には既知の話が多かったが、語りで聴くのはまた違ったもの。楽しめた。

そして休憩をはさんで第二部は、梯、川満信一、西尾宣明、越川道夫、築島富士夫、澤佳男の六氏によるシンポジウム。

初めて見る川満さんの第一印象はお洒落、にこやか、爽やか、ただし腕は頑強。しかしシンポジウムの間は不機嫌なように見受けられた時間帯もあり、また梯氏に質問を仕掛けるなどの局面もあり、韜晦的でそう一筋縄では読めない方だと思われた。しかしシンポジウム後にご挨拶させていただき、持参していた『沖縄・自立と共生の思想』を持ち出して読者です、と挨拶した時はにこやかにご対応いただき有難し。

シンポジウムは表題を「島尾敏雄と奄美」と漠然と置いたことが徒《あだ》となってか、或いは席の配置にもう一工夫必要だったか――左右の端に座った進行役の澤氏とパネリスト築島氏との間に議論の方向性を巡って不穏な空気が流れ、中央に座る西尾氏が座を取りなす発言を入れる、などとなかなかスリリングな展開になった。しかしいずれにせよ紙幅の都合もあり全ては記録しきれない、記憶に残る発言を幾つか記しておくにとどめたい。

川満氏――今年出版された島尾の講義録『琉球文学論』を推奨。文学論に止まらず内容は琉球・奄美の文化論である、僕らはこれを読んで目を覚まさなきゃいけない。これを読むと、何故島尾がここまで琉球弧に入れ込んだのかも判る。弥生・稲作は「定着」「縄張りを守る」「防衛の気持ち」をもたらした。縄文・島の民はそんなものに毒されず開放的。

梯氏――『死の棘』はミホの内面が全く判らない、解釈しないところがすごい。最も身近な妻を、訳のわからない他者として描いた。

西尾氏――島尾における戦争の取扱は、戦後すぐの『出孤島記』等と、六〇年以降の相対化された戦時物とで質的な違いがある。

同氏――『死の棘』とヤポネシア論は同時期と指摘。同時並行であったと。そして『死の棘』を書き終わった時期に、島尾は奄美を去った、と。

同氏――「第三の新人」と言われた中で島尾、遠藤周作、庄野潤三、安岡章太郎と、少なくない人々がカトリックであったという共通点を指摘。

澤氏――島尾夫婦は、戦時の非常時ゆえに現実以上に美化されたお互いを見てしまっていたのではなかったろうか。

越川氏――伸三さんから聞いた言葉として、「内地商人の子と島娘。二人は『システムが違う』のだ。既に死の棘は内包されていた」を紹介。

築島氏――谷川健一の言にある「北の旅人」のように、奄美に来た北の人々は多く、奄美にとっての島尾も「北の旅人」、そして奄美に本当に沢山のことを残してくれた最も大事な旅人であった。文学以外の社会的な面でも、島尾は奄美のために沢山のことをしてくれた。そして私たちのコンプレックスを無くしてくれた。

もう一つ、印象に残ったのは、これらの講演、シンポジウムのあいだ、身じろぎもせず黙って聴き続けていらした伸三さんの姿であった。ご両親にまつわる相当微妙なお話も多かったが、達観の境地に着かれているのかと思われた。

島尾敏雄生誕一〇〇年記念祭大団円

シンポジウム終了後は懇親会に参加。主催者からの短い挨拶に続いて、共催・後援の自治体等からの四つもの挨拶が続き、内容の重複も相俟《あいま》ってツラくなってきた。しかしそれでも乾杯に行かず、乾杯前に祝歌、祝舞《しゅくぶ》が有ったのが新鮮だった。実にフォーマルな在りようだと思う。顔触れも奄美の最高峰が揃っていた。唄は奄美島唄の第一人者西和美さんと、若手のホープ前山真吾さん。すばらしい唄と三線だった。

そして待ちに待った乾杯のあとは島尾文学愛好者同士の打ち解けた歓談がそこかしこで花開く。そんな中を夫婦で挨拶回りする伸三さんを見てお人柄を知り、太鼓をホテルマンが打ってその上手さに驚き、奄美文化センターで一昨日観た映画『海辺の生と死』を白黒だと思って観たのだが、本当はカラーだったものが機材の出力不足で白黒に見えたのだと聞いてまた驚き、今日は伸三さんの誕生日だと聞いて三度《みたび》驚き、金久正の娘さんの話と伸三さんからの親族挨拶では言語学者服部四郎の話も飛び出して興味深く聴き。そして川満さんは島尾敏雄がポーランドの旅の土産に持って来てくれたスピリタス（アルコール度数九十六度！）を何十年も持っていたが今日開けるといって持参され皆で御相伴に与かり、と愉しい宴は過ぎていった。

時は瞬く間に過ぎ、奄美では必ずこれで〆るのだという島唄「六調」が始まった。ステージ上に、伸三さんも、しまおまほさんも、そのお子さん――敏雄・ミホの曾孫である幼児も上がり、地元の方もどんどん増えて踊りまくり、宴は最高潮に達して大団円。

最後に、閉会の言葉が島尾敏雄顕彰会副理事長の朝木一昭さんからあり、これがすばらしかった。だいぶ酔いました、と話したかと思うとアカペラでなんとも温かでかつ哀調も感じる唄を唄って下さった。三日間の祭の終わりに沁み入る歌だった。私のように言葉が聞き取れない参加者のために「いつもこの様な日が続きますように」と歌いました、との言。実行委員会の皆さんでこの三日間のために一年かけて準備してきたとの言葉が胸を打つ。すばらしいお祭に心から感謝したい。

この旅、先達からのアドバイス「名刺がわりに、君の文が載っている『脈』の島尾特集を数冊持っていった方がいいぞ」を受けて持参してきていた。しかし実は根が引っ込み思案の私は、そうそうお渡しする機会が持てず、結局お一人にだけ献呈した。それが朝木さんだった。伸三さんと同年で仲良くしているという朝木さんは、バスツアーでも道中のガイドをして下さるなどずっと温かなお気遣いを絶やさない方――そのお人柄に感服してしまい、前日市役所での解散後に話し掛けてお渡ししたのだった。この旅で一番の収穫が朝木さんのお人柄に触れたことだったかもしれないとも思う。

　散会時、出口で客を見送る朝木さんと握手させていただいた。三日間、本当にありがとうございました。素敵な記念祭でした、と。朝木さんからは、「昨日は本をいただいて本当にありがとう。今日の最後の日が終わるまでは記念祭のことで頭がいっぱいで昨夜は読めなかったよ。ごめんなさいね。必ず読むからね」との言葉が。昨夜読めなかったのは当たり前ですよ、朝木さん。私は奄美が好きになりました。必ずまた来ますね。

「その言葉は本当に嬉しい。（来る時は）必ず連絡してよ！じっくり飲んで、話そうね」

　すばらしいお祭の三日間が、こうして終わったのだった。奄美、ありがとう。朝木さん、皆さん、ありがとう！

奄美に思う

　こうして私の初奄美、祝祭の三日間が終わった。この日々を通じて最も刻まれたのは、如何に島尾が奄美に愛されているか、であった。この記念祭は本当にすばらしい準備と運営が尽くされていた。主催した島尾敏雄顕彰会は記念切手まで作成、販売していたほどだ。島尾が奄美に遺したものの大きさが思われる。

　そして川満さんが島尾敏雄に持つ敬愛の念も印象深い。シンポジウム、懇親会の間を通じ――悪戯っ子のような表情で島尾の女性関係について語った時も含めて――一貫して島尾に対する敬愛の念が篤く示されていた。島尾からのポーランド土産のスピリタスについて「何故か残っちゃってね」などと照れ隠しの言を弄していたが、やはりそれも敬愛ゆえと思われるし、それを生誕一〇〇年祭で同好の士と開けるというのもまた同じ思いと感じ入った次第だ。

　そして「琉球弧」が日本全体を折に触れて鏡となって照射するという島尾の言葉通り、現在がまたその「折」の一つであるとも感じた。沖縄の民意と国の強制との対立、既に陸・海・空の自衛隊基地・駐屯地が在る奄美に、たった一度の住民説明会のみで更に新たな配備が進められ、島唄で知られた嘉徳《かどく》の地にも槌の音が響いていること――これらが現代日本の歪んだ在り方を逆照射していると感ぜずには居られない。

そんな中央集権的かつ閉塞的な現代日本を如何にせん……それこそが川満信一が示した「琉球共和社会憲法私（試）案」の思いであったろう。シンポジウムにおいても、川満さんは自分のもののみならず多数の人によって草の根から憲法が作られた試みを、この社会を「内側から解体」するための大事なものだと強調していた。

一方で私の脳裏には以下の問いが生じた。奄美では沖縄のように草の根憲法を作る試みはなされたのだろうか？ そして現代における沖縄と奄美との共通点と違いは？

これらの問いにはおいそれと回答など思いつかぬ奄美初心者の私である。これから問い続けていきたい問いが生じた、とのみ記しておきたい。

短い今回の奄美旅で日本復帰を言祝ぐ「日本復帰の歌」の歌詞を二度も見たことが一つのヒントになり得るのだろうか。一度は瀬戸内町立図書館の庭の石碑で、そしてもう一度は名瀬の街角の看板でそれを見かけたのだった。奄美の方たちは今でも復帰を喜んで下さっていると思ってよいのだろうか。そしてこれからも……。

そんな問いを頭の中でグルグルと巡らせながら、復路機中の人と相成った。もっと奄美を知りたいと思った旅だった。島尾敏雄・ミホ、川満信一についてももっと。

魂の奥底に残り続けるような深い出逢いをもたらしてくれた、この忘れがたき旅。奄美ありがとう。すばらしい自然、人との出逢いがあった。また来ずにはいられないよ。

奄美よ、さらば。いずれまた！

王様と少女――上野英信の眼差しから学びしこと

わたしたちはみんなカンボジアの少女です。わたしたちはみんなミャンマーの少女です。

　アジアを旅するたびに、私は呟く。上野英信が『地下戦線』三号で「わたしたちはみんな炭鉱の労働者です」と記した顰《ひそ》みに倣《なら》って。

　彼《か》の地を訪れるとき、私などは所詮いっときの旅行者・傍観者に過ぎない。しかし訪《おとな》ったからには少しでもその地のことを知りたい。単に知識としてではなく、出来る限り実感を持って。その為に必要となるのが、自らの内から当事者性を汲み出す姿勢だ。

　上野が記した言葉は、単に「身を置き換える」「我が事として考える」などという生やさしいものではなく、この世の重層構造を認識し、そのなかで自らの位置を極限まで相対化することで当事者性を持とうとする姿勢を示すものだ。上野が持つその姿勢、眼差しを学ぶ試みとして本稿を記す。

カンボジアの地にて

二〇一八年冬、私はカンボジアを訪れた。アンコールワット等の世界遺産を有し観光で成る街シェムリアップと、首都プノンペンと。

　シェムリアップで出会った少女は土産物の辻売りをしていた。無論ここでいう「辻売り」は、上野が『眉屋私記』で記した沖縄の「辻売り」すなわち辻遊郭（那覇市）への少女売買とは無関係、路傍で物を売るという意味だ。しかし違う意味の二つの「辻売り」がどうにも重なって見えて仕方なかったのは、その社会的情況の類似ゆえかと思われる。どちらも貧困を原因としており、片方は土産物を売り、もう片方は身を売られる……。

　上野英信の著作を幾つか読んでいた時期であったため、カンボジアの少女が英語で「トゥー・ダラー・フォー・スリー（三個で二ドル）」と言いながら土産物の磁石を差し出してくるのをかわしながら、どうにも二つの「辻売り」の類似をボンヤリ考えてしまっていた私は、無意識に「要らないよ」と日本語で独白した。

　すると少女は途端に日本語に切り替え、「いらないじゃないよぉ。四個で二ドルでいいよぉ」とさらに押してきた。私の脳裏には二年前に訪れたミャンマーで扇子を辻売りしていた少女との出会いも重なってきてしまった。ミャンマーの少女も英語や日本語などを駆使していたな……。そんな混乱した頭で、ついつい四個二ドルで磁石を買ってしまった。子どもの辻売りから物を買うと、親が学校に行かせずに辻売りに行かせてしまうから良くない、頭ではそう判っていたつもりだったが。少女は意気揚々と仲間の少女の元へ引き揚げていった。辻売りにはブローカーがいて、手元に残るのは三割程度だというから、そんなに少女の足しにもならないだろうが……。

時あたかも、同じシェムリアップの少年が十二ヵ国語を使い分けて辻売りをする様子を観光客が映した動画が、インターネットで耳目を集めていたことを帰国後に知った。観光客との会話だけからそれだけ多くの言語を身につけたという少年は自分の夢は学校に行くことだと語り、その様子が国内外多くのメディアで取り上げられた結果、カンボジア赤十字社が彼とその兄弟全員の学費を援助することになったという。美談として巷間語られているが、事はそう単純ではないだろう。偶然によって見出された彼と彼の兄弟だけが救われればいいのか。また援助を受けて学校に行けることになったという彼が本当に救われたと言えるのか、それは彼の人生を長期的に見なければわからない。

いずれにせよ私が出会った少女も、インターネットで見た学校に通えることになったという少年も、貧困などの情況ゆえに学校に通っていない状態だったと思われた。そして二人ともに純朴な目で、かつしたたかに商売をしていたところも共通していた。

シェムリアップで多く見かけ、私も乗ったトゥクトゥク（三輪タクシー）の運転手も、朴訥なようで、意外と商売上手だった。水をサービスだと言って私に手渡してから交渉を始めるといった具合に。

でもそれは当たり前。田舎＝素朴というような定型に当てはめようとする方がおかしい。瞳には純朴を残し、立ち居振る舞いにおいては商売上手に行こう——それが少女や運転手の在り方であったし、翻ってまさしくそのまま、商用で彼の地を訪れている自分自身のことでもあるのだった。

その後首都プノンペンに移動して商用に当たった私だが、合間を縫ってプノンペンの街を歩きもした。そこにはカジノまであり、現代資本主義社会の波は、かつてクメール・ルージュによる大量虐殺があったこの地にまで押し寄せてきているのであった。

そして、入場料を取って一般人に観光させる金ピカの王宮にも驚かされた。王様の家であるこの宮殿の広大さと豪華さといったらどうだろう……。地方都市や農村部で見たもの、出会った少女や運転手たちと、首都にある王宮とのあまりの落差に眩暈《めまい》を覚えた。

持つ者と持たざる者、天皇としての上野・谷川

ヘミングウェイが書いた『持つ者と持たざる者』を思い出す。生硬過ぎる、あるいは人称をコロコロ変えるといった書法的冒険が過ぎる、などの理由からあまり読まれていないヘミングウェイ作品。私も以前読んだ際には相当苦痛を伴った覚えがある。

今となっては内容もほとんど憶えていないぐらいのこの作品だが、題名のインパクトは今でも忘れない。To have and have not ――これは、我々が生きるこの世の中の問題点全ての根源にある、原初的な問題であろう。金を持つ者持たざる者、権力を持つ者持たざる者、既得権益を持つ者持たざる者――あらゆる所有と非所有の問題が、あらゆる場所にある。収奪者と被収奪者、権力者と大衆、資本家と労働者、中央と地方、先進国と後発国、核保有国と非保有国。男と女、親と子、兄と弟、姉と妹。水源を持つ国と持たざる国、油田を持つ国と持たざる国、レアメタルを持つ国と持たざる国、国連安保理における拒否権を持つ国と持たざる国。大陸と島国、本島と離島。

そして全てのスケールにおいて、この関係が何重もの重層構造になっているのが、我々の生きる世界だ。先ほどの「王様と少女」を例として考えてみたい。

王様と少女は、村長と村人、庄屋と小作とも言える。「庄屋と小作」という関係における庄屋は持つ者だが、「代官と庄屋」という関係においては持たざる者となる。同様に王様も「王様と少女」という関係においては持つ者だが、彼とて社会の重層構造内の住人であることは逃れ得る筈もない、同時に持たざる者であるのだ――より富んだ国との関係を見たとき。

もちろん、王様が常に持つ者で、少女が常に持たざる者だとも限らない。物差しをお金や権力から別のもの、例えば純朴や魂の平穏といったものに置き換えれば立場は逆転しうる。視座の数だけ重層構造はある。

そして、上野英信が自らの闘いの場とした筑豊における資本と労働者、さらには現代に続く中央政府と沖縄の問題においてもまた同様に重層性があることは言うを俟《ま》たない。

この関係性、重層構造内での位置の問題は、上野英信、そして一時期彼の同志としてともに交流誌『サークル村』を発行し、後に決裂した谷川雁、の両名自身についても当てはまることに思い至る。奇しくも二人は「天皇」と呼ばれ、あるいは書かれたことがある。上野については、ご子息である上

野朱が以下のように書いている。(1)

——まったく父は天皇であった。それも武装した天皇であった——

——民衆の悲しみに寄り添う上野英信と、妻に対して絶対的服従を求める上野鋭之進との矛盾——

——本当に仕事をしようと思えば家庭などに足を取られてはいけない。それはわかっているのだが——

また、谷川についても、彼自身がいない場ではあったが、大正鉱業退職者同盟の若者が「谷川雁は俺たちの天皇であり、法王だ」と発言したという証言がある。(2)『無名通信』創刊時の森崎和江への抑圧ぶりも「天皇」的であると言えよう。「持たない者」側に立ったと言える彼ら二人も、或る一つの構造の中では「持つ者」であったのだ。

かように思考を凝らしてくると、一つの構造内の自らの位置という問題に、より自覚的だったのは上野英信か谷川雁か、とつい考えたくなる。次に二人の関係性をおさらいしながら考えてみたい。

サークル村の二人、「こわれた人間」という自覚

上野英信と谷川雁、対立項として見られることが多い二人ではあるが、ズームアウトした俯瞰的な位置、あるいは一段階高次から見れば共通項があるのは当たり前だろう。昨今、共通項の方が見逃され、あるいは見過ごされすぎてはいないだろうか。

上野が谷川に語ったという「まるで薩長連合ですなあ(3)」がいみじくも言い表しているように、彼らは元来異質であり、かつ外部から見れば一つの連合と見られる位置にいたのだ。しかし別の言い方をすれば同床異夢とも言えるだけに、彼らの連合は長くは続かず、約一年で上野英信が物理的に引っ越して行き、活動としても身を一歩退くこととなるわけだが。

さて、その時期に谷川雁が記した一文がおもしろい。雁が名文家であることも改めてよく判る。『サークル村』第二巻第九号（一九五九年九月号）に掲載の「荒野に言葉あり——上野英信への手紙」がそれだ。ここでは、これを見ることとしたい。上野が主には健康問題を理由に、しかし運動の方向性を巡っての決裂も孕《はら》んで去ったことで周囲が動揺した、それを弥縫《びほう》せんとして書かれた文章だ。「英信兄」から書き出した一文は、のちに激越なまでに上野を貶《けな》す(4)のとは相違し、実に気を遣って書き記されている。

ここで谷川は二人の相違点と共通項を実に明晰に分析記述している。

——原爆症と結核。党内の分裂。同じ力につきあたっては別な方向にはじかれてきたわれわれ。しかもなお究極的にそれは一つの牧場の中での出来事であるという認識。そんな風に認めざるをえなくなったときの怒りと疲労……「こわれた人間」という意識だけがわれわれの共通項なのに――

谷川は、一段高い視座から「一つの牧場の中での分裂」と自分たちを客観視している。そして共通項もきちんと抽出している。

さらには、「われわれの最初の関係はある種の決裂と対峙からはじまり、それは今日いささかも変化していない」と明確に言い切り、「ぼくは意見の対立を求めていました。これまでの生涯にぼくが得たものといえば、単なる愚鈍さから生まれたはぐらかしか、無限に遠い距離を感じさせるよりほかに何も残らない同意でしかありません。うちのめされないことにいつもうちのめされて、よろめきつづけてきた人間に必要なのは対話それだけです」と続ける。上野の翻意と、周囲の動揺の沈静化を二つながらに狙った、実に谷川らしい戦略的文章であり、しかも多分に本心を語っているものと言えよう。

ここで谷川が提示した「対話」という言葉は谷川の思想のキイワードの一つである。「対話」「顔の見える関係」「集団創造」を本気で志向した谷川雁。もう少し続けて引いてみたい。

――しゃべりたいという欲望はどこかに心おきなく身を任せることのできる領域を志向しています。それがありあわせの形で存在しないことを百も承知しながら、最大限綱領としての対話を求めようとすればまず最小限綱領として片輪な会話に賭けるよりほかに道はありません。そのような経過で生まれてくるコミュニケーション、それがサークルの出発点です――

――それはいわば言葉もなく通じてくる世界を建設しようとする欲望でありましょう。けれどもそれを獲得するための闘いを展開するには、最小限の対話が不可欠です。それは対話であり、決して独白であってはなりません。もっともそれがやむをえず結果としてひとりごとに終ることはあるにしても、「こわれた人間」にかすかな生の意義をみいださせるのは対話のなかにある独白の質ではなくて、独白のなかにも存在する対話の質であります――

実に谷川らしい含蓄に富んだ名文だ。

しかしさて、それでは谷川が上野との共通項だという「こわれた人間」という意識とは一体何なのか。先を読んでみる。

——ぼくとあなたの理論的一致は「こわれた人間」としての自覚から進んで、異質なものの衝突という一種のモンタージュ説にまではたどりついていると思います——

このあたりからこの短い文章は後半に入るが、谷川は自説を一歩前に出し、上野を折伏《しゃくぶく》するかのようなトーンになってくる。上野の沈黙あるいは自己抑制を、「負のエゴイズム」「エゴイズムの影」と定義する。丁寧に気を遣って書いてはいるが遠慮はしない。そして文章は「こわれた人間」の定義に至る。

——ぼくはもう「こわれた人間」です。あなたもそうだと考えていました。それはぼくの早のみこみであったかもしれません。あなたの場合は原爆被災という記憶がすべての経験をそこへ集めてしまうことによって実際の傷を逆に縫い合わせているのだと気がつきます——

——ぼくはあなたが言葉と沈黙という関係をおしつけるのに、きりきりと歯がみしたくなるのです。言葉と沈黙、その対比は一九四五年で完全に終わったのではありますまいか。言葉と原爆……そういう風に世界はあれ以来変ったのではないでしょうか——

つまり一九四五年の原爆という、より大きく高次に暴力的な攻撃を受けたことによって全ての階層構造は無意味化され、違う階層の人々が「握手」をしたと谷川は言うのだ。そして

——出発点からはじまってきたわれわれの対峙を言葉と沈黙という対比ではなく、なんらかの思想の符合に組み替え、対話を成立させること、それがサークル村の実質的な誕生日であるとぼくは考えています——

と記し、自らの「言葉」と上野の「沈黙」とを対比させるのではなく対話を、と呼びかけるのだった。

谷川のこの呼びかけを受けてか、上野は形としてはサークル村への関与を続けるが、例えばこの三ヵ月後に発行された『サークル村』第二巻第十二号（一九五九年十二月号）に掲載された二人の対談「大衆形式と労働者の顔——『親と子の夜』批評」（末尾に文責：平野とある。平野滋夫によってまとめられたものと思われる）の嚙み合わなさを見ると、やはり薩長連合というよりは呉越同舟というべきか、彼らの共同の難しさを感じずにはいられない。

嚙み合わないだけでなく、話している分量としても圧倒的に谷川が多く、バランスが取れていない。谷川が圧倒的に谷川が四十行ほど

語ったのに対し、上野の答が「そうだ」のみ。また谷川の語りへ……、という部分には思わず苦笑を禁じ得ない対談。言葉の谷川と沈黙の上野、その対比は残念ながら乗り越え得なかったようだ。

当事者性と相対化

上野英信と谷川雁の関係性をおさらいしながら、二人のどちらが、一つの構造内の自らの位置という問題に自覚的だったのかを見たいと企図した。それを見るにはいささか不向きな文章を採ってしまった感があるが、この文から見えてきた二人の視座の「ズレ」こそが、この二人が長く共同しえなかった根因だと気づくことはできた。前節に引いた谷川雁の文章のみを見れば、雁の方が一段高次から二人の関係性を整理しえていたように思われる。一方で上野英信はこの決裂の問題をこの時点で既に自らの問題とはしておらず、沈黙あるいは「そうだ」程度の応答にとどまっている。谷川雁の見事な論の展開にもかかわらず、それは全く上野英信には届いていないかのようだ。なぜだろう。谷川雁が「一段高次から」見事に状況を腑分けするのに対し、上野英信はそもそも「一段高次から」見ることを決してしない人なのではないだろうか。上野英信の目線は、常に彼自身のテーマであり続けた「わたしたちはみんな炭鉱の労働者です」という社会の捉《とら》まえにこそあるのだろう。

この社会の諸問題を見ようとするとき、ひとはそれを客観的に分析しようとしてしまいがちだが、本当に或る対象の問題を知り、解決したいと願うなら、まず自らの中の当事者性を汲み出すことをしなければならない。自らの内なる「炭鉱労働者」、「カンボジアの少女」を汲み出すことから始めるのだ。上野英信が社会の諸問題に向き合う姿勢から私はそれを学んだ。

社会には構造的な様々な問題がある。本稿で記してきた「王様と少女」が何重もの重層構造になっていること、上野や谷川のような人であっても、ある地点では「天皇」であったりしてしまうこと、すなわち自らが或る構造の下部であり、別の或る構造の上部にもなってしまうという問題もその一つだろう。こうした問題に取り組む際に大事なのは相対化である。簡単なことではないが、当事者性と相対化の双方を同時に持つことが必要なのだ。いかに自分自身も含まれる問題を相対化し、客観視できるか。それが社会問題を考える最初の一歩だ。

しかし相対化、客観視を進め、突き詰めすぎると、ひとは諦念に至る。そして諦念に至ったさらにその先にある生き方こそが重要だ。

一般的概念としては、諦念の先は悟り――寂滅・解脱となろう。しかしその先にはもう一つの生き方がありうる。すなわち諦念を持った上で、悟り方向に行くのではなく、世界の構造・社会の構造に自分の現在地から向き合う、対峙するという生き方だ。

後者の生き方、つまり諦念から生まれる思考や行動というものがある。諦めるという言葉は、物事をあきらかにするとの謂《い》いだという。上野英信はこの生き方を生きたのではないだろうか。彼の作品を読んで私はそう感じる。原爆に遭った際に彼の相対化は一気に為され、その後の人生を規定したのではないだろうか。

彼が聞き書き・ルポルタージュを行う姿勢に、自我などというものも社会の構造のなかでは、ほんの小さな概念に過ぎないという諦念を確固として持った上で、自分の出来ること、したいこと、するべきと思うことをする、という人間の勁《つよ》さを見る。

政治運動においては対立軸が重要になってくるだろうが、文化運動においては対立軸ではなく構造の捉《とら》まえこそが重要だ。上野が講演録「解放の思想とは何か」の中で語ったエピソードとして、彼が炭鉱に入ってしばらくした頃に酒席で「炭坑節」を歌ったところ、年取った坑夫に「エタ節を歌うな」と怒鳴りつけられたというものがある。これなど何とも哀しむべき重層構造といえるだろう。しっかりとこの構造的問題に向き合う姿勢とアンテナを有した上野だからこそ、こういった出来事に立ち止まることが出来るのであろう。彼が『地の底の笑い話』において幽霊話を記す時、そこに単なる録音的な記録ではなく、温かな眼差しを感じるのも、その姿勢とアンテナゆえだと思うのだ。先ほどと同じ講演で彼が、鉱山で語られる幽霊話について「非常に優れた部落の思想というもの」「こういうすぐれた民話」と語っているのも、彼の姿勢を如実に表しているだろう。

人間は無意識に自分の位置を何らかの階級に位置付けてしまう生き物ではないだろうか。その方が身の処し方としては楽だから。しかし世界の重層構造をあきらかにした時こそ、ひとは自らの位置を相対化でき、どの位置にも立つことが出来る自由さを獲得しうる。

現代は、自らの内から当事者性を汲み出すどころか、自分あるいは「自分たち」以外は全て敵だとみなすような輩《やから》、社会の位置を上下関係にしか見ず、「勝ち組」「負け組」などというあまりに粗雑な言説を弄する輩《やから》が跋扈する時代だ。そんな時代に抗《あらが》って、自らの内から当事者性を汲み出し、社会の全ての位置に自らを置きうる相対化を獲得する――そんな姿勢を持つべきだ。私は上野英信の眼差しからそう学んだ。

わたしたちはみんな炭鉱の労働者であり、カンボジアの少女であるのだ。

注

（1）上野朱「還らぬ右手に」径書房刊『こみち通信　一五』一九八八年四月号。特集『追悼・上野英信』内

（2）松本輝夫『谷川雁　永久工作者の言霊』二〇一四年　平凡社新書

（3）谷川雁「報告風の不満――九州の情勢をめぐって」国民文化会議刊『国民文化』三号（一九五九年二月）

（4）谷川雁「〈非水銀性〉水俣病・一号患者の死」集英社刊『すばる』一九九〇年六月号

葉室麟 惜別賦──含羞と清冽の人へ

作者と作品と、双方から感じる印象が非常に近い場合と遠い場合がある。葉室麟は前者であった。私は幸運なことに生前の葉室と一度だけ出逢い、言葉を交わすことができた。その際の葉室の佇まい、受け答えは、まさしく作品から感じる印象とほぼ同じなのであった。

含羞と清冽──葉室の作品の登場人物から、そして葉室自身から感じた私の印象はそれだ。

その出逢いから半年後に葉室さんは亡くなった。得難いものであったあの時の面影を振り返り、今も愛読玩味している作品群を愛でながら、想いの随《まま》に本稿を綴りたい。(なお、本稿では原則として、実際の出逢いに関する箇所では「葉室さん」、作品を語る箇所では「葉室麟」「葉室」と記す)

忘れ得ぬ邂逅

「奄美へ──島尾敏雄生誕一〇〇年記念祭　参加記」で記したように、二〇一七年七月初旬に奄美大島で開かれた「島尾敏雄生誕一〇〇年記念祭」で、私は一度きり、葉室さんに邂逅している。当時朝日新聞に連載中で、葉室さんの没後に朝日新聞出版から単行本として出版もされた『曙光を旅する』の取材の一環として、葉室さんは奄美に来られたのであった。

当時、葉室さんが病魔に冒されているということを私は仄《そく》聞《ぶん》していた。そしてこの記念祭に足を運ぶということも。お目にかかる機会があれば、身体に障らない程度に短く、愛読者の一人としてすばらしい作品群へのお礼の言葉を言いたいなと思っていた。

記念祭の詳細は以前の稿を参照いただきたいが、会期は三日間にわたった。初日は映画『海辺の生と死』鑑賞、二日目は加計呂麻島で島尾関連文学散歩と小栗康平監督講演・映画『死の棘』鑑賞、三日目最終日はシンポジウムと懇親会。葉室さんは病身であったのに、三日間通しての参加であった。特に二日目の加計呂麻島ツアーは、のちに島尾敏雄と結婚する大平ミホが戦時に駐屯中の島尾隊長に逢うために通った磯を辿ったのだが、大平家のある押角から駐屯地のある呑之浦まで炎天下を二時間近く、しかも岩場の悪路を歩き続けるものであった。死の半年前であった葉室さんがこれに参加したことがまず驚きだ。この一事からも葉室さんが島尾敏雄文学に寄せる気持ちの深さが明らか。

　そのツアーは呑之浦にある島尾文学碑の前で昼食休憩となり、そこで私は葉室さんと言葉を交わしたのであった。「愛読者です。蜩ノ記、秋月記、銀漢の賦……などなど愉しませていただいています」――他愛も無い挨拶だが、お身体を思えばこの程度しか言えなかった。葉室さんは面《おもて》にはにかみを見せながら、「それはどうも……、ありがとうございます」と答えてくれた。病身を押して二時間歩いた後の休憩時にファンに捕まって面倒だなというような素振りは全く無く、ぶっきらぼうというのでもなく、照れながら、はにかみながら答えた葉室さん。含羞、はにかみ、羞じらいといった気持ちをハナから持っていないような、厚顔無恥、傲岸不遜、利己主義、傍若無人な人が増えた現代日本で、このような含羞の表情をされること自体が素敵なことだ。そして昨今は含羞の感情、表情を見ること自体が稀になっていることにも気付かされた。この感情、表情は、どうやら今や、葉室作品などの時代小説とその映像化作品でしか触れられない貴重なものになっているようだ。そして、もう一つ印象として感じたのは自然体だ。ファンよりも作家が上のような態度をとる作家もいれば、逆にファンサービス的な態度をとる作家もいるかもしれない。しかし、葉室さんはそのどちらでもなく、一人の人間同士として自然に向き合って下さった。その姿勢に清々しさを感じ、私は嬉しかった。そしてその清々しさが大病を抱えながらのものであるということを考えると、単なる清々しさというよりは、清冽としか言えないとも。葉室作品の登場人物を思い出してもそう、例えば『蜩ノ記』の戸田秋谷が切腹に至る日々を凛として生きる姿は、『曙光を旅する』で葉室が殉教を定義しようとしている箇所で「自分が自分らしくあることを守りたい。そのためには死をも恐れない」と記していることに繋がると思う。「自分らしくあることを守りたい」、この生き方こそ、葉室麟自身と葉室作品の登場人物とが共通して持つ清冽さの根っこなのだろう。

　このように、この一度きりの会話を通じ、「ああ、作品と作者から感じるものが同じだな、この方は……」と私は感じたのであった。後半生に怒濤のように書かれたたくさんの葉室麟作品の登場人物に共通するもの、作者のお人柄とも共通するもの、それが「含羞」と「清冽」という、冒頭にも書いた二つの言葉として、はっきりと私の脳内に浮かんだのはまさにこの時であった。

　葉室麟が「含羞」と「清冽」の人であるとして、しかし現代はその二つながらに欠けている時代と言えよう。さぞや生きづらかったろう。そんな時代の中で、そんな時代だからこそ、過去の日本に有った「含羞」や、「清冽」な生きざまを描いたのであろう。

読者が葉室の作品として思い出すのは、先ずは江戸時代の小藩ものかと思う。しかし『日本人の肖像』（二〇一六年　講談社）など読むと、葉室は古代から現代に至るまで実に広汎な知識を持ち、縦横無尽に語り尽くしており、その博覧強記ぶりに驚かされる。けっして江戸時代しか書けなかった作家などではなく、書こうと思えば何でも書けた方だとつくづく思う。実朝なども書いているし、晩年は西郷を始めとして幕末から明治にかけての著作を多くされるようになっていたが、それらも含めて、葉室は「本当に自分が書きたいこと」を書ける時代を選んで書いていた。そして「我がこととして書けること」を生涯かけて書いた作家であった。これらの時代、これらの舞台を選び、現代の我々に向けて、「含羞」を持ち、「清冽」な、「自分が自分らしくあることを守る」生きざまを書き遺してくれた人、それが葉室麟であったと言いたい。

島尾敏雄の文を書き写した青年時代

二〇一七年に奄美で開催された島尾敏雄生誕一〇〇年記念祭に話を戻そう。最終日に開かれた懇親会での葉室さんの挨拶も印象に残っている。

会場にいる著名人から一言、ということで司会者から何人かに挨拶が依頼された中に葉室麟も含まれていた。そこで葉室さんが語ったのは、島尾敏雄文学に熱中した青年時代の自分についてであった。概略、以下のようなことを葉室さんは述べられた——文学を志した若き日に何人かの先達に夢中になったが、中でも島尾敏雄の文学は一時取り憑かれたように愛読した。愛読しただけでは飽き足らず、島尾のような文章を書いてみたいと思い、島尾の作品を書き写すこともした。島尾独特の文体を会得するには書き写すしか無いのではと思ってのことであった。しかしその書写の作業は自分の心を病ませた。島尾独特の文体（筆者注：わざと文章のリズムを排して延々と蟻の行列のように或いは粘菌が覆っている地表がどこまでも続いているかのように連なっている——そして心理描写も排して事象だけを淡々と描きながらその裏にある筈の人間の心理の空恐ろしさを想像させずにはおかない）を写すことは、この上ないような苦行となったと。その文章に取り憑かれたようになり、精神の均衡も失ったようであった。遂にはこのまま続けたらどうにかなってしまいそうだと思い、書写をやめた、という体験を述べられたのであった。

そのお話をされた時の葉室さんは、公的な場での多数に向けての挨拶ということもあると思うが、一対一でご挨拶をしたときに見せた含羞は全く見せなかった。自分の島尾敏雄文学への思いを、熱を帯びて語られた。その態《さま》は五メートルほど離れた丸テーブルに座っていた私から見た時、文字通り微熱を帯びているように見えた、そんな印象が今でも記憶に鮮やかに残っている。

その挿話から私は二つのことを思った。

一つは、現在の葉室麟作品のどこからも、島尾敏雄文学の文体に倣おうとした若き日の足跡は見当たらないな、ということ。島尾の文学を愛読はしたが、自らの文体には為しえない、ということを前段に記したように体験的に実感し、自分の文体の模索・確立へと葉室さんは向かわれたのだろうと拝察したことであった。

もう一つは、歳を経てから、五十四歳での文壇デビューとなった葉室さんが若き日から文学を志していたということ。考えてみればこれは多分当たり前のことで、伊能忠敬然り、アンリ・ルソーやゴーギャン然り、若き日から志してはいたが様々な事情で直線的には行かず、糊口を凌ぎながら努力を重ねた末に初志を貫徹したのだろうと思われた。そのマグマのような蓄積があったからこそ、五十四歳のデビューから亡くなる六十六歳までの十二年の短い作家生活の中で、あれだけ多数の作品を猛スピードで生み出し続けたのだなと得心したことでもあった。

屈託を抱えながら生きる

ここからは私の勝手な連想、推論になる。

出遅れし人、したくてしたわけではない廻り道をした人、それがゆえに屈託を抱え、そこから得た覚悟を心根に置いて後半生を生きた人、という類型があると私は常々考えてきた。葉室麟もその一人なのでは、と思う。

このタイプを私は「屈託型」と名付けたい。

そして私は、自分の気質にも類似の傾向があり、それゆえか「屈託型」の作家、芸術家の作品を愛好してきたと自覚している。

例えば色川武大だ。彼独自の文章に青年期の私は耽溺していた。そしてその色川が頻用した言葉が「屈託」だ。この語義について辞書を引くと、「気にかかることがあって心が晴れない」などとある。しかし色川がこの言葉を使うとき、その含意は辞書の説明よりも広く、深い。気になった方には是非彼の作品に触れてほしい。色川作品の登場人物は、みな何かしらの屈託を抱えながら生きている。そして色川自身も屈託を抱えて生きた人であり、廻り道をした人、出遅れし人であった。若き日から文学を志しながらも、麻雀などの賭博に身を窶《やつ》し、その体験を元に阿佐田哲也の筆名で娯楽文学の分野で世に出た彼だが、その屈託、闇は深く、真に書きたいものを本名で書き始めたのは後半生になってからであった。遂には直木賞も受賞した彼だが、更に深く真に書きたいものを書くために、広すぎる交友を断って執筆に専念すべく一関に転居した矢先に亡くなってしまったのであった。

屈託型として私が想起する色川と葉室には、このように心に屈託を抱えながら生き、したくてしたわけではない廻り道をして、本来自分が志した道には後半生に到達した、という生きざまに於ける共通点があると思う。東京生まれだが一関に転居した色川と、賞を受けるような作家になっても地方在住に拘り続けた葉室と、東京との距離感も共通していると言えるかもしれない。一方でその同じに見える根っこから育てた花や実すなわちその作品は正反対であるのも面白い。色川は自らの屈託や狂気をそのまま描こうとし、葉室は自らの屈託を描くのではなく、理想とする生き方、在り方を描いたと思う。そして作風は正反対となっても彼らに共通するのは、「自分に書けるもの」を割り切って開き直って覚悟を持って書く、という姿勢。「自分にしか書けないもの」を書くという姿勢だ。文筆家として世に立った人全てが当たり前にその姿勢なのではないか、とも思えるが、特に彼ら屈託を抱えし人は、その屈託の深さに比例してその覚悟も深い、と私には思える。

葉室自身も『曙光を旅する』所収のインタヴューで「『人生は挫折したところから始まる』が私のテーマ」「若い作家と比べ、経験の数が私の強みです」と語っている。私の勝手な連想もあながち間違っていないようだ。

屈託型について、もう少し論を広げさせていただこう。屈託を抱える人は世に出る時期が遅かった人とは限らない。例えば私はブラームスを想起する。彼は若くしてシューマンに絶賛され世に出た人ではあるが、彼の屈託も深い。世はヴァーグナーなどのロマン派が勃興する時期。ブラームスのようにベートーヴェンら先達の衣鉢を継ぐ姿勢を、守旧的懐古的と揶揄されることも少なくなかった。自分は生まれる時期が遅かった、と吐露している手紙も残っており、それが彼の屈託の一つだ。そしてもう一つ、彼はチェコから出てきたドヴォルジャークのメロディーメイカーぶりからも屈託を抱えた。自らがシューマンにしてもらったように、ドヴォルジャークを絶賛し世に出る手助けをしながらも、自分には彼のように自然に湧き出るメロディーが無い、頭でっかちに作り込んでいるだけだ、と悩むのだ。ブラームスの作品を愛聴する私からすれば、確かにドヴォルジャークのような息の長いフレーズから成る民謡的な歌はないかもしれないが、ブラームスの作品にもすばらしいメロディーが充分にあると思えるのだが。深奥を極めた身ならではこそ、却ってその差異は大きく感じられたのだろう。

西郷もそうかもしれない。大久保のように合理的に割り切って西洋化に進む道とは反対に彼は進んだ。葉室麟が評価し、共感を寄せたのも大久保よりは西郷だと思う。そして葉室が西郷を評して語っている言葉は、まるで葉室自身を或いは屈託型の在りようを語っているように私には思えてならない。『日本人の肖像』から引く——「一度自殺を図ったり、二度の島流しなど、度々どん底も経験します。その時の孤独や絶望感がもたらした人格的な陰りが、他の志士たちと違う」「徳治を理想とした革命家でした」「その強固な倫理観ゆえ、近代化、西洋化と折り合えない」「自分を倫理的に作り上げていこうとする傾向」「経済的成功や効率性に重きを置く現代の私たちが失った価値観」——どうだろう、西郷を語りつつ葉室麟自身を、或いはその作品を、または屈託を抱えし人の在りようを表現した言葉と言えようではないか。

小さな部分を見つめる

屈託型の傾向として、小さきもの、弱きもの、虐げられしもの、敗者の視点に立つということも挙げられるだろう。色川、葉室、そして並べて書くのは僭越ながら著者自身を省察してもそう思う。そう考えると、以前書いた「常世、みるく世をめぐる思索」で「小さきものに目を向けていくこと」と記したことが思い起こされる。谷川健一も何かしらの屈託を抱えた人であったかもしれない。

葉室麟に話を戻そう。彼はこの視点について明確に記している。『曙光を旅する』から引いてみる——「勝者ではなく敗者、あるいは脇役や端役の視線で歴史を見たい。歴史の主役が闊歩する表通りではなく、裏通りや脇道、路地を歩きたかった」「僕は歴史を地方の視点、敗者の視点から捉えたい」「歴史の大きな部分ではなく、小さな部分を見つめることで、日本と日本人を知りたい」——この姿勢は実に一貫している。一般に「佐賀の乱」とされるものを（地元では「佐賀戦争」という）と括弧書きで注を付けている気遣いもまさしくこれだし、この連載中にも何度も沖縄を訪れているのもそうだ。「戦後史を知るためには沖縄に行かなければならない」と思い続けていた念願を晩年に果たし、ヘリパッド建設予定地まで足を運んでいる。ペリーの琉球寄港から琉球処分、そして現在の基地問題まで、その視野は広く深い。

小さな部分を見つめる姿勢は、葉室麟作品の主要な舞台の一つである秋月藩を選ぶところからも歴然だ。秋月藩は福岡藩の支藩であり、その当主は黒田家の分家である。折に触れて秋月藩は本家からの苛めとも嫌がらせとも取れる仕打ちを受け続けてきた。上野英信も記録した「正人《しょうじん》どんの一鍬堀《ひとくわぼり》」民話も、福岡藩が秋月藩に水利権の分配を渋ったことに端を発し、秋月藩内の「正人《しょうじん》」という人が立ち上がって水路を拓き、しかし自らは処刑に遭うというものであったことを、つい先だって現地フィールドワークにて先達から教えを受けた。斯様《かよう》に虐げられし支藩、分家であった秋月藩をこそ自らの作品の主要な舞台に選ぶ、葉室麟とはそういう人であったのだ。

ドラマツルギーから離れて

視点を少し変えてみたい。葉室麟作品は映像化に向いていると思う。その清冽さをほぼそのままに映像化した作品は幾つかあり、その鑑賞後に受ける印象はいずれも清々しい心持ちである。

映画化された作品は二作品、『蜩ノ記』『散り椿』。ドラマ化はやはり二作品、『銀漢の賦』『螢草』だ。映画化された二作は共に脚本が小泉堯史、小泉は『蜩ノ記』では監督も務めた。黒澤明の遺作シナリオを監督した『雨上がる』からも窺われるとおり、葉室麟作品の清冽さを活かした映画化に、実に適役な映画人だ。『蜩ノ記』も優れた映画になっていたと思う。激しいシーンも無くは無かったはずだが、鑑賞後に残った印象は静謐さ、そんな映画に仕上がっていた。一方の『散り椿』も同様に原作の雰囲気を残してはいて見応えはあったが、監督木村大作と、前作の小泉との監督としての力量の差か、こちらは少し粗も目立った点が残念。また両作は音楽を加古隆が務めたことも共通するのだが、前者ではきちんと背景に徹した音楽が、後者では融合せずに音楽自体が目立ちすぎ、甘ったるさまで感じてしまった。加古隆は嫌いではないだけに残念、彼は近年わかりやすい方向に行き過ぎているのではないか……。また、ことを映画に絞って言えばそこを融合させるようにするのも監督の仕事ではないかとも思う。

映画自体に筆が滑り過ぎた。話を戻そう。これら四作品を全て観て、原作と映像化作品との間で脚本となり演出をされた中で生じている差異から、逆に葉室麟作品の特色が浮き彫りに見えてきた。それはドラマツルギーから離れて、いや離れてと言うと言い過ぎかもしれないが、ドラマツルギーに淫してクライマックスやカタルシスを予め設定し、そこから伏線やストーリーの盛り上げ方を逆算して作ったかのようないやらしさを感じる作品が多い昨今において、そういったいやらしさが微塵も感じられない点が葉室麟作品の特色と言えるのでは、ということだ。盛り上げのために作劇法の技巧に走り、構成を無理に歪めて最後のクライマックスに持っていくような書き方ではない作風であるということ。

例えば直近の例として二〇一九年に放映された『螢草――菜々の剣』を採り上げて見てみたい。全七回で構成されたこのドラマは清原果耶、町田啓太ら俳優陣の好演もあり、またエヴァン・コールによるエンディング曲もドラマの雰囲気を活かしたすばらしい曲で、全体によく出来た作品であった。しかし当然ではあるが、小説として書かれたものをそのまま映像化したわけではなく、ドラマ化に当たって幾つかの点が翻案されていた。挙げてみる。

・主人公菜々に求婚する田舎の親子の応対をするのは、原作

では主家の奥方様、ドラマでは旦那様
・菜々が主家の子を救うのは原作では狂犬から、ドラマでは浪人から
・父の形見の短刀は原作では遺品から菜々が見つけるだけだが、ドラマでは亡母が生き方を言い聞かせながら渡す
・原作では、死に行く身となった奥方様が、生前に旦那様に菜々を後添えにと言い残し、その言葉を旦那様が菜々に伝える。一方ドラマではこれらは伏せておき、最終回に向けて盛り上げていく
・原作では、旦那様の後添えにあてがわれそうになる家老の娘は縁談として話されるだけで実際には登場しないが、ドラマでは菜々のライバルとして多く登場する
・ドラマでは悪役として日向屋が多く登場するが、原作では名前しか出てこない
・敵役である轟平九郎が旦那様と異母兄にあたる、日向屋に育てられた、という因縁はドラマが設定したものであり、原作には全くない

この他にも幾つかあるがこれだけ挙げれば充分だろう。どちらが良い悪いと言いたいわけではない。視聴者を飽きさせずに全七回を毎週観てほしいと考えるドラマの方では、やはりドラマツルギーを際立たせる必要があり、その為に必要な手を打ったと言えるだろう。

一方、原作を書いた葉室麟もその時点でこのような手を打とうと思えば打てたはずだが、そちらの道は行っていないのだ。今や、小説と言えどもエンターテインメント性、ドラマツルギーを重視して紡がれることも少なくない。その中で葉室は無理な盛り上げ方、肩に力が入ったような描き方はせず、小川の水が流れていくかのように登場人物たちを物語の始点から終点へと向かわせていく。この自然体は葉室麟の気質からでもあり、廻り道をしたからこそ獲得できた構えなのかもしれない。

呑之浦を眺め続けていた姿

葉室麟が亡くなって二年弱。彼が遺した作品を今も玩味している。尋常ではないペースでたくさんの作品を遺してくれたおかげで、幸いまだまだ読めていない作品は多く残っている。夢中になって読んでいるときは、その作品世界に入りこんでいるが、栞を挟んで眼を休めるとき、読み終わったとき、そんなときにふっと作者である葉室さんの姿が脳裏に浮かぶことがある。それは挨拶したときのはにかんだお顔でも、記念祭懇親会で島尾文学を書き写した若き日を熱く回想する姿でもなく、独り呑之浦を眺めていた姿だ。葉室さんに短く挨拶をさせていただいたあと、私は記念祭実行委員会から配られた弁当を、文学碑前に敷いていただいたビニールシートに

死の半年前に葉室さんが腰掛けていたベンチ
（2017年7月8日　筆者撮影）

座って食べた。食べながらふと眼を上げると、呑之浦に面して一つポツンと設置されているベンチに葉室さんが独り座って、海を眺めていた。

　今思えば死の半年前の病軀であった。昼食をとる元気も無かったのかもしれない。二時間岩場を歩いた身体を休めていたのかとも思う。緑に輝く呑之浦の海を眺め続けながら、一体何を考えていらしたのだろう。若き日に夢中になった島尾敏雄文学のことであったか、或いは自分の人生、自分の文学のことであったか。

　もし私が病に冒され、余命を喫緊のこととして数える立場になったとしたら、何処に行って何をするだろうか。それまでの生活を何も変えずに最期の日まで為すべきことを淡々と為し続けるだろうか、それとも行ってみたかった非日常の地を訪うだろうか。葉室麟が奄美・呑之浦を最後の日々に訪れたのは、作家としての日常を淡々と続けたとも言えようし、若き日に夢中になった島尾文学の地を何十年の時を経て訪った大事な非日常でもあったのかとも思う。いずれにせよ最後の日々に奄美を訪れ、岩場を黙々と歩かれたことも、葉室麟らしい清冽な生きざまであった。

　葉室麟があのベンチで何を考えていたのかは余人には窺い知れない。したがって軽々には言えないことではあるが……、私もあのような思索の時間を最後の日々に持ちたいものだと思うのである。

追悼　比嘉加津夫——沖縄の遠くて近き人に今誓うこと

四度目の沖縄に来た。思いがけず、日帰りでの沖縄。作家、詩人にして文芸誌『脈』編集・発行人であった比嘉加津夫さんが二〇一九年十二月十日に急逝されたのだ。長く患っていらしたとはいえ、つい数日前にメールのやり取りをしたばかり。病状を知っていた方にはまた別の感懐があるやに思うが、遠くにいてメールでのやり取りしか無かった私には俄《にわ》かに信じがたいことだった。

比嘉さんの告別式に急遽駆けつけたのは四日後の十四日。極月《ごくげつ》とはいえ、沖縄の気温は二十度を超える。しかし、あづまびとの私には葬式用のかりゆしウェアの持ち合わせは無い。黒いスーツとネクタイを身に付けて早朝、成田空港に急いだのだった。

土曜の朝、沖縄へ飛ぶ格安便の乗客は何人か連れ立って楽しそうに島での予定を話す人ばかりだ。黒づくめの私は異様であったろう。格安便の堅いシートに腰かけて、家から出るとき機中のためにと手近の本棚から抜き取ってきた『新沖縄文学　一九八七年春季号』所収の比嘉さんの文章を読んで飛行時間を過ごした。「文化と思想の総合誌」を謳《うた》った季刊誌『新沖縄文学』、この号の顔ぶれを少し拾っても、比屋根薫、仲里効、高良勉、岡本恵徳、藤井令一、関根賢司、仲程昌徳、川満信一、新川明、比嘉加津夫、関根愛子……と錚々たるもの。

さて比嘉さんの八ページ、タイトルは「混沌の文学——島尾敏雄の幼少期文学——」だ。この号が「特集＝島尾敏雄と沖縄」と題して編まれており、そこに寄せた文章なわけだが、そもそも島尾敏雄文学研究は比嘉さんのライフワークの一つ。ここでは、島尾の重要なテーマの一つとして幼少期文学を俎《まないた》に載せ、そこで描かれる幼少期の心性と、島尾のもう一つ別の重要テーマである夢の世界の類似とを論じている。幼少期の心性も夢の世界も、大人を中心とした現実社会の秩序や因縁ごとを批判あるいは少なくともそこからはずれたところにあり、この世界から疎隔されたところにある、とその位置の共通性を示す。そして島尾には無意識的にそうした無秩序世界への憧れ、志向があると思えてならない、と。

比嘉さんは、無秩序世界とは「無秩序であると同時に創造、芽の発生、生命の動きの原基をかたどるみずみずしい世界」なのだとも綴る。谷川雁による「原点」のイメージ、そして同じく谷川雁によるラボ・ライブラリー作品『国生み』冒頭の名ナレーション「がらんどうがあった」に近しい世界観だ。

論考後半、島尾の幼少期文学、夢文学においては「現実世界と自己との意識のズレ」「重ねようとしても重なりようのない意識のズレ」があると比嘉さんは畳みかけ、これこそが「島尾敏雄という表現者の原質」であり「すぐれて島尾文学の持つ独特な世界として横たわっているもの」だと論を展開する。

自らの無意識世界と現実世界とのズレを凝視する島尾敏雄、そして島尾文学の中からその点を抽出する比嘉加津夫。見事な論考だ。

そうこうする内に、窓外は雲海を見下ろす景色から、緑の島と海へと変わり、飛行機は那覇空港へと着陸。急いでゆいレールに乗り換えて数駅、旭橋駅からタクシーに飛び乗った。「いなんせ会館へお願いします」と行き先を告げると、タクシーの運転手さんは私の服装と合わせて、すぐに私の来沖目的を察したようだった。「お葬式ですか？」と問われ、私も折角なので人の良さそうな運転手さんと到着まで会話をすることにした。「そうです、告別式なんです。運転手さん、沖縄では告別式のあとお酒を飲んだりすることはありますか？」「それは無いですねえ。沖縄では通夜も告別式も飲みませんよ」――そうなのか。しめやかに故人を送る、確かに本来告別の式はそうあるべきだよな。私が育った茨城の風習の方が変わっている、か。

運転手さんの話は続く。「私が子供のころ沖縄はアメリカ領でしたよ。お金もドルだった。道も右側通行。でも教科書は日本から取り寄せて日本式だったな」「そうですか……。ところで時々見かけるYナンバーの車は何ですか？」「外人さんの車ですね」――なるほど駐留米軍人・軍属の自動車のための設定があるんだな……。

「お葬式が終わったらすぐに帰るんですか？」と聞かれ、飛行機までちょっと時間があるようならカメジローさんの記念館を訪れたいなと思っていますと答えた。運転手さんはちょっと嬉しそうに「カメジローさん、ああ、本当に演説が上手でたーくさんの人が聴きに行ったよ。不屈館だねえ」と返しながら車を停めた。「故 比嘉 勝男 儀 告別式々場」――入口に大書された比嘉さんの本名。筆名でしかお付き合いが無かったが、比嘉さんにも、当然に家族が、生活があったのだよな、と改めて思いながら会場に入った。

会場は和風、仏式のしつらえ。正面に大きく飾られた御遺影で私は初めて比嘉さんのお顔を知ることとなった。

式は内々の方々による会葬が終わるところ、次に一般会葬者も受け入れ始めるというタイミングらしかった。比嘉さんの息子さんが、ご挨拶をされた。比嘉さんが文学を通じてたくさんの方と共に生きたこと。とにかく書き続けた人生であったこと。最期まで書いていらしたこと。息子さん御本人はものを書く人ではなさそうだったが、お父さんの思いを最後に代弁して締め括って下さった。「ご会葬いただいた皆さま、どうぞ元気で書き続けて下さい」と。

そうだった、比嘉さんは、『脈』誌を、沖縄の本土「復帰」の年一九七二年から実に四十七年の長きにわたって営々と編集・発行し続け、そして自らも書き続けたのだった。継続の尊さを思う。着実に目の前の仕事を果たし続けていくのが、いかに難しいことか。比嘉さんはそれを黙々と続けられた。『脈』は、ついに一〇三号を重ねたのだった。

私は八二号から縁をいただき、十一度、稿を寄せる幸いを得た。記念すべき第一〇〇号にも、最後の号となった第一〇三号にも書かせていただいた。メールのやり取りをほんの少ししたことしかなかったが、私は遠くから比嘉さんに私淑していた。

比嘉さんは、自分の編集方針・評価軸を確固として持った方だったと思う。『脈』は当初、比嘉さんの個人誌として始まったが、第二四号からは同人誌として再出発、曲折を経て第七九号から比嘉さん主宰による編集として再々出発であったということ、同人誌時期の同人の作品を優先したっておかしくない。ましてや私は一度も会ったこともない、どこの誰ともわからない人間だ。それなのに再々出発ほどなくから何度も拙文を掲載いただいた。特に第九四号川満信一特集では、同人でもなく、川満特集にさほどマッチしてもいない私の文章を、気に入っていただいたのか巻頭に置いて下さった。あれは本当に嬉しかった、ありがたかった。

お焼香の番がまわってきた。遺影を見つめ、香を焚いた。ああ、比嘉さん。私はいつも迂闊《うかつ》なのです。今あるものは次の瞬間にないかもしれない。そのことを五十の齢を重ねてもまだ実感として持てていないのです。こうしてあなたが世を去ってしまい、もうお目にかかる機会をもてないこと、当たり前のように三ヵ月に一度発行されていた『脈』も、もう出ることが無いのだということ、それらの重さに今頃打ちのめされているていたらくなのです。

私が書簡体で書いた「常世、みるく世をめぐる思索――歌垣の地から毛遊びの地への手紙――」は、実は比嘉さんに宛てて書いたのでした。届いていましたか。遂に生前にお目にかかることはできませんでした……。比嘉さんは私にとって、沖縄の「遠くて近き人」でした。文章を書くときに、読んでくれる人をイメージしながら書くのが癖になった私にとって、読んでくれる人としていつもイメージしていた近き人の一人が比嘉さんでした。

比嘉さん、私に書く場を与えて下さってありがとうございました。書き続けた人生を尊敬してやみません。私もこれからも書き続けることを誓います。

——死して人は何を残すのだろう。比嘉さんは『脈』一〇三冊を残した。多くの著書も。

私は一体何を。私は物語を紡ごう。文字にする物語も、文字にしない物語も。たくさんの物語を。

初出一覧

第一部「ことば、物語」が「こども」の未来をつくる

これからを生きる子どもたちに必要な教育とは――五十年以上前から谷川雁らが行っていた「ことば、物語、表現」の教育
書き下ろし
私がラボから受けとったもの――度胸、外国語を使う能力、物語を愛する人生
ラボ仁衡恭子パーティ40周年記念文集［ENJOY］（二〇一五年）
人生における全てのことは物語
ラボ教育センターWebサイト（二〇一八年）
谷川雁と「集団創造」――「らくだ・こぶに＝谷川雁を中心とした集団創造体」を起点として
谷川雁研究会機関誌『雲よ――原点と越境――』第四号（二〇一〇年　谷川雁研究会）
どんな感受性が育つのか――映画『ホテル・ルワンダ』を巡る父娘のメール往来
長女仁衡かがりとのメール往来（二〇一九年三月十五日、十六日）
谷川雁、子どもに賭けた後半生――ものがたり文化の会、『白いうた 青いうた』にも共振して
書き下ろし

第二部　谷川雁と子ども、ことば、物語――ラボ・ライブラリー作品をひもとく

「らくだ・こぶに」名で、あるいは無署名で書かれ、創られた谷川雁作品
書き下ろし
らくだ・こぶに、柔らかな谷川雁――『グリーシュ』研究を通じて
谷川雁研究会機関誌『雲よ――原点と越境――』第二号（二〇〇九年　谷川雁研究会）

『ピーター・パン』――谷川雁が最も慈しんだ物語
谷川雁研究会機関誌『雲よ――原点と越境――』第五号（二〇一〇年　谷川雁研究会）
『E.T.』――ピーター・パンへのオマージュ
Facebook（二〇一八年）
『アメリカ初旅行』――中二の夏、そしてヨセミテでの再会
書き下ろし

第三部　谷川雁と、その同時代人・前後の表現者を「遅れてきた青年」が読む

賢治、雁、仁三郎――村、農業、原発
谷川雁研究会機関誌『雲よ――原点と越境――』第六号（二〇一一年　谷川雁研究会）
常世、みるく世をめぐる思索――歌垣の地から毛遊びの地への手紙
『脈』第八十五号（二〇一五年　脈発行所）
中間集会、水俣・松橋訪問記――雁、健一の足跡を訪ねて
『脈』第八十七号（二〇一六年　脈発行所）
闘い、エロス、断層、そしていのち――森崎和江を読み、考える
谷川雁研究会機関誌『雲よ――原点と越境――』第七号（二〇一二年　谷川雁研究会）
いのち、生きる実感――森崎和江をきっかけに考えたこと
『脈』第九十一号（二〇一六年　脈発行所）
死地に入る――水戸学と村上一郎
『脈』第八十八号（二〇一六年　脈発行所）
ことば、鬱病、アナーキズム――鶴見俊輔との共振
『脈』第九十三号（二〇一七年　脈発行所）
「本土」人が描いた沖縄と基地問題――火野葦平と当事者性
『脈』第九十五号（二〇一七年　脈発行所）

加那　島尾ミホ――奄美を持続低音として生きた人
『脈』第九十二号（二〇一七年　脈発行所）
奄美へ――島尾敏雄生誕一〇〇年記念祭　参加記
『脈』第九十四号（二〇一七年　脈発行所）
王様と少女――上野英信の眼差しから学びしこと
『脈』第一〇〇号（二〇一九年　脈発行所）
葉室麟　惜別賦――含羞と清冽の人へ
『脈』第一〇三号（二〇一九年　脈発行所）
追悼　比嘉加津夫――沖縄の遠くて近き人に今誓うこと
書き下ろし

参考文献・引用文献

〈感動の体系〉をめぐって――谷川雁　ラボ草創期の言霊／松本輝夫編（二〇一八年　アーツアンドクラフツ）
谷川雁――永久工作者の言霊――／松本輝夫（二〇一四年　平凡社新書）
言語生態学者　鈴木孝夫講演集「世界を人間の目だけで見るのはもう止めよう」／鈴木孝夫（二〇一九年　冨山房インターナショナル）
ラボ教育センター発足40周年記念　ラボ教育活動40年史年表／ラボ教育センター本部40周年事務局編（二〇〇六年　ラボ教育センター）
ラボ土曜講座1「ハチの進化をたどる・富士山と気象観測」／岩田久仁雄・藤村郁雄（一九七八年　ラボ国際交流センター）
大人になったピーター・パン――言語力と社会力／門脇厚司・田島信元（二〇〇六年　アートディズ）
にひらパーティ40周年記念文集［ＥＮＪＯＹ］／緑川風香・緑川芽衣編（二〇一五年　仁衡恭子）
テューター通信　二〇二〇年二月十日号／テューター通信編集委員会編（二〇二〇年　ラボ教育センター）
谷川雁セレクションⅠ　工作者の論理と背理／岩崎稔・米谷匡史編（二〇〇九年　日本経済評論社）

谷川雁セレクションⅡ　原点の幻視者／岩崎稔・米谷匡史編（二〇〇九年　日本経済評論社）
雲よ――原点と越境――創刊号（二〇〇九年　谷川雁研究会）
雲よ――原点と越境――第二号（二〇〇九年　谷川雁研究会）
雲よ――原点と越境――第三号（二〇一〇年　谷川雁研究会）
雲よ――原点と越境――第四号（二〇一〇年　谷川雁研究会）
雲よ――原点と越境――第五号（二〇一〇年　谷川雁研究会）
雲よ――原点と越境――第六号（二〇一一年　谷川雁研究会）
雲よ――原点と越境――第七号（二〇一二年　谷川雁研究会）
新版 谷川雁のめがね／内田聖子（二〇一一年　日本文学館）
谷川雁さんからのバトン／谷川雁（二〇〇八年　ものがたり文化の会）
うたの不思議――『白いうた 青いうた』の秘密／新実徳英（二〇〇九年　音楽之友社）
知のスクランブル――文理的思考の挑戦／日本大学文理学部（二〇一七年　ちくま新書）
グレタ　たったひとりのストライキ／マレーナ＆ベアタ・エルンマン、グレタ＆スヴァンテ・トゥーンベリ著　羽根由訳（二〇一九年　海と月社）
自閉症スペクトラムの精神病理――星をつぐ人たちのために／内海健（二〇一五年　医学書院）
これが現象学だ／谷徹（二〇〇二年　講談社現代新書）
見えない違い私はアスペルガー／ジュリー・ダシェ原作、マドモワゼル・カロリーヌ作画、原正人訳（二〇一八年　花伝社）
生誕の災厄／E・M・シオラン著　出口裕弘訳（一九七六年　紀伊國屋書店）
スティーブ・ジョブズⅠ、Ⅱ／ウォルター・アイザックソン著　井口耕二訳（二〇一一年　講談社）
再読／鶴見俊輔（一九八九年　編集工房ノア）
言葉はひろがる（たくさんのふしぎ傑作集）／鶴見俊輔文 佐々木マキ絵（一九九一年　福音館書店）
身ぶりとしての抵抗／鶴見俊輔（二〇一二年　河出文庫）
戦争が遺したもの――鶴見俊輔に戦後世代が聞く／鶴見俊輔、上野千鶴子、小熊英二（二〇〇四年　新曜社）
ある革命家の手記（上）／P・クロポトキン著　高杉一郎訳（一九七九年　岩波文庫）

一九世紀前半ロシアにおける教育の身分制原理とエリート学校／橋本伸也（一九九九年　京都府立大学学術報告〈人文・社会〉第五十一号）
アナーキズム――名著でたどる日本思想入門／浅羽通明（二〇〇四年　ちくま新書）
アナキズム入門／森元斎（二〇一七年　ちくま新書）
もっと！〈あさイチ〉特別企画「ブレイディみかこインタビュー」（『ＮＨＫウィークリーステラ』二〇一九年十二月十三日号）
原点が存在する――谷川雁詩文集／松原新一編（二〇〇九年　講談社文芸文庫）
混沌の文学――島尾敏雄の幼少期文学――／比嘉加津夫（一九七四年『新沖縄文学』春季号　沖縄タイムス社）
戦後思想の修辞学―谷川雁と小田実を中心に／北野辰一（二〇一九年　アーツアンドクラフツ）

＊本文において参考・引用文献を注釈等で明記したもの以外をここに一覧とした。
＊なお本書、特に第二部で多く取り上げたラボ・ライブラリー作品は、株式会社ラボ教育センターの会員となって購入できる。また、同社出版部門であるラボ出版のホームページや取扱書店から会員外でも購入できる。谷川雁が制作責任者として制作に携わった作品群を、また谷川雁が去ったあともたくさんの良作が生まれているのでそれらも、是非実際に味わってみていただきたい。

あとがき

本書は、様々な文章を書き散らしてきた私の、初めてのまとまった刊行物となった。感慨深い。

ひとが「自分のしたいこと」をして生きられることはそうそうない。また、自分がしたいことと自分の得意なことは必ずしも一致しない。

私は、幼少の頃から文章を紡ぐ人になりたかった。子守歌・寝物語を聞かせてくれた母、読書を大好きにさせてくれた父のおかげで、そして六歳から参加したラボ・パーティのおかげで、物語が大好きな人間になった。出来れば自分も物語を紡ぎたいと願ったのは自然なことだったろう。

しかし、十代の終わり頃から心を病み、ひょんな出会いから情報処理業界に職を得て、斯界にて今日まで働き続けてきた。本当に私が一番やりたい仕事、ではなかった。しかしその時その時に全力は尽くしてきたつもり。斯界に、同僚に恥じることはないと思っている。

そんな生活の中でようやく一息吐けた頃、松本輝夫さんと再会した。彼と初めて会ったのは私が中学二年の時だった。夏一ヵ月を海外でホームステイして過ごす、ラボ国際交流の場で、彼は引率のラボ事務局員として、私は一参加者として。

その後、心を病んだ頃東京でお目にかかり励ましを受けるなど、数年に一度、間欠的にはお会いしていたが、本格的な再会となったその時に松本さんが誘ってくれた読書会「鷹揚の会」で、私は久々に、改めて、或いは真の意味で初めて文化的活動に触れた気がした。様々な業種の人士が一冊の本をテキストに月に一度集い、真剣に議論を交わしていた。鷹揚の会参加者からは松本輝夫『谷川雁 永久工作者の言霊』（二〇一四年 平凡社新書）、『〈感動の体系〉

をめぐって――谷川雁　ラボ草創期の言霊』（二〇一八年　アーツアンドクラフツ）、袖川裕美『同時通訳はやめられない』（二〇一六年　平凡社新書）、得丸久文『道元を読み解く』（二〇一七年　冨山房インターナショナル）などの出版がここ数年続いてきた。これらは大なり小なり松本さんの「工作」があってのことと言えよう。本書はこれらに続くものとなる。

松本さんは二〇〇八年秋にラボ教育センターを退職されると同時に、「自分がしたいこと」を怒濤のように始められた。谷川雁研究会を結成、機関誌『雲よ』を七号まで刊行、集会も開催。そして鈴木孝夫研究会も組織、言語生態学者鈴木孝夫自身の講演と参加者の討論が行われる研究会を数年にわたり開催、会の編纂による『鈴木孝夫の世界』を四号まで刊行し、その後『鈴木孝夫の曼荼羅的世界』や『鈴木孝夫講演集 世界を人間の目だけで見るのはもう止めよう』をいずれも編者として冨山房インターナショナルより刊行。更には沖縄の季刊誌『脈』の特集を何号にもわたって編集するなど、八面六臂の大活躍だ。

私はそんな彼に伴走し続けてきた。会の運営に関して世話人の一人として事務局的な仕事をこなし、研究会では司会も務めてきた。また『雲よ』『鈴木孝夫の世界』『脈』に文章を寄せてきた。これらのことは私にとって喜びでありリハビリでもあった。

そういう日々のなかで、創作に必要な想像力、批評に必要な厳しさは自分には無いこと、自分の良さはアンテナ、感性、感受性なのだということに色々な方が気付かせてくれた。今回そういう自分なりの長所が活かせるエッセイのようなものを中心にしたいと企図した。取捨の結果、最終的にはエッセイ的なものは少量になったが、それはまた別の機会としよう。

今回、文章を紡いでみたい、本を出したい、という夢が形になった。そして同時にもうひとつの潜在的な希望も形になったことに気付いた。母の父は校長先生であった。母の兄もそう。母も本文に示したように民間教育機関でテューターをしている。そんな教育にかける熱い思いがどうやら私にも息づいていて、気が付いたらこの本の第一部は私なりの教育論になっていた、という次第。

この本を書いていた時期、世界は新型コロナウイルス禍に遭い、渡航制限が強化され、国境を超えた人の移動は激減した。つい一年前はあれだけ活発に世界中を駆け回れていたことが夢のようだ。第一部に今年の出張の予定を書いたが、ほぼ全てを中止せざるをえない見込みだ。これまで四～五年かけて海外販路開拓の道筋を拓いてきた努力が花開く年となるはずだったが一旦停止状態にせざるをえなく、残念極まりない。ビジネスの問題もそうだが、世界中の人たちと楽しく話したい、一緒に何かをなしたい、という元ラボっ子ならではの思いを実行できないのが歯がゆい。

しかし暗くなっていても仕方がない。どんなときでも前を向くのが信条だ。明けない夜はない。もうひとつの夜明けをめざして漕ぎ出すんだ。谷川雁が案出したといわれるRowing to another dawn ——この言葉を読者と共に噛みしめたいと強く願う。

本書執筆に本格的に取り組んだこの半年は、新型コロナウィルス禍の問題で経営者として、また父としても、老父母を持つ子としても、様々に気疲れをする時期となった。しかし、なんとか時間をひねり出し、睡眠時間や家族との時間も犠牲にして、遂にこの本は成った。

自分がしたかったことが叶ったような気もするし、「工作者」松本さんの企画に乗った形とも思う。百パーセント「自分がしたいこと」ばかりだったかと自らに問えば、そんな気もすればそうでもない気もする。しかし私にしか書けないもの、にはなったかと手応えを感じている。松本さんに心から感謝を申し上げたい。中二の夏に出会った「事務局の人」と、こんなに長く関わることになるとは全く想像していなかった。そして自分が五十の歳に、その方の励ましによって何とか執筆のゴールに辿り着けることになるとも。あまりに様々なことが重なって、執筆に挫けそうになったときも温かくかつ根気強く伴走して下さった。大分での「ものがたり文化の会」取材にも立ち会っていただいたし、さらには解説の労まで執《と》っていただいた。感謝の念に堪えない。

折角の休みに部屋に籠もって書き続けた私を支えてくれた妻、四人の子どもたちにもありがとうと言いたい。また、仁衡パーティの卒業生の方々、アンケートに回答してくれた西保パーティの大学生・卒業生のお三方、繋いで下さった西保テューターにも感謝。特に、第二部にて登場もいただいた仁衡パーティ同窓生の畑山妙恵さんには、Rowing to another dawnをイメージしたステキなカバーアートを描いていただいた。深謝。

そして見学・取材に協力いただいた「ものがたり文化の会」の朝倉千代さん、椋梨雅紀子さん、京徳治さん、お三方のおかげで谷川雁の後半生全体を通貫した主題「子ども」を描く文章を書くことができた。御礼申し上げたい。

それからもちろん、版元の小島雄社長に深謝。生活と芸術を愛する人間として、アーツアンドクラフツという生活と芸術を統合させた運動の名を冠した出版社から自分の本が出せたということが嬉しい。

新型コロナウイルス禍に直撃され、国際交流やサマー・キャンプ等主要な行事の中止が余儀なくされる非常時のなか、協力していただいたラボ教育センターにもお礼申し上げたい。大事なキャッチフレーズである「ことばがこどもの未来をつくる」の使用を願い出たところ、快く許諾くださった。この困難を乗り越え、これからも子どもたちを育てる民間教育の灯を守っていただきたいと心より祈念している。

そして故・比嘉加津夫さんにも衷心からの謝意を。比嘉さんが一九七二年「沖縄本土復帰」の年から二〇一九年十二月に亡くなるまで半世紀近くにわたって刊行し続けた『脈』誌という書くことのできる「場」があったればこそ、第三部に並べたたくさんの文章を書くことができた。ついに生前にお目にかかることはかなわなかったが、比嘉さんに倣って私も死ぬまで書き続ける人生とすることを誓いつつ、心からの感謝を天上に送る。

そしてなんといっても、ラボ・テューターを長年してきている母のおかげでラボに触れ、谷川雁とも出逢った。母に感謝したい。この一冊を我が母に捧げる。

二〇二〇年六月一日

紫峰筑波山を遠望する寓居の一室にて　仁衡琢磨

［解説］

仁衡琢磨の谷川雁体験・研究本出版に同伴・助力して

松本輝夫

谷川雁と近年めざましく活躍する研究開発型ＩＴ企業の経営者――と並べた時、人はどんなイメージを思い描くことであろうか。おそらく谷川雁に関心と愛着ある人士であればあるほど、あるいはＩＴ事業に通じている人士にしても誰もが一様に困惑して何の像も描けないのではなかろうか。それほどにこの両者は相互にかけ離れた存在であり、交点を想定しにくい位置関係にあると言わねばなるまい。雁には、かつて「前衛と原点」「革命と故郷」「組織とエネルギー」等々というふうに、普通なら並べて云々することがない遠く隔たってみえる二つの事柄をシュールに結びつけて、魔法のように鮮やかな論を繰り広げた実績があるが、そんな雁自体でさえもおそらくこの取り合わせには驚嘆することであろう。かなりの新しもの好きでもあった様子につき、今の世に存命であれば、もしかしたらＩＴ企業経営者達にもオルグをかけて新たな共同関係構築を企てたりするかもしれぬとしても、それはあくまでも仮定の話でしかない。ともあれ、現時点での通念からすれば谷川雁とＩＴ企業経営者というのは容易には結びつかない両者となるはずだ。

ところが、ここにそうした通念を一気に吹き飛ばす人物が実在しているのであり、それが本書の著者・仁衡琢磨に他ならない。現在丁度五十歳になっているれっきとした現役ＩＴ企業経営者であり、しかも近年その卓抜な事業展開から堅実に業績を伸ばすと同時に、彼が拠点とする茨城県のみならず各界からの評価が高まりつつある、今や注目株の経営者の一人なのである。そんな仁衡琢磨がなんと物心がつきはじめた子どもの頃から谷川雁の影響を全身全霊的に密に受けつつ育った人間なのであり、そのことが現在のＩＴ企業経営者としての活躍ぶりを支える秘密であり主因だと公言してはばからないのだから、これはただごとではあるまい。本書はその驚くべき「秘密」を敢えて余すところなく自ら開示して世に問う一巻という次第でもある。

昨年十二月、中国・武漢で大騒動となった新型コロナウイルス災禍は年が改まるや、あっという間に世界全体を巻き込んで拡散・深刻化し、今や「コロナ時代」と言ってもおかしくないほど難儀な状況となっているが、よくよくその本源を考えれば地球環境破壊、気候クライシス等を不可逆的に引き起こしつつ築かれてきた現代人類文明のありようの根幹に直結しているだけに、このコロナ時代は今後程度や形を変えることはあっても半永続的に続くものと覚悟しなければならないだろう。ほぼ百年前の所謂「スペイン風邪」による犠牲者等の数自体は、当時の医療体制や第一次世界大戦中であった等の事情から今のコロナ災禍のそれをはるかに上回るものだが、しかし地球環境破壊のレベルは現在とは大違いであったためほぼ三年で「終息」がありえたものの今回のコロナ時代は人類史的必然性の強度が極めて高いため、世界規模でのよほどの意識変革がなされない限り本質的「終息」は望めないと受けとめた方がいい。

ほんの一年前、いや、より正確に言えばわずか七ヵ月程前までは（昨年十一月前半までは）、世界中のどんな識者も科学者、医学者を含めて誰一人として予想だにしていなかったこの事態の到来は、したがってこれまでの常識、価値観、生き方、世界観等あらゆることの見直しと転倒を求めてくることになろう。当然にも子育てのあり方、学び方、教育観等も根本的な転換、再構築が不可避となるが、本書出版はそんな未曾有の危機的時代における教育のあり方を考える上で大きな一石を投じる起爆剤ともなるはずだ。

何はともあれ、まずはこの半年、コロナ災禍発生により公私共に益々多忙と緊張を強いられる中で、にもかかわらず限られた時間を盗むようにして本書の執筆に励み、遂に出版にまで漕ぎつけた著者の力戦に敬意とねぎらいの拍手を送ることにしたい。

その上で本書誕生の経緯と趣旨、意義等を記していくこととしよう。まずは著者・仁衡琢磨と筆者との関係性について。本書第二部収載の『アメリカ初旅行』概説と「あとがき」に記されていることでもあるが、著者と筆者は著者の中学二年時、ラボ国際交流プログラムにおいて米国インディアナ州への一ヵ月のホームステイを主とする旅を共にした間柄なのであった。片や参加者であり、もう一方は引率責任者という立場でだったが、いずれにせよ今から三十七年も昔のことだ。記憶が相当に薄れているのは当然のこととして、しかし米国に向けて出立する前日、東京都内のホテルに集結した参加者確か三十余名の中で一人、『アメリカ初旅行』という当時のラボの物語テープ作品の一つに収められていた米国の歌（その曲名等については本書の該当箇所参照のほどを）を十二曲全て歌うことができるという子がいて、それが強く印象に残ったのであった。母上がラボ・テューターであることはわかっていたので、「さすがテューター子弟は準備の仕方や心構えがちがう」と感心したことも、だ。そして、インディアナ州での歓迎会や交流行事等において、実際に何度か彼を指名して歌を披露してもらったこともあった。

ついでに思い返せば、この一九八三年夏と言えば、ラボが一九七九年四月に勃発した谷川雁解任事件を契機に組織的な大混乱となり、結果として三分裂して雁らが「ものがたり文化の会」を発足させたのが八二年九月のこと故互いに別の道を歩むことがはっきりし、ラボとしてもある種の落ち着きを取り戻していたため筆者も初めてひと夏本部を離れて国際交流の引率という仕事を担うことになったわけで、その意味でも感慨深い夏なのであった。そこで筆者と仁衡琢磨は出会ったという成行きだが、いくらテューター子弟とはいえ、またいかに印象に残る中学生とはいえ、一事務局スタッフと一人のラボっ子との出会いと共同関係は基本的にその場限りのものでしかなく、またそうであるのが原則でもある。ところが、この二人の場合は、なんとその後も延々と関係性が続いていったのである。何故、どうした風の吹き回しによったのであろうか。

その一等始めは、彼が大学に入学したものの「事情あって中退して、今はコンビニでアルバイトしているが、何か物を書きながらの人生を歩みたいとの夢は捨ててないようなので、是非一度会って話を聞いてあげてほしい」との母上からの頼みをうけて、四～五年ぶりで再会し、西新宿のラボ本部か喫茶店で励ましてあげたことであったか。後に知った事実だが当時彼は鬱症状に苦しんでいたとのことで、今から思えば彼にとっての辛いマイナス経験がその後の果てしない交わりの起点となったわけで、これ自体がすこぶる物語的と言えよう。そして彼が成人してからは西新宿の筆者馴染みのバーにて乾杯した機会に、当時筆者が中心メンバーの一人として関わっていた異業種交流会的な読書会に誘ったのが本人にとっては大きな出来事となった様子で、以後月に一度のこの会（都内で開催）でかなり頻繁に会うようになっていった。

そして、筆者が二〇〇八年秋、ラボ教育センター会長職を退任・退職した後、谷川雁研究会（雁研）を発起し、次いで鈴木孝夫研究会を組織した頃から本格的な共同関係が結ばれ、今日に至ったという流れだ。筆者にとって何よりも有難かったのは「すこぶる」付きのパソコン弱者であったところ彼が右記二つの研究会のメーリングリスト管理人を引き受けてくれたこと、併せて時折起こるパソコン（操作）不具合時の懇切丁寧な指南役ぶりに、どれほど助けられてきたことか。また必要に応じて開催してきた研究会そのものの司会役を務めたり、雁研機関誌『雲よ』や沖縄発季刊誌『脈』の特集頁（筆者が編集責任を引き受けた号を主として）に殆ど常連的に執筆参加してくれた構えと努力も嬉しく、また感服ものであった。このように彼はこの十数年、ＩＴ企業経営者としての地歩を着実に固めながら、一方で筆者の関わる諸活動のほぼ全て（ここに記してない活動も含めて）に関与して共に歩みつつ陰に陽に支えてくれた上、そのことを彼自身の喜びと張り合いにもしてきてくれた様子なのであるから、こんなにも心強く得難い後輩はいないと言っていい。

その上での今回の本書出版とここに至るまでの筆者の然るべき同伴・助力（後半のオンラインによる数度の打合せも含めて）という濃密なる共同性の顕現――三十七年前の夏に他ならぬラボ国際交流を通して彼と出会えた僥倖とその後の稀に見る共同活動の堅持・進展ぶりに思いをいたすと、霊妙なまでの天佑の働きを認めるほかなく、感謝の念に堪えないところでもある。この二人の出会いは陳腐な言い方をすれば「運命的」となろうが、やはりここは優れて物語的、というより物語の中の物語だと言っていいだろう。さすがの雁もラボを通して一事務局スタッフと一人のラボっ子との間で、しかも年齢差が二十六もあるにもかかわらず、こんな事例（物語）がありえた奇跡には度肝を抜かれるに相違あるまい。

さて、次は本書の特長、他にない魅力、画期的意義等について箇条書き的に叙していくことにしよう。

(一)まず力説したいのは、本書は『〈感動の体系〉をめぐって――谷川雁 ラボ草創期の言霊』(同じくアーツアンドクラフツより 二〇一八年一月刊行)の具体的応用事例編という性格をもつ一巻だということだ。雁がその創設と草創期に主導的に関わったラボ教育センターとラボ・パーティの活動総体を普遍的意味合いも込めて自ら〈感動の体系〉と表現したことがあるのだが、本書はその〈感動の体系〉の只中に深く心身を浸しながら子ども時代を過ごした一個の人間がそこで具体的に何を学び、何を獲得してきたか、そしてそれが現在の仕事や社会生活においてどのように作用し、活かされているかを自ら振り返り、問い返し、ポジティブに総括した著作だからである。第一部と第二部に収められた諸論考、エッセイにはそうした問い返しと自己評価、〈感動の体系〉としてのラボ教育を通して得た膨大な質量の〈感動〉が過不足なく物語的に波打っているはずだ。ラボ・パーティが発足して今年で既に五十四年もの年月を刻んでいるので、ラボ会員OB・OGは間違いなく数十万といるだろうが、本書の如くトータルに自らのラボ活動体験とその作用や影響、意義を具体的に、時に客観化しながら書き上げた著作の公刊は初めてのこと(ラボ会員OBで、現在ノンフィクション作家として活躍中の神山典士さんがかつて『ひとりだちへの旅』を公刊しているが、これはラボでも国際交流に的を絞って書かれた一書で、名著であるのは間違いないもののラボ総体をテーマとした本ではない。ちなみに筆者はこの神山本誕生にもそれなりに関与している)。その意味からしても歴史的な一巻なのである。

(二)著者・仁衡琢磨について特に強調しておきたい一点を記しておけば、勿論よく出来たラボっ子であったに違いなかろうが、しかしかなり異色な面も持ち合わせていたということだ。そもそもが国際交流参加にあたって当時のラボ物語テープにあってもかなりマイナーな扱いをうけていた『アメリカ初旅行』に着目し、しかもその中の英語の歌を全部歌えるようにして参加するなんていうのが異例だし、並大抵ではない。他にも例えば『おばあさんが話した日本のむかしばなし37』というラボ・テープ(これ又当時もっと遥かにマイナーであった。何故なら英語とは全く無関係で、かつ日本語も下条登美さんという語り手の「長岡ことば」、つまりは新潟のある地域の方言で収録、なのだから英語学習という動機からラボを選んだ会員家族からすれば百パーセント視野に入るわけがない。にもかかわらず「ことばがこどもの未来をつくる」教育を本気でめざす以上、かかる音声素材もラボにはあるべきだとこだわったのが匆論谷川雁。柳田国男からの学びであろう）に興味をかきたてられ、「一時期毎日この教材を聴いていた」（本書第二部）と言うのだから半端ではない。そして「〈あったてんがのぉ〉むかぁし、むかぁし、あったてんがのぉ。——語り始めの決まり文句は数十年を経ても私の脳裏に甦る。日本のおばあさんの心地よい語りのリズム。これを体験しながら育つことができたことのありがたさを思う」と書きつけているのはどう見ても過剰に異色であろう。当時（一九七〇〜八〇年代）のラボ会員家族の平均値からすればあまりに古き日本型の感性であり、相当に変わった心ぐせとみなされたのではなかろうか。

しかしながら、これが他ならぬ仁衡琢磨の嗜好、資質なのであり本領なのであろう。子ども時代から彼は雁が心底から望み、期待した意味での「ことばがこどもの未来をつくる」とのテーゼを真髄において受けとめつつ育つことができたということでもある。いずれにせよ、例えば『アメリカ初旅行』と『おばあさんが話した日本のむかしばなし37』というある意味対極的なラボ・テープ（いずれもマイナーであったためCD化の際ラボ・ライブラリーから外された）の双方を子ども時代から愛好してやまなかったところにも、仁衡琢磨ならではの器量、感性の豊饒とサイズの大きさが認められるというものだ。その片鱗を本書の随所から読者は愉しむことができよう。

更に言えば、本書第一部の「谷川雁、子どもに賭けた後半生——ものがたり文化の会、『白いうた 青いうた』にも共振して」に見られる雁作詞『白いうた 青いうた』の評価の仕方にも仁衡琢磨の知的器量、感性の豊饒ぶりが断然きらめくように表出している。彼は高校時代、伝統と実績ある吹奏楽部の部長を務めることができたほど音楽への造詣も深い人間なのだが、そうした経歴と素養の持ち主ならではの密に共振的かつ行き届いた『白いうた 青いうた』論になっていると言えよう。人生の最終段階をこの『うた』にも賭けた雁の御霊も大喜びすることだろう。

㈢

本書第三部には、先述の『雲よ』や『脈』誌にこの間掲載されてきた論考、エッセイが収録されているが、これ又仁衡琢磨の旺盛な知的器量を端的に現わすものであると同時に、彼の谷川雁への関心と敬愛がいかに勁く根が太いものであるかの証となる文章群とも言えるだろう。彼の場合、雁との邂逅は子どもの頃からの「らくだ・こぶに」制作作品との出会いからであった。おそらくは毎日のように『ピーター・パン』や『わんぱく大将トム・ソーヤ』、あるいは『こつばめチュチュ』や『アリ・ババ』、『ロミオとジュリエット』や『国生み』、そして時には『アメリカ初旅行』や『おばあさんが話した日本のむかしばなし37』等々に耳を傾けて聴いたり、かけ流しで聞いたりしながら、そして週に一度のパーティ活動では異年齢の仲間たちと共同でテーマ活動を創ったりすることを通して、これらの物語作品の制作責任者であった「らくだ・こぶに」の志や哲学、期待や祈りとその息づかいまで感受しながら交わり続けて成長してきたはずだ。そうした子ども時代の豊富な「らくだ・こぶに」体験を基礎に置きつつ長じるに及んで、いざ「らくだ・こぶに」が谷川雁という特定の詩人・思想家とつながることを知るや今度は俄然この谷川雁の全体像への関心をかきたてられ、雁の（ラボ外での）著作を懸命に読み始めた行く立てなのだが、それはおそらく筆者と成人後かなり頻繁に会うようになって以降のことであろう。そして谷川雁研究会創出を筆者が発起するや彼も喜んで発起人の一人になってくれたのであった。ここまで来れば、次は雁と同時代、あるいは前後する時代に雁と何らかの縁を結んだ表現者群像に知的関心の翼を広げていったのも必然の成り行き。雁への傾倒が強ければ、雁と関りがあると思われる人物にも研究心が刺激されるのは道理ではあるが、それにしてもここ数年、『脈』誌を舞台に次から次へと特集テーマを繰り出す筆者のやや強引ともいえる企画・方針によくぞ我慢強く同伴的に走り続けてくれたものよと改めて感じ入るところでもある。当世において、こんな「遅れてきた青年」は、それだけでも特筆すべき存在だと言わねばなるまい。

㈣　二〇〇九年六月に機関誌『雲よ』創刊号を発刊することによって正式に起ち上がった谷川雁研究会（雁研）は、この十年余、関連本出版への寄与を含めて実に多くの研究成果を世に問える形にしてきたと言えるが、本書は、その最新の結晶でもある。この間の成果を挙げておけば次の通りだ。

①機関誌『雲よ』を七号まで刊行。
②筆者による『谷川雁　永久工作者の言霊』出版（平凡社新書として二〇一四年五月）。

③沖縄発季刊誌『脈』の特集頁で、筆者が谷川雁に大なり小なり関わりがある表現者をテーマに選んで編集責任を負うかたちの号をかなりの頻度で刊行し、これに少なからぬ雁研メンバーが執筆参加（昨年十一月刊行の一〇三号葉室麟特集が発行責任者・比嘉加津夫さんの逝去により最終号となった）。
④松本輝夫編『〈感動の体系〉をめぐって――谷川雁　ラボ草創期の言霊』を二〇一八年一月、アーツアンドクラフツより出版。
⑤河野靖好『大正炭坑戦記――革命に魅せられた魂たち』（花書院から二〇一八年五月刊行）に対する筆者による伴走・激励。
⑥雁研発起人の一人である北野辰一『戦後思想の修辞学――谷川雁と小田実を中心に』（二〇一九年九月、アーツアンドクラフツより刊行）に対する筆者による同伴・助力。

――こうした実績の積み重ねがあった上で、今回北野辰一と同じく雁研発起人の一人でもある仁衡琢磨の著作をこのような形で出版できたことを大いに嬉しく、また誇らしくも思っているところだ。殊に彼は先述の通り遥か昔ラボ国際交流で一緒だったという偶然を、その後必然の関係性へと高めてきた世にも稀な物語を共有している上に、筆者が行なってきた殆ど全ての諸活動に内発的に参画し、パソコン実務面も含めて様々な意味で支えてきてくれた掛けがえなき人士でもあるので、我がことのように悦ばしいとも付記しておこう。

谷川雁は、ラボ教育センターが発足して間もない時期に、「なぜ、こどもたちに外国語をあたえるのでしょうか。なによりもまず意識の根を強くしたいからです。それは、この世の一部分を偏愛する人間ではなく、世界の全体性を率直に感じとることのできる人間をつくることだといい変えることもできます」（『〈感動の体系〉をめぐって』の巻頭掲載の一文から）と書いているが、仁衡琢磨をみていると何よりもまず「意識の根」が強固であるのは折り紙付きだし、「この世の一部分を偏愛する人間では」まったくなく、「世界の全体性を率直に感じ」とりながら公私共にエネルギーを全開させて生きていることが百パーセント認められるというもの。その意味では、本人も書いているように「ことばがこどもの未来をつくる」という雁が創案したラボ不滅のキャッチフレーズを字義通り全身全霊で受けとめ、そのテーゼの証明を日夜実践しているのが仁衡琢磨だといっても言い過ぎではなかろう。

本書全体を通して、谷川雁が子どもたちとラボ・テューターから真摯に学びつつ草創期に中心となってそのベースを築いた独創的にして画期的な「ことば」の教育活動がどんな「こどもの未来をつくる」かの生きた事例（物語）を愉しみながら読みとってくだされば幸甚です。ことわるまでもなく、この物語はいまなお「途上」にあり、現在進行形であることを前提として、です。

最後になりましたが、それでなくても益々厳しくなる一方の出版事情に加えてコロナ災禍に振り回される中、今回も谷川雁にからむ本の出版を快く引き受けて壮麗な一巻に仕上げてくださったアーツアンドクラフツの小島雄社長に対しまして筆者からも厚く御礼申し上げます。

（谷川雁研究会代表、元ラボ教育センター会長）

二〇二〇年六月一日

仁衡琢磨（にひら・たくま）

1969年、茨城県日立市生まれ。1976年から84年、小学1年から中学3年まで約9年間ラボ教育を受ける。うち、83年の夏に中学2年でアメリカへの1ヵ月ホームステイに参加。県立水戸一高卒。1988年、上智大学文学部哲学科に入学のため上京するも、直後に鬱症状を発し休学、仙台での数年にわたる居候生活などののち大学を退学、アルバイトで糊口をしのぐ日々を送る。1997年、27歳のとき、都内で暮らしていたアパートの隣人との縁からソフトウェア開発会社であるペンギンシステム株式会社に入社。それを機に約九年間苦しんだ鬱症状は緩解、なんとか折り合いをつけた。2006年、36歳時に会社の経営を引き継ぎ、同時に会社をつくば市に移転させ「第二の創業」を図る。会社は堅調に成長、各種受賞等を重ねている。また2015年からは茨城県全域の研究開発型企業約30社の連合体である一般社団法人の代表理事も兼務。県・市・NHK等の委員など公職も多数委嘱を受け、務めている。2019年には産業の発展に貢献ありとして茨城県表彰を受賞。

私生活では谷川雁研究会・鈴木孝夫研究会において発起人・世話人の一人として運営補佐をしつつ、谷川雁を研究し、また鈴木孝夫の謦咳に接しながら学ぶ。二つの読書会——鷹揚の会（東京）、筑豊・川筋読書会（福岡）——にも参加し、研鑽を積んでいる

ことばがこどもの未来《みらい》をつくる
——谷川雁の教育活動から萌え出でしもの

2020年9月15日　第1版第1刷発行
2024年5月1日　第2版　　発行

著者◆仁衡琢磨《にひらたくま》
協力◆ラボ教育センター
発行人◆小島　雄
発行所◆有限会社アーツアンドクラフツ
東京都千代田区神田神保町2-7-17
〒101-0051
TEL. 03-6272-5207　FAX. 03-6272-5208
http://www.webarts.co.jp/
印刷　シナノ書籍印刷株式会社

落丁・乱丁本はお取り替えいたします。
ISBN978-4-908028-51-9　C0037